CHICAGO PUBLIC LIBRARY
R02015 66881

W9-BVS-877

En esto creo

Seix Barral Biblioteca Breve

Carlos Fuentes
En esto creo

Primera edición: mayo 2002
Segunda edición: junio 2002

ISBN: 84-322-1132-X
Depósito legal: B. 29.137- 2002
Impreso en España

In memoriam
Carlos Fuentes Lemus
1973-1999

AMISTAD

Lo que no tenemos lo encontramos en el amigo. Creo en este obsequio y lo cultivo desde la infancia. No soy en ello diferente de la mayor parte de los seres humanos. La amistad es la gran liga inicial entre el hogar y el mundo. El hogar, feliz o infeliz, es el aula de nuestra sabiduría original pero la amistad es su prueba. Recibimos de la familia, confirmamos en la amistad. Las variaciones, discrepancias o similitudes entre la familia y los amigos determinan las rutas contradictorias de nuestras vidas. Aunque amemos nuestro hogar, todos pasamos por el momento inquieto o inestable del abandono (aunque lo amemos, aunque en él permanezcamos). El abandono del hogar sólo tiene la recompensa de la amistad. Es más: sin la amistad externa, la morada interna se derrumbaría. La amistad no le disputa a la familia los inicios de la vida. Los confirma, los asegura, los prolonga. La amistad le abre el camino a los sentimientos que sólo pueden crecer fuera del hogar. Encerrados en la casa familiar, se secarían como plantas sin agua. Abiertas las puertas de la casa, descubrimos formas del amor que hermanan al hogar y al mundo. Estas formas se llaman amistades.

Porque creo en este valor iniciático de la amistad me llama la atención el cinismo filosófico que la acompaña con una nube negra. Oscar Wilde emplea su temible don de la paradoja para decir de Bernard Shaw que no tiene un solo enemigo en el mundo, pero ninguno de sus amigos le quiere. Para Byron, la amistad es, tristemente, el amor sin alas. Y si la amistad puede convertirse en amor, lo cierto es que el amor rara vez se convierte en amistad. Al amigo, dice la sabiduría popular, hay que recibirlo con alegría y despedirlo con prisa. Si es huésped, a los tres días, como los cadáveres, apesta.

Yo creo que hay más dolor que cinismo en las amistades perdidas. Los sentimientos descubiertos y compartidos. La ilusión de sabiduría confirmada que nos proporciona un amigo. La constitución de la esperanza que sólo nos otorga la juventud compartida en la amistad. La alegría de la banda, la cuatiza, the gang, l'équipe, la chorcha, la patocha. Los lazos de unión. La complicidad de las amistades juveniles, el orgullo de ser joven y, si se es ya joven sabio, la voz admonitoria de la propia juventud cuando es vieja amistad. Aprendamos a gobernar el orgullo de ser jóvenes. Un día no lo seremos y necesitaremos, más que nunca, a los amigos.

Dos edades abren y cierran la experiencia de la amistad. Una es la edad juvenil, y mi «disco duro» recuerda nombres, rostros, palabras, actos de compañeros de escuela. Pero lo que recuerdo no rebasa todo lo que he olvidado. ¿Cómo no celebrar que sesenta años más tarde, mantenga un vínculo con mis primeros amigos de la infancia —una infancia errante, de familia diplomática, una peregrinación atentatoria contra la continuidad de los afectos? Aún me escribo con Hans Berliner, un niño judío alemán que llegó a mi escuela primaria en Washington huyendo del terror nazi y fue objeto de esa crueldad infantil ante lo diferente. Era moreno, alto para su edad, pero usaba, como los niños europeos de esa época, calzón corto. Para el niño norteamericano, no era «regular», es decir, indistinguible de ellos mismos. Yo perdí mi popularidad inicial cuando el presidente Cárdenas nacionalizó el petróleo en 1938 y me convertí —por primera pero no única vez en mi vida— en sospechoso comunista. La exclusión nos unió, a Hans y a mí, hasta el día de hoy. La geografía nos separó pero en Santiago de Chile, adolescente ya, encontré pronto equipo, banda, chorcha, patocha, en los muchachos que preferiríamos la lectura y el diálogo a los rudos deportes enlodados de nuestra escuela inglesa, The Grange, al pie de los Andes, regida por capitanes ingleses convencidos de que la batalla de Waterloo se ganó en los campos deportivos de Eton. Recuerdo los nombres de todos, las caras de todos —Page, Saavedra, Quesnay, Marín— pero sobre todo Torretti, Roberto, mi compañero intelectual, literario, con el cual escribí, al alimón, nuestra primera novela. Ésta se perdió en los baúles testamentarios de la madre de Roberto, pero Torretti y yo nos seguimos escribiendo y mantenemos, hasta el día de hoy, diálogos vivos en Oaxaca o Puerto Rico, y diálogo escrito entre México y Santiago. Él es un extraordinario filósofo y su amistad me retrotrae siempre a esos años juveniles en una escuela inglesa, a fingidas aventuras de mosqueteros en el palacete de la Embajada de México y a otras memorias más lejanas o más dolorosas. Conocí allí a José Donoso, mayor que yo, futura gloria de las letras chilenas. No sé si él me conoció a mí. Y conocí, en una escuela anterior, el dolor de un amigo íntimo desaparecido a los doce años de edad, dejándome desolado ante la primera muerte de un hombrecito de mi edad. Aunque tan desolado como me dejó el destino de otro niño, físicamente deforme, objeto de burlas y golpes, a quien me atreví a defender, descubriendo así otra dimensión de la amistad: la solidaridad. Que después del cuartelazo atroz del atroz Pinochet ese muchacho, ya hombre, haya sido torturado en los campos de la muerte del sur de Chile, sólo aumenta mi horror ante la crueldad humana pero también mi ternura y compasión hacia la realidad misma de eso que llamamos y debatimos «amistad».

Porque todos, en grado menor o mayor, hemos traicionado o sido traicionados por la amistad. Las bandas se desbandan y los íntimos amigos de la juventud pueden convertirse en los más alejados e indiferentes fantasmas de la edad adulta. Y es que no hay nada más traicionable que la amistad. Si hiciésemos la lista de los amigos perdidos, las apostillas dirían indiferencia, odio, rivalidad, pero también épocas distintas y distancias épicas. Dirían muertes. ¿Por qué los abandonamos? ¿Por qué nos abandonan ellos? Viéndolo bien, hay poca amistad en el mundo. Sobre todo entre iguales. William Blake lo decía de manera incomparable: Tu amistad me hiere demasiado. Por favor, sé mi enemigo. Porque si la amistad, en su origen, es disposición, generosidad, apertura a reunirnos con otros, no deja de ser, al mismo tiempo, un rechazo secreto e insinuante de esa misma intimidad cuando es sentida como dependencia. Wordsworth habla de las «horas primitivas» de la vida, durante las cuales, vivimos una paradoja que nos arroja al camino de la suerte a la vez que nos protege de sus accidentes. Accidentes, a veces, del humor. Sargent pudo decir que cada vez que pintaba un retrato perdía un amigo. Y el famoso canciller británico, Canning, le daba a la amistad un giro diplomático vigente. Sálvame del amigo sincero, rogaba. Es cierto: en la diplomacia y en la política, confiar en la amistad es exponerse al error. En el poder se concentran las leyes que destruyen con más seguridad a la amistad. La traición. El arrepentimiento. La deserción. El campo de cadáveres que va dejando el uso del abuso. Las trincheras abandonadas que va dejando la indiferencia de la fuerza. Y siempre, la tentación del humor cruel. Malraux a Genet: *Que pensez-vous vraiment de moi?* Genet: *Je ne vous aime assez pour vous le dire.*

No son éstas lecciones inútiles. Los terrenos más yermos florecen para indicarnos que, en cuestiones de amistad, hay que darle cabida, en ocasiones, a la sabiduría del Eclesiastés y admitir que aun las heridas de un amigo pueden ser heridas fieles. Y que con el amigo podemos exponernos a decirle por qué no lo queremos. Al enemigo, en cambio, nunca se le debe dar esa satisfacción. Pero lo terrible de la pérdida de la amistad es el abandono de los días a los que ese amigo les dio sentido. Perder a un amigo se vuelve, entonces, literalmente, una pérdida de tiempo. Esperanzas excesivas, celos de los triunfos ajenos. Es tiempo de regresar a la amistad sabiendo que exige un cultivo cotidiano a fin de rendir sus frutos maravillosos. Establecer simpatías y gozar afinidades. Obsequiarnos serenidad unos a otros. Obligarnos a una disciplina jocunda para mantener la amistad. Descubrimiento con los amigos de las potencias del mundo y del deleite de compartir las horas. Reír con los amigos. Vivir la amistad como invitación permanente a aceptar y ser aceptados. Y reclamar internamente una posible perfección de la amistad al abrigo de todo atentado. Vivir la compañía de los amigos sin permitir ninguna ocasión de vergüenza al día siguiente, ni que se hable mal de los ausentes. Defender a la amistad contra celos, envidias, temores. Y estar de acuerdo en no estar de acuerdo —*agree to disagree.* Las diferencias deben aumentar la amistad y el respeto mutuos. El trato inteligente entre amigos no admite ambición, intolerancia o mezquindad. Amistad es modestia digna, es imaginación y es generosidad. Y a veces, por qué no, es todo lo contrario. Orgullo. Naturalidad pasiva. Avaricia del afecto.

Digo «naturalidad pasiva» y se me ocurre que siendo el diálogo una de las fiestas de la amistad, el silencio lo puede ser también. Es una enseñanza de mi amistad con Luis Buñuel. Al principio, pensé que sus lagunas en el curso de una conversación generalmente muy animada era una falla mía, un reproche de él. Llegué a saber que saber estar juntos sin decir nada era una forma superior de la amistad. Era respeto. Era reverencia. Era reflexión opuesta al mero parloteo. No somos, instantáneamente, pericos. Seremos, momentáneamente, filósofos... ¿No eran estoicos, ambos de Córdoba, Séneca y Manolete?

Esta experiencia de la amistad como silencio reflexivo y respetuoso me conduce a un filo inevitable en el que la frontera entre estar con mis amigos y estar solo separa nuestras vidas. Si la amistad es el nexo entre la vida en común y la vida del yo, éste tiene que reclamarle soledad a la amistad. Es natural: exigimos para nuestro ser la pasión, la inteligencia o el amor que reconocemos en la mirada del amigo. Las simpatías, los movimientos de acercamiento, tienen un límite: yo mismo. Regreso a mí, a mi desconsuelo pero también a mi propio poder. Recuerdo con nostalgia el amanecer de la infancia compartido con los amigos. ¡Qué difícil es mantenerlo de adultos! Repaso los momentos de las rupturas con dolor inevitable. Las horas no son las mismas. Los caminos se han desviado. Pero no puedo evitar la limosna que el propio yo le exige, al cabo, a la fortuna de la amistad. Pues, ¿no sabíamos ya, secretamente, desde el principio, que un día sentiríamos ante el amigo la necesidad de renovar la vida? ¿No sabíamos desde siempre que con íntimo desasosiego, casi con vergüenza, portamos una imperfección que no podemos revelar ni compartir con el amigo más entrañable?

Le entregamos entonces, paradójicamente, nuestra imperfección al mundo y nuestra vergüenza a la sociedad con la esperanza de que otra forma de amistad, la de pertenecer a la vida en común, nos redima. El artista, por definición, aprende muy pronto a soportar la soledad en nombre de la creación de la obra. Pero más ampliamente es la propia amistad lo que nos obliga no sólo a reconocer nuestros límites, sino a entender que los compartimos. Somos amigos en comunidad: nos necesitamos. Con razón decía Thoreau que tenía tres sillas en su casa. Una, para la soledad. Otra, para la amistad. Y la tercera, para la sociedad. Saber estar solo es la contrapartida indispensable y enriquecedora de saber estar con amigos.

La soledad no es la única contrapartida de la amistad. Lo es también la muerte. Así como recuerdo fielmente a mis más remotos amigos de la niñez, otorgo una memoria constante a esos viejos amigos ya partidos que fueron, además, mis maestros. Mi generación recuerda con *verecundia* latina a dos grandes maestros de nuestra juventud. El mexicano Alfonso Reyes y el español Manuel Pedroso. Dos sabios que además eran amigos. Su enseñanza intelectual era inseparable de su enseñanza cordial. No esperaban, como los falsos maestros, idolatría sin contradicción. Esperaban y solicitaban la reconquista de la propia juventud a cambio de nuestra propia conquista del saber y experiencia cordiales, de su vejez. Volvíamos a descubrir, con Reyes, pequeño y redondo, con Pedroso, alto y angular, que la amistad significa perdurar en la vejez —o en el tiempo. Que siempre falta descubrir más de lo que existe. Que la amistad se cosecha porque se cultiva. Que nadie hace amigos sin hacer enemigos, pero que ningún enemigo alcanzará jamás la altura de un amigo. Que la amistad es una forma de la discreción: no admite la maledicencia que maldice al que la dice, ni el chisme que todo lo convierte en basura. Amistad es confianza. (Es más vergonzoso desconfiar de los amigos que engañarlos, escribió La Rochefoucauld.) Que la amistad, para ser cercana, nos enseña el camino del respeto y de la distancia. Aunque la amistad autoriza a amar y detestar las mismas cosas.

Así, las épocas de la vida se van midiendo por los grados de afinidad íntima que mantenemos a lo largo de nuestras edades. Se olvidan amigos remotos en el tiempo. Se abandonan amigos de la juventud que no crecieron al mismo ritmo que nosotros. Se buscan amigos más jóvenes para adquirir el paso de una vitalidad que biológicamente se aleja. Buscamos a amigos de toda la vida y ya no tenemos nada que decirnos. Vemos la decadencia de viejos y queridos amigos a los que ya no reconocemos o que ya no nos reconocen. Pero cuando la edad aleja es sólo porque nos está esperando. Vuelven a brillar en el ocaso las luces de la primera juventud. En medio, quizás, de una bruma distante, recordamos las afinidades, descubrimos juntos cuanto existe, reconquistamos la juventud, volvemos a ser banda, cuatiza, chorcha, patocha, barra, gang. Volvemos a cosechar las pasiones y a subyugar las rebeliones. Y miramos con nostalgia las antiguas horas de la amistad, como si nunca hubieran sido...

AMOR

En Yucatán, el agua nunca se ve. Corre subterráneamente, bajo una frágil capa de tierra y piedra caliza. A veces, esa delicada piel yucateca aflora en ojos de agua, en líquidos estanques —los cenotes— que dan fe de la existencia del misterioso flujo subterráneo. Creo que el amor es como los ríos ocultos y los surtidores sorpresivos de Yucatán. Nuestras vidas se asemejan a veces a infinitos abismos que no tendrían fin si en el lecho mismo del vacío no corriese un río, plácido y navegable a veces, ancho o estrecho, precipitado otras, pero, siempre, abrazo de agua que nos impide desaparecer para siempre en la vastedad de la nada. Oportunidad y riesgo de nadar en vez de riesgo sin oportunidad de nada.

Si el amor es ese río que fluye y mantiene la vida, ello no significa que el amor y sus atributos más preciados —el bien, la belleza, el afecto, la solidaridad, el recuerdo, la compañía, el deseo, la pasión, la intimidad, la generosidad, la voluntad misma de amar y ser amados— excluyan lo que parecería negarlo: el mal. En la vida política es posible convencerse de que se actúa por amor a un pueblo para acabar destruyendo a ese pueblo y concitando el odio —desde adentro y desde afuera. No dudo, por ejemplo, de que Hitler amaba a Alemania. Pero desde *Mein Kampf* hizo saber que amar a Alemania era inseparable del odio a cuanto Hitler veía como opuesto a Alemania. El amor alimentado por el odio a los demás se hizo explícito en una política del mal sin parangón en la historia. Desde un principio, Hitler declaró que practicaría, para procurar el bien, una política del mal. No lo disimuló, al contrario de Stalin, quien se envolvía en la bandera de una ideología occidental humanista —el marxismo— para perpetrar un mal comparable al de Hitler, pero que no se atrevió a decir su nombre. El amor al mal de Hitler condujo a un apocalipsis wagneriano en medio del Berlín en llamas. El amor al mal de Stalin se tradujo en el lento derrumbe de un Kremlin de arena deslavado por las olas, lentas pero constantes, de la misma historia que la Dictadura del Proletariado pretendía encarnar. El nazismo se derrumbó como un espantoso dragón herido. El comunismo soviético se arrastró a la muerte como un gusano enfermo. Fafner y Oblómov.

El Marqués de Sade también propone un amor al mal que solicita el placer del cuerpo para fundar el dolor del cuerpo y su desaparición mortal. El amor sadista, nos dice el Marqués, podrá ser un mal para la víctima, pero es un supremo bien para el verdugo. Sade, sin embargo, no pretendía llevar su visión monstruosa del mal como bien a la práctica. No era un político, era un escritor, casi siempre encarcelado, incapacitado, pues, para actuar, salvo en el reino de la fantasía. Allí era el monarca de la creación. Y nos advierte: «Soy un libertino, pero no soy un delincuente ni un asesino.»

Hay otra forma disfrazada del mal presentado como

amor. Consiste en imponer nuestra voluntad a otro «por su propio bien», es decir, por amor a quien, desviando de su propio destino, despojamos de la libertad en nombre del amor. Tema constante en la literatura, para mí nadie lo encarnó con tanta lucidez como un autor que apasionó mi juventud, François Mauriac.

Thérèse Desqueyroux, *Le Désert de l'amour*, *Le Nœud de vipères*, *Le Baiser au lépreux*, *Le Mal* mismo, son novelas de un mal pervertido que, proponiéndose hacer el bien, destruye o rebaja la capacidad de amar manipulada por la religión, el dinero y, sobre todo, la convención social y el fariseísmo. Thérèse Desqueyroux, en el colmo de este drama de las buenas intenciones empedrando los infiernos, asesina en nombre de una antigua falta para rescatar la *hubris* familiar al precio de su propia salud. La sociedad, la familia, el honor, determinan así, en nombre del amor debido a esas instituciones, la esclavitud erótica y el crimen pasional de la heroína.

El elogio del amor como realidad o aspiración suprema del ser humano no puede ni debe olvidar la fraternidad del mal aunque, en esencia, la supera en la mayoría de los casos. La aplaca, pero nunca la vencerá del todo. El amor requiere una nube de duda contra el mal que lo acecha. Pero no sólo esa nube, sino la rabia misma del cielo, se disipan en el placer, la ternura, la ciega pasión a veces, la felicidad así sea pasajera, del amor tal y como lo vivimos los hombres y las mujeres. La más viva pasión amorosa puede degenerar en costumbre, en irritación a lo largo del tiempo. Una pareja empieza a conocerse porque ante todo se desconoce. Todo es sorpresa. Cuando ya no hay sorpresas, el amor puede morir. A veces, aspira a recobrar el asombro primerizo pero acaba dándose cuenta de que, la segunda vez, el asombro es sólo la nostalgia. Acomodarse a la costumbre puede ser visto por algunos como una pesada carga —un desierto final, repetitivo y tedioso cuyo único oasis es la muerte, la televisión o la recámara aparte. Pero ¿cuántas parejas, también, no han descubierto en la costumbre el amor más cierto y duradero, el que mejor acoge y cobija la compañía y el apoyo que también son nombres del amor? ¿Y no es otro desierto, ardiente de día pero helado de noche, el de la pasión sin tregua, mortificante al grado de que los grandes protagonistas del amor romántico prefirieron la muerte joven y apasionada en su clímax, que la pérdida de la pasión en la grisura de la vida cotidiana? ¿Pueden envejecer juntos Romeo y Julieta? Quizás. Pero el joven Werther no puede terminar sus días viendo el *Big Brother* en televisión como única forma de participación vicaria en pasiones menos dormilonas que la suya.

El amor quiere ser, por el mayor tiempo posible, plenitud de placer. Es cuando el deseo florece por dentro y se prolonga en las manos, los dedos, los muslos, las cinturas, la carne erguida y la carne abierta, las caricias y el pulso ansioso, el universo de la piel amorosa, reducidos los amantes al encuentro del mundo, a las voces que se nombran en silencio, al bautizo interno de todas las cosas. Es cuando no pensamos en nada para que esto no termine nunca. O cuando pensamos en todo para no pensar en esto y darle su libertad y su más larga brevedad al placer carnal cuando le damos la razón a San Agustín, sí, el amor es *more bestiarum*, pero con una diferencia: sólo los seres humanos (complicaciones aparte) hacemos el amor dándonos la cara. Para el animal no hay excepciones. Para nosotros, la excepción animal es la regla humana.

¿Cuándo es mayor la felicidad del amor? ¿En el acto de amor o en el salto adelante, en la imaginación de lo que sería la siguiente unión amorosa? ¿La alegría fatigada del recuerdo y nuevamente el deseo pleno, aumentado por el amor, de un nuevo acto de amor: felicidad? Este placer del amor nos deja asombrados. ¿Cómo es posible que el ser entero, sin desperdicio o abandono alguno, se pierda en la carne y la mirada del ser amado y pierda, al mismo tiempo, todo sentido del mundo exterior al amor? ¿Cómo es posible? ¿Cómo se paga este amor, este placer, esta ilusión?

Los precios que el mundo le cobra al amor son múltiples. Pero, como en los teatros y los estadios, hay precios de entrada diferentes y butacas de preferencia. La mirada es boleto imprescindible del amor. Por los ojos entra el amor, dice el dicho. Y en verdad, cuando amamos, todo el mundo huye de nuestra mirada. Sólo tenemos ojos para el ser amado. Una noche en Buenos Aires, descubrí, no sin pudor, emoción y vergüenza, otra dimensión de la mirada amorosa: su ausencia. Nuestra amiga Luisa Valenzuela nos llevó a mi mujer y a mí a un sitio de tango en la larguísima avenida Rivadavia. Un salón de baile auténtico, sin turistas ni juegos de luces, las cegadoras *strobelights*. Un salón popular, de barrio, con su orquesta de piano, violín y bandoneón. La gente sentada, como en las fiestas familiares, en sillas arrimadas contra la pared. Parejas de todas las edades y tamaños. Y una reina de la pista. Una muchacha ciega, con anteojos oscuros y vestido floreado. Una Delia Garcés renacida. Era la bailarina más solicitada. Dejaba sobre la silla su bastón blanco y salía a bailar sin ver pero siendo vista. Bailaba maravillosamente. Le devolvía al tango la definición de Santos Discépolo: «Es un pensamiento triste que se baila.» Era una forma bella y extraña de amor bailable, simultáneamente, en la luz y en la oscuridad. La media luz, sí.

El «crepúsculo interior» nos enseña también, con el tiempo, que se puede amar la imperfección del ser amado. No a pesar de ser imperfecto, sino por ser imperfecto. Porque una cierta falla, un defecto conmensurable, nos hace más entrañable a la persona querida, no porque nos haga creer en nuestra propia superioridad —los griegos castigaban la *hubris* como la ofensa trágica, más que contra los dioses, contra los límites humanos—, sino, por el contrario, porque nos permite admitir nuestras propias carencias y, estrictamente, emparejarnos. Esto difiere de otra forma del amor, que es la voluntad de amar. Acontecimiento ambiguo que puede ondear con las banderas de la solidaridad, pero también lucir los harapos del provecho propio, la astucia o esa forma de amistad por conveniencia que describe Aristóteles. Hay que distinguir muy claramente estas dos formas de amor, pues la primera abarca la generosidad y la segunda concierne al egoísmo.

«Un perfecto egoísmo entre dos» es la fórmula, bien francesa, como Sacha Guitry definía al amor, dándole un cierto aire de ironía a la intimidad misma. El egoísmo compartido supone, por una parte, aceptar, tolerar o guardar discreción frente a las múltiples miserias que, en palabras de Hamlet, «la carne hereda». Pero el egoísmo sin más —la soledad radical y avara— no sólo es separación del otro, sino de uno mismo. No falta quien diga que, a pesar de todo, el mejor momento del amor es la separación, la soledad, la melancolía del recuerdo, el momento solitario... Situación preferible a la melancolía del amor que nunca tuvo lugar por premura, por indiferencia, por falta de tiempo. «No hubo tiempo. No hubo tiempo para la última palabra. No hubo tiempo para decirse tantas cosas del amor.»

Voluntad o costumbre, generosidad o imperfección, belleza y plenitud, intimidad y separación, el amor, acto humano, paga, como todo lo humano, el precio de la finitud. Si del amor hacemos la meta más cierta y el más cierto placer de nuestras vidas, ello se debe a que, por serlo o para serlo, debe soñarse ilimitado sólo porque es, fatalmente, limitado. El amor sólo se concibe a sí mismo sin límite. Al mismo tiempo, los amantes saben (aunque apasionadamente se cieguen, negándolo) que su amor tendrá límites —si no en la vida, entonces seguramente en esa muerte que es, según Bataille, el imperio del erotismo real: «La continuidad del amor más intenso en ausencia mortal del ser amado.» Cathy y Heathcliff en *Cumbres borrascosas*. Pedro Páramo y Susana San Juan en la novela de Rulfo. Pero en la vida misma, ¿nos satisface plenamente el más absoluto y pleno de los amores? ¿No es verdad que queremos siempre más? Si fuésemos infinitos, seríamos Dios, dice el poeta. Pero queremos por lo menos amar infinitamente. Es nuestro acercamiento posible a la divinidad. Es nuestra mirada de adiós y nuestra mirada de Dios.

Ojalá que el lector de este libro encuentre las formas variadas del amor en cada capítulo de mi alfabeto personal. Hay una, sin embargo, que deseo destacar a fin de tenerla siempre presente. Es la calidad de la atención. El amor como atención. Prestarle atención a otro. Abrirse a la atención. Porque la atención extrema es la facultad creadora y su condición es el amor.

Agnes Heller, la filósofa de origen húngaro, escribe que la ética es asunto de responsabilidad personal, la responsabilidad que tomamos en nombre de otra persona; nuestra respuesta al llamado del otro. Toda ética culmina en una moral de la responsabilidad: somos moralmente responsables de nosotros y de los demás. Sin embargo, ¿cómo puede una sola persona hacerse responsable de todas? Ésta es la pregunta central de las novelas de Dostoyevsky.

¿Cómo abarcar la experiencia total de una humanidad sufriente, humillada, anhelante?, le pregunta, con juvenil desesperación, Dostoyevsky al más grande crítico ruso de su tiempo, Vissarion Gregorievich Bielinsky. La respuesta del crítico fue abrumadoramente precisa: Empieza con un solo ser humano. El más cercano a ti. Toma con amor la mano del último hombre, de la última mujer que has visto, y en sus ojos verás reflejados todas las necesidades, todas las esperanzas y todo el amor de la humanidad entera.

BALZAC

Creo en Balzac. Junto con Cervantes y Faulkner, es el novelista que más me ha influido. Y como todo gran escritor, posee muchas facetas. Pero acaso no hay otro que de manera tan deliberada dé su sitio a la realidad social (*«Moi, j'aurai porté toute une société dans ma tête»*) y, lado a lado, erija un espectro que es una advertencia: el relato fantástico. Realista y fantástico. Su realidad incluye la realidad de la imaginación. Sus personajes son ambiciosos trepadores sociales pero también los derrotados y humillados. Su obsesión es el dinero pero también el terror y el sueño. Sus pasiones son personales pero también colectivas. Los *études de moeurs (Père Goriot, Illusions Perdues, Eugénie Grandet)* conviven con los estudios filosóficos *(Louis Lambert, Séraphita, La Recherche de l'absolu)*.

«El novelista de la energía y la voluntad», como lo llamó Baudelaire, es también novelista de un duelo constante con el terror. La energía tan prodigiosamente gastada por los arribistas balzacianos tiene sus recompensas. Posición social, dinero, fama. Pero también presenta cuentas inevitables, desgaste, vejez, pérdida, rendición... *La peau de chagrin* —la piel de onagro, piel de la pena— es el símbolo balzaciano del mundo de los objetos. Es el objeto supremo, la-cosa-en-sí, la posesión capaz de aumentar la posesión mediante el simple deseo.

El precio es que, cada vez que deseamos y el deseo nos es concedido, la piel nos des-posee de nuestra propia vida y nos ofrece, en cambio, la posesión final y eterna: la Muerte.

La posesión de las cosas es tema central en el Balzac social. Pero la pérdida de las cosas es el tema central del Balzac mítico. Y el mito es el de Tántalo, condenado para siempre a no tocar los frutos casi al alcance de su mano. «Delgada sombra, desangrada y fría, ves, de tu misma sed, martirizarte», escribió Quevedo, tantalizado. Aunque Balzac va más acá y va más allá del mito. Más acá está la actividad social. Raphaël de Valentin, el protagonista que adquiere la piel de zapa como un regalo envenenado, es un jugador. Su apuesta es que la vida y la muerte son los únicos números dignos de jugarse en el casino del mundo. La ruleta de la vida y de la muerte da y quita lo que poseemos. Y en el mundo social de Balzac, lo que tienes es lo que eres.

Como una gran ópera, *La piel de zapa* tiene un primer acto que se desarrolla en un casino, el lugar donde las cosas se ganan o se pierden monetariamente. Un segundo acto en la casa de préstamo, donde Raphaël es salvado de la ruina gracias al talismán. Y un tercer acto que es orgía prolongada de la propiedad y la muerte, en la que Raphaël primero lo gana y luego lo pierde todo debido al objeto mágico que posee y lo posee.

El genio de Balzac se despliega en la tensión entre el tiempo y el espacio de sus novelas. En *La piel de zapa*, la piel misma es el espacio simbólico de la narración. Raphaël desea: el objeto-espacio se va reduciendo con cada deseo. Pero junto con el espacio, se agota su tiempo. La voluntad del héroe será aniquilada por el cumplimiento de sus deseos. Pocos momentos de mayor terror y de absurdo mayor que el de la pregunta del camarero Jonathas: «Señor, ¿desea usted más espárragos?» «¿Quieres matarme?», grita aterrado Raphaël.

En esta novela desesperada, el tiempo y el espacio, la posesión y la desposesión, la vida y la muerte al cabo se funden en la pasión erótica. En Balzac, el sexo es prácticamente invisible. Raphaël desea el cuerpo de la cortesana Fœdora pero prefiere la piel de zapa a la piel de eros. El deseo sexual podría destruir la piel y la vida de Raphaël. La piel de zapa sería, en términos freudianos «la prueba del triunfo sobre la castración». También posee la cualidad fetichista de ser ignorada y en consecuencia de ser permitida. Nadie le prohíbe a Raphaël que posea la piel porque el precio del objeto es desconocido. Nadie, en otras palabras, le prohíbe a Raphaël ser el propietario de su propia muerte.

La sorpresa erótica de la novela de Balzac es que la plenitud sexual le es reservada a la heroína pura, Pauline. Es esta mujer virginal del melodrama populista la que esconde y demanda una entrega sexual tan completa, que, deseándola, Raphaël agota su destino, evapora la piel de zapa y muere —escena final atroz— mordiendo el seno de Pauline. La dulce Pauline, no la cruel Fœdora, mata a Raphaël porque no le permite vivir sin desearla —o, más bien dicho, no le permite morir sin desearla. Cuesta arrancar el cadáver de Raphaël del seno de Pauline que el héroe muerde como una bestia feroz.

Hay otras dos obras del Balzac visionario que me

resultan particularmente inquietantes. En *Séraphita*, el/la protagonista, a veces hombre, a veces mujer, o mitad mujer, mitad hombre, hace de la ambigüedad sexual un objeto inalcanzable, y por ello anhelado sin fin y sin fortuna, del deseo. El de Wilfrid por Séraphita es tan inalcanzable como el de Minna por Seraphitus. Y es que Wilfrid, deseando a la mujer Séraphita, corre el riesgo de abrazar al hombre Seraphitus y Minna, en su propio abrazo, puede encontrar el cuerpo de la mujer Séraphita. Nuevamente, el mito de Tántalo ilumina la iconografía fantástica de Balzac y tiene la razón Mme. Potocka, una de las ilustradas amantes y corresponsales del escritor, cuando le dice, a propósito de Séraphita, que no se trata de una «criatura», sino de una «creación». ¿Cómo podrán poseerla Wilfrid o Minna si no comprenden que se acercan, no a un hombre o a una mujer, sino, plenamente, a una creación que les exige, a cada amante, unirse sin reservas a un movimiento del alma en el que nos jugamos —personajes y lectores— la vida? Ésta es la diferencia, digamos, entre *Séraphita* y la muy bella e ingenua novela de Virginia Woolf, *Orlando*, maravilloso juego de las metamorfosis constantes del tiempo y el sexo. Pero Woolf no nos compromete ni se compromete. Orlando traspasa los tiempos en soledad. Séraphita nos exige ser algo que no queremos ser al mismo tiempo que, ardientemente, deseamos ser Él o Ella. Nos exige abandonar la vida para poseerla más allá del sexo. Es decir, nos exige el erotismo.

Louis Lambert, que es la novela más autobiográfica de Balzac, contiene otra anticipación asombrosa. El brillante joven Lambert es, en palabras del propio Balzac, «un mártir del pensamiento». Se equivocó Flaubert quien, leyéndola como una pesadilla, la juzgó la historia de un loco. Tan loco como Nietzsche, pues Louis Lambert, encerrado en una habitación en penumbra, sin nunca más decir palabra, no está loco. Ha sido vencido por la velocidad de su pensamiento. Su pensamiento es más veloz que su palabra. Tan veloz, que no alcanza a manifestarse en palabras. El pensamiento aniquila al pensador. Louis Lambert es la más asombrosa pre-figuración de Friedrich Nietzsche.

¿Puede derrotar la literatura a la muerte? Ésta es la pregunta insidiosa de Balzac y acompaña a Lucien de Rubempré y a Eugène de Rastignac en su ambiciosa escalada social, o a Papá Goriot, moderno Lear, victimizado por la cruel vanidad de sus hijas ingratas, o a la Prima Bette, urdiendo la trama siniestra que la libere, en la venganza, de la humillación, o al gran titiritero de *La comedia humana*, Vautrin —Abate Herrera / Collin / Trompe-la-Mort—, manipulando todos los destinos para dejar de tener, él mismo, un destino propio, esa carga insufrible. A todos ellos los acompaña un espectro. Pero a nadie como al coronel Chabert cuando se presenta a sí mismo en la casa de la esposa vuelta a casar porque lo creía muerto: «Soy el coronel Chabert, muerto en Eylau.»

En una respuesta a la Duchesse d'Abrantes quejándose de que Balzac no la visitase con más frecuencia en el campo, el novelista dice: «No me culpéis. Trabajo noche y día. Y asombraos de sólo una cosa: aún no muero.»

La piel se reduce, pero la novela crece. Balzac ha nombrado a la Muerte. Ha visto que la posesión ofrece vida y al cabo la quita. Pero sólo ha podido hacerlo en la medida en que ha sabido identificar su novela como un texto, una estructura verbal que da permanencia y contenido a todo lo que se rehúsa a tener la una o lo otro, es decir, la fugacidad de la vida y la posesión de las cosas.

BELLEZA

Sócrates se sabía feo y rogaba por «la belleza interna». Creo que no hay disposición más certera para juzgar «lo bello» que ésta: pedirle al cuerpo que sea guía hacia el alma y, al alma, que nos permita entender la posible armonía entre cuerpo y espíritu. Implícita en nuestra vida está la cuestión de cómo se relacionan el alma y el cuerpo. ¿Son inseparables, sólo los divide la neurosis o la muerte, sobrevive el alma al cuerpo o mueren, abrazados, la una con el otro?

Lo feo es el cuerpo sin forma. El artista trata de reunir todo lo disperso. No importa el tema, dolor, muerte, nacimiento, revolución, poder, orgullo, vanidad, sueño, memoria, voluntad, no importa qué cosa anime al cuerpo con tal de darle forma y entonces deja de ser feo y Sócrates tiene razón. La belleza sólo le pertenece al que la entiende, no al que la tiene. La belleza no es más que la verdad de cada uno de nosotros. La verdad y la belleza de los cuerpos pero también de los juegos, de los sueños, de la solidaridad, de la atención que le ponemos a las cosas y a los seres, de la comida y la bebida, del poema y del canto, de la memoria y de la imaginación, la belleza de la naturaleza, de la muerte y del misterio del día y de la noche.

En *Los años con Laura Díaz*, pongo estas palabras en boca de una Frida Kahlo imaginaria, herida y sangrante en una cama de hospital:

> Puedes mirarme sin pudor... decir que me veo horrible, que no te atreves a mostrarme el espejo, que a tus ojos hoy no soy bella, en este día y este lugar no soy bonita, y yo no te contesto con palabras, te pido en cambio unos colores y un papel y convierto el horror de mi cuerpo herido y mi sangre derramada en mi verdad y mi belleza, porque sabes, amiga mía de verdad, de verdad mi cuata mía a toda madre, ¿sabes?, conocernos a nosotros mismos nos vuelve hermosos porque identifica nuestros deseos. Cuando desea, una mujer siempre es bella...

¿Y cuando es deseada? El erotismo de la representación plástica consiste en la ilusión de la permanencia de la carne. Como todo en nuestro tiempo, el erotismo plástico se ha acelerado. Un medallón, un cuadro, debieron suplir durante muchos siglos la ausencia del ser amado. La fotografía aceleró la ilusión de la presencia. Pero sólo la imagen cinematográfica nos da, a la vez, la evocación y su inmediatez. Ésta es ella como era entonces, pero también como es ahora, para siempre.

Es su imagen, pero también su voz, su movimiento, su belleza y su juventud imperecederas. La muerte, gran madrina de Eros, es vencida y justificada, a un tiempo, por la reunión con el ser amado que ya no está a nuestro lado, rompiendo el gran pacto de la pasión: siempre unidos, hasta la muerte, tú y yo, inseparables.

Pero existe también —siempre ha existido— una belleza de lo horrible.

La terrible y hermosa advertencia de la poesía barroca española es que el alma «su cuerpo dejará», escribe Quevedo, mas «no su cuidado; serán ceniza, mas tendrá sentido; polvo serán, mas polvo enamorado». Prever la muerte del cuerpo no lo priva de su presencia, la acentúa pero no nos exime de presentarle, en vida, el cuerpo al alma y el alma al cuerpo, preguntándose: «¿Somos uno? ¿Somos armónicos?»

¿Depende la armonía del cuerpo y alma del ideal de belleza que distintas culturas y distintos tiempos nos han presentado? A Rubens le gustaban gordas y a Modigliani flacas y el ideal límpido de Botticelli no es el antiideal malsano de Schiele. Sin embargo, de nuestro concepto de la belleza depende nuestra elección de la belleza. ¿Por qué un cuerpo es bello y otro no? Nos gusta lo que se parece a nuestro ideal. Una maravillosa modelo de la moda actual pasaría por una tísica a los ojos del siglo XIX. Cindy Crawford sería una moribunda en el harén de Delacroix.

Hace poco, la novelista chilena Marcela Serrano atribuía a la mujer moderna la capacidad de cambiar de piel como las serpientes, liberándose de fatalidades y servidumbres añejas. El símbolo de la piel renovada me remite, mediante la concepción de Marcela Serrano, nuevamente a la disociación o armonía entre cuerpo y alma. ¿Por qué un cuerpo es bello y otro no? ¿Por qué hablamos de almas bellas y cuerpos feos, o de cuerpos hermosos y almas horrendas? La desarmonía existe, sin duda. Lo que nunca falta es la *forma* que tanto la armonía como la desarmonía pueden y deben asumir. ¿Qué representaba la decapitada y deshumanizada diosa Coatlicue para los aztecas? Quizás que una divinidad demanda inhumanidad. Pero, ¿no son tan lejanas como la Coatlicue las bellísimas actrices de la pantalla o «las mujeres que pasan por la Quinta Avenida, tan cerca de mis ojos, tan lejos de mi vida», del poeta mexicano Tablada?

Un artista sabe que no hay belleza sin forma pero también que la forma de la belleza depende del ideal de una cultura. El artista trasciende —parcial y momentáneamente— el dilema, añadiendo un factor: no hay belleza sin mirada. Es natural que un artista privilegie a la mirada. Pero un gran artista nos invita no sólo a mirar sino a imaginar. La forma femenina como forma de belleza es también objeto de sensualidad olfativa (el «*odor di femmina*» de Don Giovanni), de sensualidad aural (Goya y Buñuel y Beethoven sordos tienen que imaginar las voces del cuerpo) y, en suma, de sensualidad imaginativa. (Proust y Catulo celosos, Romeo y Quijote separados de Julieta y Dulcinea, Samsa transformado en insecto, *imaginan* otro cuerpo perdido o deseado.)

Pobre sería el arte de la belleza visual si excluyese la prolongación de la mirada en lo táctil, lo auditivo, lo olfativo, lo «gostoso», como dicen los lusoparlantes. Y es que los seres humanos deseamos un placer infinito que abarque todos nuestros sentidos. Pero no nos contentamos con ello. Deseamos siempre algo más, algo que quizás ni siquiera sepamos concebir, pero que nuestra imaginación y nuestros sentidos buscan, exigen, imaginan aunque ni siquiera lo conciban. «Oh inteligencia, soledad en llamas, que todo lo concibe sin crearlo.» Esta profunda intuición de José Gorostiza en el más grande poema mexicano del siglo XX, le da palabras al gran dilema de la residencia en la tierra: Desear una satisfacción infinita, pero que al mismo tiempo sea temporal, un aquí y un ahora.

La belleza entrega su cuerpo no para decirnos que nos contentemos con lo que el mundo nos da, no para limitar nuestro deseo y pedirnos una conformidad cualquiera, sino para hacernos el regalo de un cuerpo presente, un cuerpo aquí y ahora que no sacrifica, sin embargo, ninguna de sus posibilidades, ninguno de sus *puede* y ninguno de sus *nunca*. En el arte se encuentran, para quien sepa mirar, el ideal del cuerpo y su negación; la armonía del cuerpo con el alma pero también su posible desarmonía; la presencia del cuerpo pero también su inevitable ausencia; su placer pero también su dolor.

BUÑUEL

En 1950, yo estudiaba en la Universidad de Ginebra y asistía a un cineclub de la ciudad suiza. A principios de esos años, allí vi por primera vez *Un perro andaluz* de Luis Buñuel. El presentador de la película dijo que se trataba de un cineasta maldito, muerto en la guerra de España. Alcé la mano para corregirlo: Buñuel estaba vivo, vivía en México y acababa de filmar *Los olvidados*, que sería presentada esa misma primavera en Cannes.

Los olvidados llegó a Cannes a pesar de las objeciones de funcionarios pacatos y chovinistas del gobierno mexicano, que la consideraban una película «denigrante para México». Octavio Paz, entonces secretario de la Embajada de México en Francia, desobedeció la desaprobación oficial y personalmente distribuyó un lúcido ensayo sobre Buñuel y su gran película a la entrada del Palacio de los Festivales en Cannes. Buñuel nunca olvidó este acto de valentía y generosidad.

Yo conocí a Buñuel durante la filmación de *Nazarín* en Cuautla. Actuaban en la película mi primera mujer, Rita Macedo, Marga López y un extraordinario Francisco Rabal que le daba al personaje de Galdós un aura de ausencia mística y dulce misericordia que sostenían, maravillosamente, la rabia y el dolor final del personaje. La esencia de la secreta religiosidad de Buñuel está en *Nazarín*. Su famosa frase «Gracias a Dios soy ateo» es no sólo una divertida *boutade*, sino un disfraz necesario para un creador, como Buñuel, que encarnó como nadie la turbadora frase que Pascal pone en boca de Cristo: «Si no me hubieras encontrado, no me buscarías.» En este punto, Buñuel fue parte de una de las corrientes intelectuales más serias e inclasificables del siglo XX: el temperamento religioso sin fe religiosa, del cual dan testimonio, en diversos grados de temperatura, Camus y Mauriac, Graham Greene y, en el cine, el protestante a su pesar, Ingmar Bergman, y el ateo, por la gracia de Dios, Luis Buñuel.

¿Quién, como Buñuel, luchó más valientemente con el drama de la conciencia cristiana en *Nazarín* y *Viridiana*? Pero, ¿quién, asimismo, dio cuenta más ácida de las deformaciones de la fe institucionalizada y de los abusos del poder usado en el nombre de Cristo que Buñuel en *La edad de oro*, *Simón del desierto* o *La vía láctea*? Esta última, cuyo tema son las herejías, nos recuerda que «hereje», etimológicamente, significa «el que escoge». Una brevísima pero maravillosa escena de *Tristana* muestra a la protagonista indecisa entre escoger dos garbanzos idénticos en una cazuela. A veces, Buñuel escoge tajantemente. «Mi horror de la ciencia y la tecnología me llevarán de nuevo a la detestable creencia en Dios», dice un personaje de *El fantasma de la libertad*, y Buñuel me indica: «Ése soy yo.»

El patriotismo, el chovinismo, las ideologías políticas se contaban entre las cosas que Buñuel no toleraba. En cambio, solía matizar algunos de sus mandamientos anarquistas. Para Buñuel, el anarquismo era una idea maravillosa pero impracticable. Su único trono era el pensamiento. Como idea, volar el Museo del Louvre era espléndida. Como práctica, era atroz. Buñuel, el sabio, distinguía la libertad de la imaginación y las restricciones de la realidad.

Como surrealista, sin embargo, compartía el credo de un mundo liberado, simultáneamente, por el arte y la revolución. A medida que ésta sucumbió al terror político, Buñuel le dio a la creación surrealista un peso inesperado a través de la tradición. Curiosamente, el surrealismo francés nunca pasó de ser una idea, magníficamente articulada por André Breton, quien escribía una lengua tan clásica como la del Duque de Saint-Simon. En cambio, Buñuel el español y Max Ernst el alemán encontraron en sus propias raíces culturales los ancorajes del inconsciente, el sueño y la liberación surrealistas. Los cuentos de hadas y las leyendas germánicas en Ernst, y en Buñuel, la picaresca, Fernando de Rojas, Cervantes, Goya, Valle-Inclán...

Alimentado por la cultura de España, Buñuel liberó la mirada mediante una técnica notable. Abundan en sus películas los planos medios o distantes, a veces grises y monótonos, que súbitamente, con un veloz acercamiento, revelan el detalle convulsivo: la calavera inscrita en la cabeza de insecto, la sangre brotando entre los muslos de una mujer, el crucifijo que esconde una navaja, los botines eróticos de una camarera, un ojo rebanado a la mitad cuando una nube cruza la faz de la luna... Esta dialéctica entre el mundo y sus minuciosos secretos le permite a Buñuel crear escenas culminantes, verdaderas epifanías cinematográficas en las que, a veces, la pasión muestra su cara animal grotesca (el católico oculto en Buñuel veía en la relación sexual el acto «*more bestiarum*» de San Agustín, aunque admitía que el acto «amor sin sexo es como huevo sin sal») pero otras veces, el instinto natural es la condición de la poesía. Brutalidad grotesca de la pasión en los amantes revolcados de *La edad de oro*. Ternura onírica incomparable en el momento en que los náufragos sociales capturados por *El ángel exterminador* abandonan su angustia, sus pretensiones, su vocabulario, su insidia, para entregarse, hermanados por la noche, a la belleza incomparable del sueño...

Como Buñuel atacó el fariseísmo oculto bajo ropajes de falsa devoción religiosa, atacó también lo que veía como enajenación y falsedad de la vida moderna, no sólo de la burguesía, sino de la clase desposeída. Ciertamente son más graciosas y pícaras las aventuras de los discretos encantos de un grupo de burgueses que nunca pueden sentarse a comer, que la terrible crueldad de los niños abandonados de las barriadas de México. Buñuel, en efecto, le negaba virtudes intrínsecas al pobre por ser pobre, o vicios fatales al rico por ser rico. La capacidad humana para dañar a nuestros semejantes trascendía para él todas las barreras sociales. El ciego maldito o el temible «Jaibo» de *Los olvidados*, son tan crueles como el perverso Fernando Rey victimando a Viridiana o a Tristana pero victimado, a su vez, por la doble Medusa femenina, las dos caras de Conchita, en la obra final de Buñuel, el prodigioso *Oscuro objeto del deseo*.

El héroe-heroína de Buñuel es al cabo un individuo: Robinson Crusoe, Nazarín, Viridiana, Belle de Jour, la Camarera de Jeanne Moreau. Ellos y ellas libran sus batallas en la soledad y la incomprensión, pero todos, al cabo, sólo se salvan en la solidaridad. Robinson solitario en su isla grita para que el eco de las montañas le haga compañía. Viernes, al cabo, se la da y lo salva no sólo de la soledad, sino de un destino peor que la soledad: ser amo de un esclavo. Nazarín descubre que su solitaria imitación de Cristo no consiste en otorgar caridad, sino también en recibirla de los demás, en la forma ingobernable de una piña. Viridiana debe abandonar sus frustrados intentos de caridad para sumarse al trío español del tahúr, la celestina y la santa y, desde allí, renovar su humanidad cristiana. Pero es la prodigiosa hermandad de la visión personal y la visión de la cámara donde Buñuel hace más explícita la imagen de su arte y de su mundo. Catherine Deneuve, en *Belle de Jour*, encuentra la realización de sus sueños eróticos en un burdel. Pero las cuatro paredes de la casa de prostitución se disuelven constantemente gracias a la mirada de la actriz, que jamás es frontal, sino siempre lateral, fuera del marco de la pantalla: mirada liberadora que mira constantemente un mundo más ancho, una mirada que traspasa no sólo las paredes del prostíbulo, sino las del cine, para remitirnos al espacio exterior, social, de *los demás*. Que no son los de menos, como lo ejemplifica la mirada irónica, soberana, de Jeanne Moreau en *El diario de una camarera*. En el mejor papel de una gran actriz, Moreau lo mira todo con una irónica distancia: el fetichismo del calzado de un anciano, las convenciones de la casa rica, la brutalidad de un criado, hasta unirlos en un haz social y político: lo que Jeanne Moreau está viendo es nada menos que el ascenso del fascismo en Europa.

Hombre cálido, amigo incomparable, dueño de un humor único, recuerdo con intenso cariño y como uno de los privilegios de mi vida, las horas pasadas al lado de Buñuel, en México, en París, en Venecia, descubriendo esa forma esencial de la amistad que es saber estar juntos sin decir palabra, pensando y asimilando lo dicho antes de volver a decir, y todo ello con el vaso de buñueloni en la mano. Receta: mitad de ginebra inglesa, un cuarto de Cárpano y un cuarto de Martini dulce.

CELOS

Los celos matan el amor, pero no el deseo. Éste es el verdadero castigo de la pasión traicionada. Odias a la mujer que rompió el pacto de amor, pero la sigues deseando porque su traición fue la prueba de su propia pasión. Los celos dependen de que una relación amorosa no termine en la indiferencia. La amante que nos abandona debe tener la inteligencia de insultarnos, rebajarnos, agredirnos salvajemente para que no la olvidemos con resignación. Para seguirla deseando con ese nombre pervertido de la voluntad erótica que son los celos.

Norman Mailer dice que los celos son una galería de retratos en que el celoso es el curador del museo. Yo siento que los celos son como una vida dentro de nuestra vida. Podemos tomar un avión, regresar a nuestra ciudad o una ciudad extraña, llamar a los amigos y a veces hasta perdonar a los enemigos, pero todo el tiempo, estamos viviendo otra vida, aparte aunque dentro de nosotros, con sus propias leyes. Esa vida dentro de la nuestra son los celos y se manifiestan físicamente. Como dice la expresión popular mexicana, nos hace circo la barriga. Una marea salvaje, amarga, biliosa que se agita, sube y baja del corazón a las tripas y de las tripas al sexo baldado, inútil, convertido en herido de guerra. Dan ganas de colgarle una medalla al pobre pene. Y luego una corona fúnebre. Pero la marea de los celos no celebra nada ni se detiene por mucho tiempo en ninguna parte del cuerpo. Lo recorre como un líquido venenoso y su objetivo no es destruirlo, sino asediarlo y exprimirlo para que sus peores jugos asciendan a la cabeza, se fijen verdes y duros como escamas de serpiente en nuestra lengua, en nuestro aliento, en nuestra mirada...

Los celos nos hacen sentirnos expulsados de la vida, como si hubiese muerto un ser amado. Sólo que el dolor de la muerte lo podemos manifestar. En cambio, el dolor de los celos hay que esconderlo oscuro y envenenado, para evitar la compasión o el ridículo. El celo expuesto nos expone a la risa ajena. Es como volver a la adolescencia, esa edad infausta en la que todo lo que hacemos públicamente —caminar, hablar, mirar— puede ser objeto de la risa del otro. La adolescencia y los celos nos separan de la vida, nos impiden vivirla.

CINE

Entre todas las artes del siglo XX, ninguna se presentó con novedad más representativa del tiempo que la cinematografía. Pintura, arquitectura, escultura, música: todas descienden del pasado, le rinden tributo, lo renuevan. Sólo el cine nace con el siglo, sólo el cine es sólo del siglo XX. Sus deudas estéticas y literarias son inmensas. Pero la presencia misma de la imagen cinematográfica, la creación que inspira y la mitología que crea son, acaso, las huellas más hondas de la identidad de nuestro tiempo.

Siempre he pensado que hay grandes escritores que pudieron ser de otro tiempo sin dejar de ser grandes y eternos. Marcel Proust me parece el mejor ejemplo. Situado en los siglos XVIII o XIX, el novelista de Combray no hubiese sido menos significativo. Y Laclos, del siglo XVIII, es un gran escritor del siglo XX. En cambio, hay escritores en cuya ausencia no entenderíamos «nuestro tiempo». Le son indispensables a la época que vivieron, son universales, se seguirán leyendo siempre, pero tienen la marca de su tiempo como sello indeleble. Dickens y Balzac sólo son del siglo XIX. Y Kafka es el escritor indispensable del siglo XX. No entenderíamos nuestro tiempo sin *La metamorfosis*, *El proceso*, *El castillo*, *América*.

El cine, por su novedad misma, ha estado sujeto a transformaciones constantes que hacen viejo en poco tiempo lo que era novedad ayer apenas. Luis Buñuel se quejaba de la dependencia técnica del cine. Los avances son tan rápidos que hacen obsoletas la mayor parte de las películas del pasado. Vencer al tiempo de la instantaneidad con imágenes perdurables es el desafío del cineasta, y ya que hablo de Buñuel, empiezo por evocar imágenes de *Un perro andaluz* o *La edad de oro*, que están vivas aunque las técnicas hayan sido superadas.

Hablo de las películas mudas porque entre el cine silente y el parlante hay un verdadero abismo. El desarrollo de la cinematografía sin palabras alcanzó cimas de belleza y de elocuencia que jamás ha recuperado la era sonora. Dan ganas de darle la razón a Montaigne: «*Tandis que tu as gardé silence, tu as paru quelque grande chose.*» Buena parte del cine cómico —Chaplin, Keaton, Harold Lloyd, Laurel y Hardy— depende de la pura visualidad para que sus gags sean efectivos. El sonido los arruinó, rebajó o transformó. Arruinó a Keaton y a Lloyd. Rebajó al Gordo y el Flaco y transformó a Chaplin, quien sí dio dos obras maestras del cine sonoro cómico: *El gran dictador* y *Monsieur Verdoux*.

Pero la narrativa plástica de películas como *La pasión de Juana de Arco* de Dreyer, *El acorazado Potemkin* de Eisenstein, *La caja de Pandora* de Pabst, *El viento* de Sjöström, *Capullos rotos** de Griffith, *La muchedumbre***

* Esta película se conoce en España con los títulos *Lirios rotos* y *La culpa ajena*.

** Título en España: *... Y el mundo marcha.*

de Vidor y, finalmente, *Amanecer* de Murnau, acaso la más bella película de la era silente, fue brutalmente interrumpida por la (insípida) novedad de Al Jolson cantando *Mammy* y la sucesión de estáticos melodramas teatrales que no tuvieron más virtud que la novedad parlante. Las muy estimables aportaciones de Hollywood al «cine de género» —películas de vaqueros, de gángsters, de denuncia social, sin olvidar la *screwball comedy* o comedia loca ni el erotismo sublime de las ritualizaciones bailables de Rogers y Astaire— no se equiparan a la auténtica revolución técnica, narrativa y visual aportada por *Ciudadano Kane* de Orson Welles. En *Kane*, por primera vez, los techos se ven, el foco de primeros y segundos planos es igualmente nítido, la sonoridad y la imagen se integran, el tiempo y el espacio actúan, biografía y cinematografía se funden.

Los experimentos sonoros de Rouben Mamoulian le devuelven movilidad a la cámara. La libérrima extravagancia musical de Busby Berkeley. El impresionante uso documental del cine por Flaherty. La calibrada dirección de actores de cine, no de teatro, por George Cukor. O, por el contrario, la deliberada teatralidad de *Los hijos del paraíso** de Carné, lado a lado con el miserabilismo urbano encarnado en figuras como Jean Gabin, Arletty o Michel Simon, van ampliando y dándole carta de naturaleza a una multitud de géneros dentro del género cinematográfico. Si la comedia hablada nunca vuelve a ser tan elocuente como la comedia muda (Cantinflas no es Chaplin; Abbot y Costello no son Laurel y Hardy), el diálogo para el cine sí logra ser diferente del diálogo teatral, sobre todo en la chispeante alianza de la

* Título en España: *Los niños del paraíso.*

palabra y la acción en las comedias de Lubitsch y Hawks, y en la actuación hablada puramente cinematográfica de actores como Cary Grant y James Cagney, Bette Davis y Barbara Stanwyck: los mejores.

Crear un estilo propio a partir de la normatividad genérica, a pesar del peso de las «estrellas» y de las exigencias comerciales de los «estudios», es lo que le da su rango superior a los pocos verdaderos creadores de obras de arte cinematográficas.

Orson Welles, durante un instante milagroso, logró reunir, gracias a un *estilo*, las posibilidades del cine sonoro, la biografía de un hombre y la dinámica de una sociedad en la que tenerlo todo es perderlo todo. *Ciudadano Kane* es, acaso, la mejor película del siglo. Pero a mí me parece inseparable de las películas que le hacen compañía para configurar la ilusión y el desvanecimiento de eso que ellos llaman «el sueño americano», «*the American Dream*». *Cantando bajo la lluvia* de Stanley Donen y Gene Kelly es quizás la más pura y deliciosa obra del optimismo norteamericano. Gene Kelly y la maravillosa, adorable, suspirable Cyd Charisse conforman el neocartesianismo de los Estados Unidos: «Bailo, luego existo.» Pero *Taxi Driver* de Martin Scorsese es la pesadilla norteamericana, la pura violencia gratuita, desesperada porque todo está allí y todo es nada. Orson Welles ambicionaba. Gene Kelly celebraba. Robert de Niro mutilaba.

Las otras versiones personales de la belleza cinematográfica nacen de culturas menos seguras o autocelebratorias que la de los Estados Unidos. Jean Renoir es quizás el epítome del espíritu francés: la ironía aclara, salva de las ilusiones de la razón y de las desilusiones de la fatalidad. Una inteligencia humana, comprensiva, abarcadora, pálida, nos aleja del fácil maniqueísmo. Pierre Fresnay y Erich von Stroheim se entienden porque ambos son iguales, pero Jean Gabin y Marcel Dalio se entienden a pesar de ser distintos.

La gran ilusión es la película europea que compite por el laurel del siglo con *Ciudadano Kane* (muchos argumentarían a favor de otra gran cinta de Renoir, *La regla del juego*). Pero no están lejos de ellos los cineastas que fueron capaces, más allá de la gran imaginación política de Welles y Renoir, de darle imagen a la preocupación espiritual, formulada acaso como temperamento religioso sin fe religiosa: el católico a su pesar, Luis Buñuel, y el protestante a pesar suyo, Ingmar Bergman, sin olvidar al jansenista de todo corazón, Robert Bresson. ¿Y es devaluar a Alfred Hitchcock creer que el miedo —el gran tema del gran director inglés— no es la mejor dramatización moderna de la Caída, de la lejanía de Dios? Éste es el verdadero *suspense* de Hitchcock: ¿Dónde está Dios, por qué nos ha dejado tan solos en un mundo de asechanzas imprevisibles? ¡Qué miedo!

El cine ha sabido, excepcionalmente, ser poesía —*L'Atalante* de Vigo y *La noche del cazador* de Laughton—. Con más constancia, ha sabido reunir comentario social y narración dramática. Es la gran contribución italiana de Rossellini, De Sica y Visconti. Ha sabido, con excelencia, crear ambientes sombríos —el *cinema noir* americano— o luminoso —¿hay película con más luz, interna y externa, que *El mago de Oz*?—. Pero si el «género» ha lastrado incluso a grandes directores como Ford y Kurosawa, hay dos grandes directores asiáticos que han devuelto al cine la suprema libertad creativa frente a la tiranía genérica: el japonés Kenji Mizoguchi en una de mis películas favoritas, *Ugetsu Monogatari*,* y el hindú Satyajit Ray en su trilogía de Apu. Mizoguchi logra el milagro de demostrarnos la emoción de lo fantasmal. Ray, el de la caridad de la mirada.

Hay algo, al fin y al cabo, que no puede dejarse fuera del amor del cine y es el amor y fascinación por los rostros del cine. Viendo con Buñuel la *Juana de Arco* de Dreyer, el gran aragonés me confesó su fascinación por la *facies*, el rostro cinematográfico. No hay más que una Falconetti, es cierto, y quizás por eso la Pucelle de Dreyer hizo sólo una película.

Pero repetidos, únicos, polvo enamorado, ¿qué sería de nuestras vidas como seres humanos del siglo XX sin la belleza, la ilusión, la pasión que para siempre nos dieron los rostros de Greta Garbo y Marlene Dietrich, de Louise Brooks y de Audrey Hepburn, de Gene Tierney y de Ava Gardner? Me encantan, por esto, las referencias a la mirada dentro de la mirada en el cine.

Bogart a Bergman en *Casablanca*: «Nos estamos mirando, muñeca.»

Gabin a Morgan en *El muelle de las brumas*: «Tienes muy lindos ojos, ¿sabes?»

Éste ha sido el milagro mayor del cine: ha vencido a la muerte. El rostro de la Garbo en la escena final de *La reina Cristina*, el de Louise Brooks y su perfil con peinado de ala de cuervo en *Pandora*, el de Marlene entre las gasas y filtros barrocos de *El expreso de Shanghai* y *La emperatriz escarlata*,** el de María Félix soñando despierta mientras oye una serenata en *Enamorada*, el de Dolores del Río viendo su propia muerte en la de Pe-

* Título en España: *Cuentos de la luna pálida después de la lluvia.*
** Título en España: *Capricho imperial.*

dro Armendáriz en *Flor silvestre*, el de Marilyn descendiendo escaleras diamantinas o resistiendo el vapor veraniego de Nueva York entre sus muslos blancos y su falda blanca en *La comezón del séptimo año.** Ellas son la realidad final y absoluta del cine: ninguna de ellas ha envejecido, ninguna de ellas ha muerto, el cine las volvió eternas, el cine venció a la vejez y a la muerte.

Ninguna teoría, ningún triunfo artístico supera o sustituye esta simple realidad. Es la nuestra, la de nuestro amor más íntimo pero más compartido, gracias al cine.

* Título en España: *La tentación vive arriba.*

DIOS

—Nietzsche dijo: «Dios ha muerto.»

—Dios tuvo paciencia y un día susurró desde un sanatorio en Weimar: «Nietzsche ha muerto.»

—¿Era humana, demasiado humana, la voz de Nietzsche? Porque nos deja oír una gran contradicción. Si Dios ha muerto, significa que, alguna vez, Dios vivió.

—Pero, ¿cuándo empezó a vivir Dios? ¿Qué fue primero, Dios o el Universo? ¿El huevo o la gallina? Si admitimos que el Universo es infinito, Dios deberá ser más infinito que el infinito, lo cual es manifiestamente absurdo.

—Imagínate entonces que Dios y el Universo existen juntos desde siempre.

—Me parece que eso derrota a la Razón pero, bien visto, contribuye a la Fe. La Ciencia y la Tecnología se reconcilian. Ni Dios ni el Universo tienen principio ni fin. En cambio, si aceptamos la teoría del *big bang*, ¿fue ésta, la explosión originaria, obra del *fiat* divino?

—¿Quieres decir que Dios habitaba en el Universo previo al *big bang* y un día, por divertirse, ordenó la expansiva explosión universal, a sabiendas de que todo acabaría, no en otro estallido final, sino en el último sollozo? «*Not with a bang, but a whimper.*» Porque Dios, que todo lo sabe, todo lo supo, incluyendo la *Tierra baldía* de T. S. Eliot.

—Perdóname, dudo mucho que Dios lea literatura. ¿Para qué? Si ya lo sabe todo de antemano.

—Eso es lo que disputo contigo. Vamos por partes. Supongamos que la oscuridad precede a Dios. Convenimos —lo dice la *Biblia*— que la luz brota de Dios cuando aparece. Pero, ¿qué le precede? ¿Qué es esa oscuridad anterior a la palabra divina: Hágase la luz? ¿Es imaginable siquiera?

—Yo te contestaría que si admitimos la existencia de Dios, debemos admitir también que Dios sojuzgó a la Nada.

—Pero si Él era Todo, ¿podría haber Nada? ¿Coexistían Dios y la Nada, gemelos absurdos, o, más bien, confundimos la Nada, simplemente, con la ausencia del mundo y del hombre?

—Te acercas peligrosamente a un argumento que nos deja sin argumentos: Dios es criatura del hombre, no al revés. Pero si Dios sólo existe porque lo imagina, piensa o desea el hombre, Dios no tiene existencia propia.

—Aunque puede tener la mejor de las existencias como producto del deseo y la imaginación humanas.

—No es eso lo que discutimos ahora. Estamos tratando de imaginar un Dios solitario que, por alguna razón que desconocemos, decidió crear un ser a su imagen y semejanza, el Hombre.

—¿Para qué? Si Dios es Dios, no necesita al mundo y al hombre. Existe en sí. Se basta a sí mismo. ¿Por qué creó lo innecesario? Ahí está el detalle.

—Quizás Dios creó al mundo porque se sentía solo y un buen día experimentó el horror del vacío.

—¿Somos entonces criaturas de un Dios barroco que reacciona, como Góngora o Bernini, ante el *horror vacuii*?

—Te propongo, más bien, otra imagen: un Dios que se pasa la Eternidad pensando qué cosa habría ocurrido si Él no crea al mundo.

—Puedo imaginar también a un Dios que se pasa la Eternidad sin preocuparse en lo más mínimo de hacernos el favor de crearnos, introduciendo, de paso, un intruso en su creación.

—El hecho es que hubo un *fiat* divino y fueron creados el Mundo y el Hombre. Podemos discutir si Dios nos creó, pero no que aquí estamos, vivimos, somos y morimos. La cuestión sería, ¿guarda o no guarda nuestra existencia relación con Dios, somos o no sus criaturas, y si lo somos, qué posición nos corresponde en el plan de la creación?

—Bueno, por principio de cuentas, la Biblia nos presenta a un Dios como mero organizador de las cosas. El mar y sus pescaditos aquí, la tierra allá, aunque sin cacao ni café ni tomates ni maíz ni papas. Los animales en su lugar y, como lo demuestra el cuento de Noé, emparejados. Pero en la creación no hay búfalos ni iguanas ni quetzales. Muy bien. Dios como gerente de un vasto zoológico preamericano. *Manager* del acuario precolombino más grande. Fautor de Eolo, dueño de las tormentas, del movimiento de los cielos.

—Pero no de Ehecatl, el dios azteca del viento, el Eolo americano...

—Momento. Ya vendremos a eso. Déjame continuar, interrumpes demasiado.

—¿Me parezco al Diablo?

—No, mi amigo. Apenas al abogado del Diablo. Prosigo.

—Prosigues.

—El dato esencial de la creación humana es que Dios nos hizo a su imagen y semejanza. El punto de conflicto es claro e inmediato. Si nos hizo a su imagen y semejanza y si, además, lo sabía todo de antemano, ¿por qué nos hizo a semejanza e imagen del Mal? ¿Por qué incluyó en nuestra imagen y semejanza la del Diablo? ¿Contenía la imagen de Dios, desde un principio, la imagen del Demonio?

—Mira, yo creo que Adán ya se las olía desde el primer momento. Milton tiene una intuición profunda en su *Paraíso*. Adán patalea contra la creación y le reclama a Dios, ¿para qué me creaste?, ¿por qué no me dejaste ser barro?, ¿para qué me moldeaste «hombre»?

—Imagina, en respuesta, que también Dios tuvo su tentación en el Edén. La tentación de vivir eternamente al lado de sus criaturas, Adán y Eva, como un padre regalón y regalado. E imagina en seguida que Adán y Eva, más sabios que Dios, pecan y se expulsan a sí mismos del Paraíso sólo para expulsar, de paso, a Dios. ¿A la vera de Dios por los siglos de los siglos, Adán y Eva habrían sido humanos? No habrían tenido relaciones sexuales ni descendencia. Y habrían frustrado el designio de Dios. El Inmortal no puede vivir rodeado de Inmortales. Es Único. Dios se engañó inventando el Paraíso y Adán y Eva le hicieron el favor de desengañarlo.

—«¿Acaso te pedí, Hacedor, que de mi barro me moldeases Hombre? ¿Acaso te solicité que me promovieras de la oscuridad?» ¿Tan terrible intuyó Adán la carga de ser hombre que hubiese preferido, según Milton, ser barro en la oscuridad?

—La promoción a la luz. Es una de las más bellas definiciones de la Creación, de toda creación. Pero la luz sólo lo es por contraste con la oscuridad. ¿Acaso Dios se arrepintió de la Creación porque no pudo soportar la inmortalidad de Adán?

—¿Quieres decir que Dios es co-responsable de los horrores humanos?

—Quiero decir que el Bien perfecto sólo dura un segundo y que, en cambio, el Mal ocupa el espacio del «Edén subvertido» para siempre.

—Déjame hacer una distinción. El Mal se sabe Mal pero también conoce el Bien y ésta es su ventaja. El Bien perfecto, absoluto, total, no conoce el Mal y por eso puede ser víctima del Mal.

—Dios, después de la caída, se convierte a sí mismo en el *réferi* en estas cuestiones.

—No, le da ese poder, al cabo, a la Iglesia. Pero de eso hablaremos más tarde, con Jesús en persona. Ahora, sólo quiero sugerir que si el mundo nace de la esencia de Dios, el Mal es inconcebible. Y si el Mal nace del Bien, vivimos en el absurdo. De allí la conveniencia de: Primero, achacarles a las criaturas de Dios, Adán y Eva, un Mal que a Dios jamás pudo ocurrírsele como parte del plan de la creación. Segundo, recordarnos que el Diablo también es parte de la Eternidad. Y tercero, consolarnos demostrando que la libertad humana es un don de Dios, practicado por Adán y Eva, que demuestra la infinita bondad divina.

—¿Estás diciendo que Dios es capaz de soportar el Mal si el Mal es un acto de libertad?

—No, sólo sugiero que acaso Dios negoció con el

Diablo esperando que el triunfo eventual de la libertad para el bien le devuelva a Dios las fichas prestadas al Diablo para explicar la existencia del Mal. Acaso la libertad para el Mal sea un compromiso entre Dios y el Diablo.

—Pero entonces Dios, aunque no lo quiera, se vuelve socio del Mal. Porque te repito, el Mal es capaz de concebirse a sí mismo y al Bien. Pero el Bien no puede concebir nada fuera de sí mismo, incluyendo lo que lo niega. Es su fuerza y es su debilidad.

—Te respondo que, por supuesto, Dios conoce el Bien y el Mal, pero los conoce como unidad. En el hombre, el Bien y el Mal se separan. Y no tenemos fuerza ni derecho de unirlos, porque entonces seríamos Dios, y eso, Dios ya no lo toleraría.

—«Ya.» ¿Metes el adverbio para insinuar que, tras la Caída, el poder de ver como unidad el Bien y el Mal le es arrebatado al hombre por Dios, quien se lo reserva para sí solo?

—No. No es Dios quien interviene a estas alturas, sino la Historia.

—Que empieza en el jardín con Adán y Eva.

—No. Yo creo que la historia la funda Caín. Abel es una promesa del paraíso recobrado, para seguir evocando a Milton. Caín es el segundo padre, no Abel, y su patriarcado se funda en el crimen. Si Dios, *malgré* Nietzsche, no ha muerto, es porque el crimen de Caín nos hace insoportable vivir la historia como crimen, como fratricidio, como injusticia. Volvemos los ojos a Dios para que repare, no el inexistente pecado de Adán y Eva, dadores de vida y placer, sino el crimen fratricida de Caín, la guerra civil.

—¿Caín es la reaparición del Diablo, ya no en la Creación, sino en la Historia?

—No estoy seguro. Quizás el Mundo, a partir de la «Caída», deja de ser responsabilidad de Dios y se convierte en el huerto ponzoñoso de un Demonio que es el espectador hilarante del sufrimiento humano. El mundo se vuelve el teatro del Diablo disfrazado de Dios, un Dios privativo, es decir, que priva, que quita.

—¿El Dios particular es el Diablo?

—Sólo si Dios, secreta, íntimamente, se siente satisfecho, *smug* en lengua inglesa. ¿Por qué en vez de destruir un mundo que lo ha traicionado de los pies a la cabeza, le da Dios una segunda oportunidad? La oportunidad de Noé, salvarse del Diluvio.

—Porque creo que si el hombre se acaba, Dios muere sin él. No con él, entiéndeme bien. Sin él.

—¿Si el Mundo termina, Dios se vuelve imposible?

—Acaso para sí mismo no. Para los seres humanos sí. Y la razón es que, antes que matar a Dios, los hombres se habrán matado a sí mismos.

—Entonces Dios sería la más grande invención humana, porque nos libera de la otra gran invención humana, que es la Historia.

—¿No sucederá, más bien, que Dios se acomoda al hecho de que el hombre hace el Mal porque el hombre fue creado a imagen y semejanza de Dios, y Dios, también, es Bien y es Mal?

—Semejante idea pondría a prueba los límites de la Fe y acabaría dándole la razón a Orígenes: La gracia de Dios es tan grande, que al cabo, perdonará al Demonio. Porque si Dios no es capaz de perdonar a Luzbel, es un Dios mutilado e insincero.

—Orígenes terminó castrándose a sí mismo para probar su fe, sin imaginar que la persecución del emperador Decio le haría el favor de castrarle la vida misma.

—Orígenes pone a prueba los límites de la Fe. Pero la Fe sólo puede ser ilimitada, pues consiste en creer en lo increíble. «Es cierto porque es absurdo», definió concisamente Tertuliano a la Fe.

—¿Dios también considera que creer en Él es absurdo?

—No podría contestar porque le daría la razón a Tertuliano. Dios es Dios porque nunca se deja ver. Por eso exige la Fe.

—Aunque habla por voz de los niños, los santos y los locos.

—Es probable. Pero un Dios visible, cotidiano, sentado precisamente en las tertulias de café, no sería Dios.

—Sería Jesús.

—Pero ésa es otra historia.

—Ver la letra «J» de este libro.

—Gracias.

—Dime entonces una cosa, ¿quién es superior? ¿El que cree o el que quiere creer?

—Yo creo que la duda no debilita a Dios, pero nos fortalece a nosotros. Hay teólogos, como Hans Kung, para quienes el mundo moderno y sus satisfactores son responsables de la pérdida de la fe. Creer en Dios, para muchos, se ha vuelto anacrónico. Es como creer, antes de Copérnico, que el Sol gira alrededor de la Tierra.

—¿Dudar nos fortalece como individuos o como creyentes?

—En tu novela *La campaña* pones estas palabras en boca del cura guerrillero, el padre Anselmo Quintana:

> A Él no se le engaña, con Él no valen jueguitos, Dios es el ser supremo que todo lo sabe, incluso lo que imaginamos sobre Él y se nos adelanta y primero nos imagina a nosotros; y si nos andamos creyendo que de

nosotros depende creer o no en Él, Él también se nos adelanta y ve la manera de decirnos que Él seguirá creyendo en nosotros, pase lo que pase, aunque lo abandonemos y reneguemos de Él... A mí Jesús me dijo: Anselmo, hijo mío, no seas un cristiano cómodo, hazle la vida de la chingada a la Iglesia, la Iglesia adora a los católicos tranquilos. Yo en cambio adoro a los cristianos encabronados como tú; no ganas nada con ser un católico sin problemas, un creyente simple, un hombre de fe que ni siquiera se da cuenta de que la fe es absurda y por eso es fe, y no razón... Por favor, sé siempre un problema... no los dejes pasar por tu alma sin pagar derechos de aduana espiritual: a ningún gobernante, a ningún Estado secular, a ninguna filosofía, a ningún poder militar o económico, les des tu fe sin tu enredo, tus complicaciones, tus excepciones, tu maldita imaginación...

—Ése es un llamado a la fe como libertad y como responsabilidad. ¿Cómo se conlleva con el triunfo del Hombre que Antón Bruchner proclama en *La muerte de Dantón*: «Nunca más será posible acusar a Dios, porque Dios no existe. La libertad rebelde ha ocupado todo el espacio del mundo.»?

—Hay que preguntarse qué hemos hecho de nuestra libertad rebelde...

—Hemos creado ciencia, penetrado los secretos de la materia, mejorado las condiciones de vida de millones de seres, erradicado enfermedades que antes asolaban a la humanidad, prolongado la existencia, aclarado las conciencias.

—Pero también hemos torturado y matado a millones de seres humanos, en guerras por la supremacía política y económica, movidos por la irracionalidad y el odio, el prejuicio, el cinismo del militarismo industrial, la ambición de las grandes potencias, la miseria de los impotentes... ¿No tenemos derecho a exclamar, «Dios, ¿qué hemos hecho de nuestra libertad rebelde»?

—Te contestará el espantoso silencio del infinito vacío sideral. ¿Te resignas?

—No. Prefiero seguir dudando, preguntando, dialogando contigo, conmigo, con nosotros tres...

—Siempre tres, dijo el poema de José Gorostiza, «Muerte sin fin». Tú y yo, sitiados en nuestra epidermis, llenos de nosotros. ¿Quién es el tercero? ¿Es el semejante? ¿Es Dios? ¿Es el otro?

—Supongamos que es Dios. Y volvamos a dudar y a inquirir. ¿Es Dios co-responsable de los errores humanos? ¿Necesita Dios tomar el fracaso humano como prueba de su poder? ¿Necesita nuestro fracaso para probarse a sí mismo? ¿Es Dios co-responsable de los horrores humanos que nuestra libertad nos ha dado, lado a lado con la gloria que la misma libertad nos ha otorgado? ¿Dios sabe o no sabe por adelantado los resultados de la partida? ¿Es Dios el gran croupier —*The Great Nobodaddy up Above* de William Blake— que conoce de antemano todos y cada uno de los juegos de ruleta?

—Sí, imaginamos que Dios conoce el futuro. Pero, ¿conoce Dios lo que Él mismo pensará en el futuro?

—¿Quieres decir que nuestra libertad puede afectar la imagen que Dios se haga de sí mismo, y la manera como actuará?

—Te contesto con otra pregunta. ¿Se puede amar a Dios sin conocerlo? Sí, nos dicen el místico y el santo. ¿Se puede conocer a Dios sin amarlo? Sí, nos dice el artista. Te doy el ejemplo de San Juan de la Cruz. El verbo de Dios es desconocido. El verbo del hombre es conocido. Crear a Dios con palabras es el gran honor del hombre. Nunca sabremos cuándo, dónde o por qué creó Dios al hombre. En cambio, sí sabemos que San Juan de la Cruz creó a Dios: «Oh llama del amor viva / que tiernamente hieres / de mi alma en el más profundo centro.» Y creó, también, el mundo sin Dios: «En mí yo no vivo ya / y sin Dios vivir no puedo / pues sin Él y sin mí quedo / este vivir, ¿qué será?» Ni Santo Tomás ni San Anselmo dieron mejor prueba de la existencia de Dios que San Juan de la Cruz.

—¿Crees que Dios se enteró? Se me ocurre que a Dios no le gusta la literatura, porque la literatura le arrebata a Dios tanto el Cielo como el Infierno. Por eso Dios nunca escribe. Le encarga a sus «negros», a sus *ghost writers*, que lo hagan por él. Dios nunca escribe. Sólo dice. Es un orador. Un jilguero.

—Entonces, debemos escuchar las voces que hablan por Dios...

—Un ejemplo.

—San Juan de la Cruz, de nuevo. «Vivo sin vivir en mí / y de tal manera espero / que muero porque no muero.»

—Bello pero funesto. Algo más vivo.

—Simone Weil. «Lo único que creó Dios fue el amor y los medios para el amor. Por lo tanto Dios existe porque mi amor —dice la mujer— no es ilusorio.» Por ello Simone Weil se siente dueña de su libre arbitrio al creer en Dios. De su libertad depende su aceptación o rechazo de Dios.

—Pascal va más lejos. Pone en boca de Dios estas palabras: «Si no me hubieras encontrado, no me estarías buscando.»

—Pero lo procede de una caución que es casi un

mandamiento: «*Console toi.*» Consuélate. Y la idea de la consolación me rebela.

—¿No dijiste creer en la fe rebelde, la fe inconsolable?

—La gloria de Dios es la criatura humana. Aceptémoslo a condición de que crearlo ni nos castiga ni nos premia. Simplemente nos identifica.

—Admite que vivimos en una tierra herida.

—Sólo la acción humana cerrará, algún día, sus heridas.

—Quieres decir que la creación está inconclusa.

—Sí. Y éste es el resquicio por donde, inevitablemente, Dios se me cuela al mundo. Si Dios nos hizo a su imagen y semejanza, ¿Dios contiene el mal humano? Yo contesto, sí. Somos reflejo también de la parte mala o incumplida de Dios. Obramos para *completar* a Dios.

—Obramos para completar a Dios. Siento que te acercas a la fe en el sentido de que no creer en Dios —puesto que obramos para completar a Dios— es disminuir nuestra propia posibilidad humana. No creer en Dios sería cerrar nuestro propio horizonte humano. ¿Sería una cobardía no creer en Dios?

—Pon tú por caso que Dios sea a la vez objeto y sujeto. Su vitalidad es subjetiva. Pero objetivamente, para ti y para mí, es, sólo puede ser, espejo del alma. Obra, pues, humana.

—¿No crees en la vida eterna?

—Si la hay, recibiremos al llegar a ella un nuevo orden del día desconocido hasta ese momento. No conocemos la agenda del cielo.

—¿Nuevas instrucciones?

—Así es. Si hay vida eterna, dejemos que Dios se ocupe de los detalles.

—Hoy cremamos a los cuerpos. ¿Cómo podemos dar fe de la resurrección de la carne que proclama el credo?

—Piensa, mi amigo, en la equivalencia del cuerpo más que en su resurrección. Piensa en la renovación del alma más que en la sobrevivencia.

—En conclusión, ¿crees en Dios?

—En conclusión, ¿cree Dios en mí?

—Mira, yo me quedo con la apuesta de Pascal. Creo en Dios, porque si Dios existe, salgo ganando, y si no existe, no pierdo nada.

EDUCACIÓN

La educación se ha convertido en la base de la productividad. Entramos al siglo XXI con una evidencia: El crecimiento económico depende de la calidad de la información y ésta de la calidad de la educación. El lugar privilegiado de la modernidad económica lo ocupan los creadores y productores de información, más que de productos materiales. Cine, televisión, casetes, las industrias de la telecomunicación y las productoras de los instrumentos y equipos procesadores de información están hoy en el centro de la vida económica global. Los ricos de antaño producían acero (Carnegie, Krupp, Manchester). Los ricos de hogaño producen equipos electrónicos (Bill Gates, Sony, Silicon Valley). Esto es cierto y por eso hay que contrastarlo con los hechos. El abismo de la pobreza en los países del llamado tercer mundo se traduce en niveles decrecientes de educación. Hay 900 millones de adultos iletrados en el mundo, 130 millones de niños sin escuela y cien millones de niños que abandonan sus estudios en los grados primarios. Las naciones del Sur cuentan con el 60 por ciento de la población mundial de estudiantes pero con sólo el 12 por ciento del presupuesto mundial para la educación. En México, la tasa de escolaridad es de seis años y medio. En Argentina es de nueve y en Canadá de doce. En la secundaria y la preparatoria, sólo 28 de cada cien jóvenes entre los 16 y los 18 años reciben instrucción en México, y en las universidades, sólo el 14 por ciento de los jóvenes entre 19 y 24 años alcanza ese nivel educativo. Y en el posgrado, sólo el 2 por ciento de los egresados de las universidades hace maestrías y un 0,1 por ciento doctorados. El tercer mundo sólo cuenta con el 6 por ciento de los científicos mundiales. Entre este número, sólo el 1 por ciento son latinoamericanos. El 95 por ciento de los científicos pertenecen al primer mundo.

El derecho a la educación, dice Nadine Gordimer, es un derecho humano tan esencial como el derecho al aire y al agua. El mundo gasta anualmente 800.000 millones de dólares en armamento pero no puede reunir los 6.000 millones al año necesarios para dar escuela a todos los niños del mundo en el año 2010. «Tan sólo un uno por ciento de rebaja en gastos militares en el mundo sería suficiente para sentar frente a un pizarrón a todos los niños del mundo» (datos de Unesco y Banco Mundial). Un avión de caza para una fuerza aérea latinoamericana cuesta tanto como ochenta millones de libros escolares.

La base de la desigualdad en América Latina es la exclusión del sistema educativo. La estabilidad política, los logros democráticos y el bienestar económico no se sostendrán sin un acceso creciente de la población a la educación. ¿Puede haber desarrollo cuando sólo el 50 por ciento de los latinoamericanos que inician la primaria, la terminan? ¿Puede haberlo cuando un maestro de escuela latinoamericano sólo gana cuatro mil dólares anuales, en tanto que su equivalente alemán o japonés percibe cincuenta mil dólares al año?

Soluciones. Fortalecer la continuidad educativa, la cadena de pasos que impida los dramáticos vacíos que hoy se dan entre la educación básica y la educación para la tecnología y la informática. Fortalecer el magisterio. No es posible exigirle al maestro latinoamericano cada vez más labor y más responsabilidad, pero con salarios cada vez más mermados y con instrumentos de trabajo cada vez más escasos. El futuro de América Latina se ilumina cada vez que un maestro recibe mejor entrenamiento, mejora su estatus y aumenta su presencia social. Además, en el acelerado pero aún difícil proceso de democratización de nuestros países, el maestro tiene el derecho de todo ciudadano de participar en política, pero también tiene una obligación más exigente de ampliar en la clase el concepto de politización, más allá de la militancia partidista, pero no por la vía de una abdicación o un disimulo, sino mediante la inteligencia de que es en la escuela donde se implanta el concepto de politización, trasladándolo del concepto de poder sobre la gente al de poder con la gente. Hoy, la ampliación de la democracia en la escuela consiste en saber qué es el poder; cómo se distribuye entre individuos, grupos y comunidades; cómo se reparten los recursos de países ricos poblados por millones de pobres; y entender que la militancia ciudadana no se limita a los partidos, sino que se puede ejercer, efectivamente y en profundidad, desde la pertenencia a clase social, sexo, barrio, etnia o asociación.

El capitalismo triunfó sobre el feudalismo porque multiplicó oportunidades para la ciudadanía, empezando por la educación. Los capitalistas latinoamericanos deben contribuir a la creación de bancos nacionales para la educación en cada uno de nuestros países, con fondos y administración mixtas y representación de la empresa, el Estado y la sociedad civil, que con espíritu de justicia, de eficiencia y de provecho para todos los factores, invierta en la base educativa del país, distribuya préstamos y también donaciones y becas, tanto a los planteles más necesitados como a los más necesarios, desde las escuelas rurales y artesanales a las de alta tecnología. Y desde luego, a la universidad.

Creo en la universidad. La universidad une, no separa. Conoce y reconoce, no ignora ni olvida. En ella se dan cita no sólo lo que ha sobrevivido, sino lo que está vivo o por nacer en la cultura. Pero para que la cultura viva, se requiere un espacio crítico donde se trate de entender al otro, no de derrotarlo —y mucho menos, de exterminarlo: universidad y totalitarismo son incompatibles. Para que la cultura viva, son indispensables espacios universitarios en los que prive la reflexión, la investigación y la crítica, pues éstos son los valladares que debemos oponer a la intolerancia, al engaño y a la violencia.

En la universidad, todos tenemos razón pero nadie tiene razón a la fuerza y nadie tiene la fuerza de una razón única.

Y en la universidad, aprendemos, al cabo, que nuestro pensamiento y nuestra acción pueden fraternizar. Ciencias y Humanidades. Lógica unívoca y poética plurívoca. ¿No caben, no se complementan, no florecen juntas estas plantas en el terreno y bajo el techo de la universidad?

Pero la universidad es un estadio —el superior, sin duda— de un proceso educativo que parte de la escuela primaria y se prolonga hoy en la escuela permanente: la educación vitalicia. Repito: No hay progreso sin conocimiento y no hay conocimiento sin educación. De allí que la educación, de manera explícita, encabece hoy la agenda en todas las naciones del mundo, las más desarrolladas así como las que se encuentran en vías de desarrollo.

Aceptemos, desde luego, que la cultura precede a la nación y a sus instituciones. La cultura, por mínima y rudimentaria que sea, es anterior a las formas de la organización social, a la vez que las exige. Distintas formas de cooperación y división del trabajo han acompañado, desde el alba de la historia, el desarrollo de las técnicas, la difusión de conocimientos y los conflictos surgidos de las fricciones entre lenguas, costumbres y territorios, entre la generosidad materna, que abraza a todos los hijos por igual, y la necesidad paterna que los separa, designa primogénitos, divide la tierra, hereda los bienes, instala poderes y establece la obligación de defender, preservar, aumentar el patrimonio y ahuyentar al otro, al demonio, a la catástrofe natural, al dios enemigo y a la muerte, vista como crimen original, como asesinato divino.

A lo largo de este proceso se van creando maneras de ser, maneras de comer, de caminar, de sentarse, de amar, de comunicarse, de vestir, de cantar y bailar. Maneras de soñar también. Todo ello conforma día a día una cultura, creando lo que Ortega y Gasset llamó una constelación de preguntas a las cuales respondemos con una constelación de respuestas. Éste es el proceso de la cultura: preguntas y respuestas. Y añade el filósofo español: Puesto que muchas respuestas son posibles, ello significa que muchas culturas han existido y existen. Lo que nunca ha existido es una cultura absoluta, es decir, una cultura que dé respuesta satisfactoria a todas las preguntas. Por ello, la cultura y la universidad como eje de la misma aspiran, doblemente, a tener raíz y vuelo, a tocar el piso local y a ascender al firmamento universal.

Radiquémonos pues, para empezar, en nuestro suelo, mexicano y latinoamericano.

Y seamos francos: nuestra extraordinaria continuidad cultural latinoamericana no ha encontrado aún, plenamente, continuidad política y económica comparables.

Una nación, nos recuerda Isaiah Berlin, se construye a sí misma a partir de las heridas que ha sufrido. Herida por sí misma y por el mundo —conquista, colonia, revoluciones, imperialismo—, la América Latina, a pesar de sus agravios, ha logrado crear naciones que, en lo esencial, mantienen las fronteras de la época independentista y aun de la administración colonial: no somos los Balcanes. No perdamos ni nuestra unidad nacional propia ni nuestra fraternidad iberoamericana compartida, a fin de alcanzar, al cabo, una posición internacional generosa y abierta, sin chovinismos ni xenofobias.

La base para todo ello es consolidar la identificación de nación y cultura. La nación es fuerte si encarna en su cultura. Es débil si sólo enarbola una ideología. Mi pregunta es ésta: ¿Puede la educación ser el puente entre la abundancia cultural y la paucidad política y económica de la América Latina? No, no se trata de darle a la educación el carácter de curalotodo que le dimos a la religión en la Colonia (resignaos), a las constituciones en la independencia (legislad), a los Estados en la primera mitad del siglo XX (nacionalizad) o a la empresa en su segunda mitad (privatizad). Se trata, más bien, de darle su posición y sus funciones precisas en el proceso educativo tanto al sector público como al privado, sin satanizar ni a uno ni al otro, pero sujetando a ambos a las necesidades sociales del conjunto manifestadas y organizadas por el tercer sector, la sociedad civil.

La sabiduría clásica nos dice que de la diversidad nace la verdadera unidad. La experiencia contemporánea nos dice que el respeto a las diferencias crea la fortaleza de un país, y su negación, la debilidad. La memoria histórica nos confirma, en fin, que el cruce de razas y culturas está en el origen de las grandes naciones modernas. No hay educación latinoamericana que no atienda a las particularidades nacionales y regionales del continente. Podemos confiar en que de nuestra diversidad respetada nacerá una unidad respetable.

La educación, en todas partes, requiere un proyecto público que la apoye. En su ausencia, la explosión de la demanda puede conducir a un submercado de baja calidad para la población, aunque de alta rentabilidad para sus dueños. Defendamos la educación pública. Pero el proyecto público requiere la cooperación del sector privado, que sin un proyecto público acabará marginando a sus posibles consumidores, toda vez que no es concebible en ninguna parte del mundo mayor producción sin mayor educación, ni mejores niveles de vida sin ambos.

Requiere también, me apresuro a añadir, el apoyo del tercer sector, que incluye a buena parte del capital humano del país. A veces, donde la burocracia es ciega, la sociedad civil identifica los problemas de la aldea perdida, de la mujer que es madre y trabajadora, de barrio urbano donde habitan «los olvidados» de Luis Buñuel: la favela, la villa miseria, la ciudad perdida... La chabola.

Creo que la educación debe ser un proyecto público apoyado por el sector privado y dinamizado por el sector social. Su base es la educación primaria: que ningún hombre o mujer de dieciséis años o menos se encuentre sin pupitre. Su meta es la educación vitalicia: que ningún ciudadano deje jamás de aprender. La enseñanza moderna es un proceso inacabable: mientras más educado sea un ciudadano, más educación seguirá necesitando a lo largo de su vida. Su prueba —la prueba de la educación— es ofrecer conocimientos inseparables del destino del trabajo. Educación artesanal para los reclamos de la aldea, del barrio, de la zona aislada. Educación para la salud. Educación para el ahorro. Todo esto nos exige la base social de nuestros países. Y educación, en fin, para la democracia y en la democracia en la nueva latinidad americana. Tenemos que activar las iniciativas ciudadanas, la vida municipal, las soluciones locales a problemas locales, todo ello dentro de un marco legal de división de poderes, elecciones transparentes y fiscalización de las autoridades.

Nadie pierde conocimientos si los comparte.

Las culturas se influencian unas a otras.

Las culturas perecen en el aislamiento y florecen en la comunicación.

La universidad está llamada, por su nombre mismo, a mediar entre las culturas, desafiando prejuicios, extendiendo nuestros límites, aumentando nuestra capacidad para dar y recibir y nuestra inteligencia para entender lo que nos es ajeno.

En la universidad podemos abrazar la cultura del *Otro* a fin de que los *Otros* puedan abrazar nuestra propia cultura.

EXPERIENCIA

«Non sunt multiplicanda entia praeter necessitatem.» La sentencia de Guillermo de Occam (h. 1280-h. 1349), conocida como «la navaja de Occam», es quizás, en plena Edad Media, la más radical reivindicación de la experiencia del hombre en el mundo como un acto complementario del tiempo, del espacio y, aun, del cielo metafísico. El tiempo y el espacio no son independientes de la experiencia. El cielo (Dios) soporta la presencia de la materia humana, no la condena ni la contradice. Por eso se suele ver en Occam al padre lejano pero cierto de la experiencia científica. Sin Occam, ni Copérnico ni Galileo se hubiesen atrevido a divorciar la razón de la fe, la experiencia científica de la existencia de Dios, al grado de que sus descendientes más radicales, los occamistas, no sólo separaron la Iglesia del Estado, sino que miraron con sospecha —y aun, condena— a un Dios que nos había engañado.

Me excuso de esta breve exposición que radica la experiencia (incluyendo la experiencia divina) en el conocimiento y la ética humanistas. Ello no otorga a la experiencia humana, me apresuro a decirlo, poderes omnímodos o mucho menos divinos. Creerlo es caer en el pecado del orgullo y exponerse al saldo trágico de la derrota, la decepción y el engaño. Humana es la experiencia, y necesaria. ¿Pero es libre, o es fatal? ¿Cómo es libre y cómo es fatal? Estas preguntas desvelan nuestras existencias porque reúnen, en un haz, cuanto constituye nuestra manera de vivir la vida.

La experiencia es deseo, afán o proyecto de realizarse en sí misma, en el mundo, en mi yo y en los demás. Abarca mucho. ¿Aprieta poco? ¿Quién no le da a la experiencia un valor inmenso, casi sinónimo de la vida misma: experiencia del amor, de la amistad, del trabajo, de la creación, del poder, de la felicidad? Pero experiencia significa también orgullo, vergüenza, ambición, temor. Y placer. Y esperanza.

Porque hay experiencias dañinas, nos preguntamos si las heridas sólo se cierran si nos hacemos cargo de lo que las causó. Porque hay experiencias benéficas, construimos la esperanza de que lo bueno se repetirá, de que siempre habrá algo más.

Sin embargo, la propia experiencia —buena o mala— se encarga de recordarnos que, una y otra vez, defraudaremos la oportunidad del día, les daremos la espalda a quienes requieren nuestra atención; ni siquiera nos escucharemos a nosotros mismos. Una y otra vez, lo que creíamos permanente demostrará que es sólo fugitivo. Una y otra vez, lo que imaginamos repetible, no tuvo lugar nunca más...

Y es que la experiencia, como la Tierra de Galileo, se mueve. Se desplaza y su motor más íntimo es el deseo. En un momento dado, Borges describe el objeto del deseo como otro deseo. El hijo de un soñador ignora que está siendo soñado y el temor del padre es que su vástago fantasmal descubra que no es en verdad un hombre, sino la proyección del sueño —del deseo— de otro hombre. El vértigo de la situación se resuelve cuando el padre descubre que él, también, está siendo soñado. Esto es, que él, también, está siendo deseado. En Balzac, lo indiqué más arriba, el objeto del deseo es un fetiche —el cuerpo de una mujer y la piel de zapa que cumple el deseo de su poseedor.

Balzac en *La piel de zapa*, Freud en *La interpretación de los sueños*, Borges en *Las ruinas circulares*, dan fe cabal de la relación entre experiencia y desplazamiento.

Desplazar: mudar de lugar. *Desplazamiento*: abandonar la plaza. Movimiento, traslado, cambio, mutación, transferencia: el dinero circula, el héroe asciende, el descubridor viaja, el conquistador empuja y sus naves *desplazan* toneladas de agua y voluntad y pasión y sueño. *Desplazamiento*: distorsión de la imagen visual mediante la inversión de sus coordenadas usuales: izquierda y derecha, arriba y abajo, desorientación occidental y profundidad del Sur y lejanía del Oeste y pérdida del Norte o sea nueva desorientación y desplazamiento freudiano como actividad del sueño, trabajo del sueño comparable al de la novela: omisión, modificación, reagrupamiento de la materia, sustitución de satisfactores, cambio del objeto del deseo, sublimación de la percepción, la identificación y la nominación de las cosas, disfraz del sueño erótico convertido en sueño social, mascarada de la realidad social condensada en la abreviación de un sueño de amor. Exorcismo de la pesadilla. Triunfo de la alusión reemplazada. Traslación de la inmediatez a la mediatez. Formas del movimiento no sólo en superficie sino en profundidad: viajes alrededor de mi cuarto, viajes al centro de la tierra, viajes de Ulises y Phileas Fogg, pero también del Narrador de Proust y del

Insecto de Kafka: desplazamientos hacia el faro, hacia la montaña mágica, pero también detrás del espejo de Alicia y en el jardín de los senderos que se bifurcan.

Occam nos pide pasar por alto el movimiento como mera reaparición de una cosa en un lugar diferente. En cambio, Borges, Balzac y Freud nos dan las pruebas de una experiencia que requiere del desplazamiento, del movimiento de un lugar (anímico o físico) a otro, pero mediante una transformación, una metamorfosis. ¿De qué? De la experiencia en destino.

Se dice con facilidad pero se opera, más que con dificultad —sin eximirla— con complejidad. Transformar la experiencia en destino implica, para empezar, el deseo. Pero el deseo, a su vez, se abre como un abanico de posibilidades. Es deseo de ser feliz. Un deseo que la Ilustración consagró como derecho, sobre todo en las leyes fundadoras de los Estados Unidos: «*The pursuit of happiness.*» Pero aunque hay filosofías que sólo entienden la felicidad como hermana de la pasividad, la cultura fáustica del Occidente, imperante e imperiosa, nos propone que *actuemos* para ser felices. La experiencia de la acción es la condición para llegar a la felicidad. Pero esa acción va a encontrar una multitud de escollos. Comparable al viaje de Ulises, la Odisea de la búsqueda de la felicidad navegará peligrosamente entre Escila y Caribdis, oirá los cantos de las sirenas, se entretendrá en los brazos de Calipso, correrá el riesgo de convertir lo que busca en su opuesto: el ángel en cerdo. Verá y será vista por el ojo temible del gigante Polifemo. Y regresará al hogar para enfrentarse a los pretendientes, a los usurpadores de lo que consideramos nuestro.

La experiencia activa va a encontrarse con el mal. Y lo malo del mal es que conoce al bien. El bien, por serlo, goza de la inocencia de sólo saberse a sí mismo. El mal lleva las de ganar porque se conoce a sí mismo y al bien. La experiencia del bien es cogida de sorpresa por el mal como los vaqueros por los indios en los desfiladeros del Lejano Oeste. Nuestro dilema es que para vencer al mal, el bien debe conocerlo. Conocerlo sin practicarlo. ¿Exigencia para santos? ¿O tenemos maneras de conocer el mal sin experimentarlo?

Como hombre fáustico occidental, me cuesta entender o practicar las filosofías orientales que saben vencer pasivamente al mal. La historia maligna de mi tiempo me lleva a oponerme activamente a los atentados contra la libertad y la vida. Pero no soy inconsciente de que la energía para ganar el bien es comparable a la energía para alcanzar el mal. Tanta energía, tanta experiencia dispensa el creador disciplinado —artista, político, empresario, obrero, profesionista— para obtener el bien como la que requiere para perderlo. La drogadicción, lo sabemos quienes la hemos visto de cerca, requiere tanta energía, tanta voluntad, tanta astucia, como pintar un mural, organizar una empresa o llevar a cabo un quíntuple *bypass* cardíaco.

Se levantará el templo de la ética para que la experiencia humana sea, difícil, excepcionalmente, constructiva. Ello requiere, a mi entender, un alto grado de *atención* que rebasa nuestro propio yo, nuestro propio interés, para prestarle cuidado a la necesidad del otro, ligando nuestra subjetividad interna a la objetividad del mundo a través de lo que mi yo y el mundo compartimos: la comunidad, el nos-otros. Si ésta es una variedad del imperativo kantiano, sea. Acaso Kant es el último pensador que pudo ser plenamente moral, antes de que la historia demostrase (Nietzsche) que ella, la historia, rara vez coincidía ni con el bien ni con la felicidad.

Semejante escepticismo nos ha hecho valorar, puesto que aún somos, decrépitos, arruinados, prisioneros de la última gran revolución cultural, que fue el romanticismo, la experiencia de la pasión, al grado de no poder concebir experiencia sin pasión. «Corazón apasionado», dice la vieja canción mexicana. Pues pasión significa reconocer y respetar y procurar la grandeza de las emociones humanas, al grado de creer que son las pasiones mismas las que constituyen el alma humana. La experiencia de la pasión trata de concebirse como libre obediencia a impulsos válidos, existenciales. Describo en una de mis novelas una pasión que abarca la entrega y la reserva necesarias para que el arrebato pasional culmine realmente.

> A la entrada de la casa era reservado, discreto... En el segundo piso era entregado, abierto, como si sólo la exclusión le colocase a mitad de la intemperie, sin reserva alguna para el tiempo del amor. No pudo resistir la idea de esa combinación, una manera completa de ser hombre, sereno y apasionado, abierto y secreto, discreto vestido, indiscreto desnudo... Aquí estaba, al fin, desde siempre o inventado ahora mismo, pero revelador de un anhelo eterno.

Tener deseos y saber mantenerlos, corregirlos, desecharlos... ¿Cuál es el camino de este ideal de la experiencia? Precisamente el equilibrio difícil entre el momento activo y el momento paciente. Basta ver (no imaginar: constatar diariamente en imágenes y noticias) la manera como la pasión degenera en violencia, para reaccionar a favor de un equilibrio que no condene a la pasión, que tantas satisfacciones nos da, gracias a una paciencia que no es la de Job, sino la de la resistencia: el coraje moral de Sócrates, de Bruno, de Galileo, de Ajmátova y de Mandelstam, de Edith Stein y de Simone Weil, de todos los humillados y ofendidos de la ciudad del hombre, de todos los pacientes peregrinos a la ciudad de Dios.

El compás de espera es inseparable de la atención. No es resignación. No es la impaciencia terrible del confesionario católico, donde arruinamos la experiencia revelándosela a un hombre que puede ser tan lúbrico como lo revelan las instrucciones a los confesores de las colonias españolas («Niña, ¿te has visto desnuda en un espejo? ¿Has deseado el miembro de tu padre?») o tan indiferente como los soñolientos párrocos que dispensan padrenuestros y avemarías o tan atento, también es cierto, como el excepcional sacerdote que asume la voz de la confesión para apartarla del comercio de salón y hacerla objeto de comunión —de atención, repito, compartida...

El corazón de la experiencia, más bien, es la conciencia misma de que toda experiencia es limitada. Y no sólo porque nos embargue, como a Pascal, el vértigo de los espacios infinitos, sino porque la muerte, si no la vida, y la mirada de la noche, si no la ceguera del día, nos dicen que la experiencia es limitada y el universo, infinito. Nos lo comprueba el hecho de que no hay experiencia, por buena o valiosa que sea, que se cumpla plenamente. Lo sabe el artista, que no necesita dar el cincelazo de Miguel Ángel para asegurar la imperfección de la obra. Si la obra fuese perfecta, sería divina: sería impenetrable, sagrada. La muerte nos dirá lo mismo de la experiencia. Han muerto Sócrates y Greta Garbo. Ni el filósofo volverá a reunirse a dialogar, ni habrá más pensamientos suyos que los consignados por Platón. Todo lo demás (que no era lo *de más*) —memoria, humor, previsión, esperanza, física y psíquica actualidad— se ha ido para siempre. Greta Garbo nos mirará desde siempre y para siempre como la Reina Cristina, desde la proa del barco que la lleva lejos del amor a la memoria apasionada —pero Greta Gustaffson no filmará una sola película más. Sí, corazón apasionado —pero disimula su tristeza. Pues el que nace desgraciado, desde la cuna comienza a vivir martirizado.

Se necesita un valor temerario para vivir una experiencia sin techo, expuesta a todos los riesgos. Goethe, típicamente, pedía que buscáramos el infinito en nosotros mismos. «Y si no lo encuentras en tu ser y en tu pensamiento, no habrá piedad para ti.» Pero sí habrá la conciencia de los límites que el joven y romántico autor de *Werther* supo equilibrar con moral y estética en el *Wilhelm Meister*. Todo tiene un límite y el desafío a nuestra libertad es una pregunta: ¿rebasarla o no? La respuesta es otro desafío. Si queremos aumentar el área de la experiencia, debemos conocer los límites de la experiencia. No los límites políticos, psicológicos o éticos, sino los límites inherentes a cualquier experiencia por el hecho de serlo. Cada cual tendrá su cuadrante personal para medir esos límites. Einstein no rebasó los suyos. Hitler, sí.

Un personaje de *Los años con Laura Díaz* dice que quiere estar en un lugar donde se sienta en peligro y al mismo tiempo necesite protección, no para dejar de sentirse en peligro, sino para no engañarse con la ilusión de su propia fuerza... ¿A cuántas personas no conocemos que realizan un extraordinario esfuerzo para mostrarse fuertes ante el mundo porque conocen demasiado bien sus debilidades internas? Ganarle la partida a la debilidad haciéndonos fuertes por dentro para que el mundo no nos engañe con una fuerza falsa, una limosna de poder, o el insulto de la lástima. La resistencia estoica debe tomarse en serio, pues nada le sucede a nadie que él o ella no estén preparados por la naturaleza para soportar, nos dice Marco Aurelio. Y añade: «El tiempo es como un río de eventos que suceden; la corriente es fuerte; apenas aparece una cosa, la corriente se la lleva y otra cosa ocupa su lugar y ella misma también será arrastrada por la corriente...»

No se necesita gran coraje moral para entender esto, pero sí para vivirlo. «¿*Para qué*...?», pregunta Wordsworth al iniciar uno de los grandes poemas de todos los tiempos, *El preludio*. Y contesta con otra pregunta: «¿*Para* esto?» Detrás de ambas preguntas se teje la capa de la experiencia, nuestra segunda piel. Son los poderes que vamos adquiriendo como personas. Poderes de estar con otros, pero también experiencia de la soledad. Formas que se van desprendiendo de nuestra experiencia personal para adquirir vida propia y dejar testimonio, más o menos pasajero, más o menos permanente, de nuestro paso —de nuestra pasión. Luces que van iluminando nuestro camino. Y la pregunta insistente: ¿Cómo se llaman los portadores de las teas que nos iluminan la ruta? Piel de la experiencia. Tiene heridas que a veces cicatrizan; a veces no. Voz de la experiencia. A veces la escuchamos, a veces no. Experiencia: peligro y anhelo. Experiencia y deseo: anticipación ardiente o serena de lo que aún no es, sin perder el conocimiento de lo que ya pasó.

Estamos en la tierra porque aquí nacimos y aquí vamos a morir. Pero también estamos en el mundo, que no es exactamente lo mismo. Las mujeres a quienes doy la palabra en mi descripción del cerco de Numancia *(El na-*

ranjo) dicen, sitiadas por la muerte y el hambre, que ven desaparecer al mundo avasallado, pero no la tierra. La tierra permanece aunque el mundo desaparezca. No importa. El mundo —construcción— muere pero la tierra —instrucción— se transforma. ¿Por qué? Porque lo dice la palabra. Porque no perdemos la experiencia de la palabra. El mundo nos revela como seres humanos sujetos a su experiencia. La tierra nos oculta por un momento sólo para devolvernos el poder de recrear al mundo. «Desaparecimos del mundo. Regresamos a la tierra. De allí saldremos a espantar.» Es decir: hablaremos.

La pregunta definitiva de la experiencia la hace Calderón de la Barca en la obra maestra del teatro español, *La vida es sueño*: El mayor delito del hombre es haber nacido. Segismundo, el protagonista de la obra, se compara a la naturaleza, que teniendo menos alma que él, tiene más libertad. Segismundo siente esta ausencia de libertad como una disminución, un no haber totalmente nacido, una conciencia de «que antes de nacer moriste». Pero, ¿no es un delito mayor no haber nacido en absoluto? Calderón nos libra al ritmo íntimo del sueño. Soñar es compensar lo que la experiencia nos negó. Soñamos hacia adelante, pero también hacia atrás. Deseamos en ambos sentidos. No, lo mejor es haber nacido. Y a cada cual nos incumbe examinar las razones por las cuales valió la pena haber nacido, y preguntarnos sin tregua, y sin esperanza de respuesta, las interrogantes de la experiencia:

¿Cómo se relacionan la libertad y el destino?

¿En qué medida puede cada uno de nosotros dar forma personal a nuestra propia experiencia?

¿Qué parte de nuestra experiencia es cambio y qué parte, permanencia?

¿Cuánto le debe la experiencia a la necesidad, al azar, a la libertad?

¿Y por qué nos identificamos por la ignorancia de lo que somos: unión de cuerpo y alma y sin embargo seguimos siendo exactamente lo que no comprendemos?

FAMILIA

No tengo noticia genealógica más allá de mis bisabuelos. Por el lado materno, mi bisabuelo Teodoro Rivas emigró de Santander a Sonora en la segunda mitad del siglo XIX y se instaló en una bellísima ciudad que es vergel en los desiertos del norte de México, Álamos (una ciudad con fantasmas de plata e indios de humo y calendarios de santos y cruces), donde llegó a ser director de la Casa de Moneda. Sé poco de su descendencia, pues mi abuela, Emilia Rivas Gil, era parca en informaciones familiares, como si quisiese concentrar y proteger un círculo devastado por el dolor y la muerte. Casada con Manuel Macías Gutiérrez, mis abuelos maternos pasaron su idilio inicial en Mazatlán, donde nació mi madre junto al Paseo de Olas Altas. Basta ver las fotos de principios de siglo XX. Mi abuela es una mujer pequeña, morena, de nariz aguileña y ojos negros, penetrantes, resueltos. Mi abuelo es un hombre blanco, alto, muy bien parecido, de esmero y pulcritud en todo: el bigote encerado, la mirada discreta, la levita y el plastrón elegantes. Los rodean, como ramillete de flores blancas, sus cuatro hijas, todas vestidas de blanco, tres de ellas

(María Emilia, Carmen y Sélika) con miradas soñadoras y mi madre, Berta, con la misma mirada resuelta de la suya. Pero esas ropas albeantes pronto se convirtieron en luto. Sélika murió a los diez años de edad de fiebre escarlatina.

Y mi bello abuelo, tan gallardo, tan erguido, contrajo, fatal, misteriosamente, la más temible de las enfermedades, la lepra. Su joven mujer, sus tres hijas, debieron asistir, con un dolor que excluía por igual la compasión y el rechazo, al deterioro terrible del padre. Las veo en las fotos que siguieron a la muerte de mi abuelo. Todas vestidas de negro, con las bandanas amarradas a la frente y las cabelleras negras erizadas. Comerciante probo y eficaz, mi abuelo no dejó fortuna. Conocí a sus hermanos y a mis tías, sus sobrinas. Eran idénticos entre sí. Altos, blancos como espectros con piel de pergamino los viejos, con piel de cera las jóvenes. Una de ellas, de impresionante presencia física, era monja. Mi propia abuela viuda debió dedicarse a mantener a sus tres hijas. De niña, había sido amiga de Álvaro Obregón, en Sonora. Cuando Obregón llegó a la presidencia, le dio a mi abuela un puesto de inspectora de escuelas y el ministro José Vasconcelos le asignó un papel activo en la espléndida campaña de alfabetización que, a partir de 1921, se enfrentó al abrumador hecho: el 90 por ciento de los mexicanos eran iletrados.

Casadas sus tres hijas, mi abuela pudo retirarse y recibir el apoyo cariñoso de las familias Fuentes, Romandía y Juárez. La relación con sus hijos políticos podía ser tan tormentosa como el fuerte carácter de mi abuela Emilia lo asegurase. Con sus hijas, mantuvo una actitud de leona, eterna guardiana de su cría. Y con sus nietos, se convirtió en un centro de alegría, bromas, reminiscencias. Una liga con un pasado que se volvía cada vez más remoto y que ella, a fuerza de gracia, nos devolvía intacto: Sonora, el porfiriato, la revolución, Mazatlán, el poema de Enrique González Martínez inscrito en su libro de autógrafos, su olvidada predilección por el piano, su peculiar insistencia en ver las películas en blanco y negro pero soñarlas en tecnicolor...

Temple parecido, aunque carácter mucho más severo, mostraba mi otra abuela, Emilia Boettiger. Ella descendía de inmigrantes alemanes originarios de la ciudad de Darmstadt en la Renania. Mi bisabuelo Philip Boettiger, ferviente lasallista, salió de Alemania cuando Ferdinand de Lasalle se unió al Canciller de Hierro Otto von Bismarck, bajo la confundida convicción de que sólo la alianza de la aristocracia prusiana —los Junkers— y el socialismo proletario, podían salvar al país de la vulgar avaricia y arribismos burgueses. En realidad, Lasalle el socialista era un revolucionario elegante movido por su profundo desprecio hacia la vulgaridad y falta de maneras de Karl Marx, su contrincante de chalecos manchados. Los hermanos Boettiger se embarcaron rumbo a las Américas y recalaron en la Nueva Orleans. Allí, sus caminos se dividieron. El hermano mayor se fue al Norte, a Chicago, donde se convirtió en un próspero hombre de negocios cuyo nieto se casó con Anna (Boettiger), la hija del presidente Franklin D. Roosevelt. Mi abuelo llegó a Veracruz, se enamoró del pueblo y la laguna de Catemaco, allí fundó un próspero beneficio cafetalero, tuvo tres hijas —mi abuela Emilia, mis tías abuelas María y Luisa—, incorporó a la familia a su pequeña hija mulata, Ana, nacida fuera del matrimonio, y prohibió el uso del alemán en la casa. Quería ser mexicano, dejar atrás al Viejo Mundo.

Mi abuelo paterno, Rafael Fuentes Vélez, era hijo de un comerciante emigrado de las Islas Canarias, Carlos Fuentes Benítez, quien contrajo nupcias con una bellísima criolla, Clotilde Vélez, que fue asaltada en el Camino Real. El bandido le pidió sus anillos y, ella, rehusando entregarlos, los perdió de un bárbaro machetazo. Mi abuelo creció en el puerto jarocho y conoció a mi abuela en las fiestas de la Candelaria en Tlacotalpan. Él tenía cuarenta años y ella diecisiete. Las fotos muestran a un hombre de baja estatura, nariz aguileña, y ojos penetrantes bajo extraordinarias cejas arqueadas como dos acentos circunflejos, que le daban un aspecto permanente de enojo y hasta diabólico. Mi abuela Emilia, en cambio, parecía una estatua gótica, delgada, severa, alta, agraciada con un perfil perfecto, recto y dispuesto a darle al rostro una simetría noble y eterna.

Tuvieron tres hijos, Carlos Fuentes Boettiger, el mayor, destacó muy pronto como poeta, discípulo preferido de Salvador Díaz Mirón y joven galán alto, esbelto y rubio. A los veintiún años, partió a estudiar a la ciudad de México y nunca regresó. Sucumbió víctima de una de esas epidemias de tifoidea que asolaban a un México retrasado, insalubre y caótico. Pero la familia tuvo años de alegría, primero en el puerto, donde mi abuelo era el gerente del Banco Nacional de México, y más tarde en Jalapa, donde ocupó el mismo puesto y vio su salud, gradualmente, deteriorarse, víctima de una parálisis progresiva que al cabo lo dejó mudo, sentado en una silla de ruedas y sin más expresión —como el anciano Villefort de *El Conde de Montecristo*— que la de sus extraordinarias cejas. Por mi padre sabía que este hombre anciano al que alcancé a conocer, era un voraz lector en español, francés, italiano e inglés. Conservo de mi abuelo Rafael unas bellísimas y antiguas ediciones de Dante, de Swift, de Walter Scott, impresas en el siglo XIX con una letra tan pequeña que debió necesitar lupa para ser leída. Mi padre me contaba cómo, cada mes, mi abuelo lo llevaba de la mano al puerto en espera del paquebote de Liverpool y Le Havre, que llegaba a Veracruz con las revistas ilustradas —*The London Illustrated News*, *La Vie Parisienne*— y las novelas de moda: Pierre Benoit, Alphonse Daudet, Pierre Loti.

Sin esperanza de que su marido recuperase la salud, mi empeñosa abuela Emilia Boettiger se trasladó a la ciudad de México y estableció, en los altos de la esquina de Mérida y Álvaro Obregón, una casa de huéspedes que atendía a los veracruzanos de paso por la capital. Seguían el éxodo que llevó a muchas familias afectadas por el movimiento revolucionario, de la provincia a la capital. Mujer de extraordinaria energía y voluntad, mi abuela Emilia cuidaba a su marido incapacitado, gobernaba una deliciosa cocina jarocha de manchamanteles, moros y cristianos, plátanos fritos, ropavieja y pulpos en su tinta, mientras mi tía Emilia, dominada por la fuerte voluntad de su madre, la ayudaba y se sentía —hasta su propia muerte— encargada de cuidar a sus padres más que a sí misma. Sacrificó, como en las novelas de moda, su propia felicidad a los deberes filiales.

En cambio, mi padre, Rafael Fuentes Boettiger, dejó atrás la provincia de su infancia y juventud para atender una vocación que le animaba desde que, de niño, iba con mi abuelo a recibir el paquebote. Lector precoz, desde la infancia tendía a escenificar sus lecturas, apropiándose del papel de D'Artagnan en adaptaciones representadas en el vasto gimnasio del banco en Veracruz. A los trece años, como cadete de la preparatoria militarizada de Jalapa, partió a Veracruz en defensa del puerto invadido por los «marines» norteamericanos. No llegó muy lejos; la ocupación se consumó velozmente. Tampoco llegó lejos cuando a los diecinueve años decidió unirse a la compañía teatral de Fernando Soler y Sagra del Río, saliendo de Jalapa a escondidas. Mi abuelo lo esperaba en la estación de Córdoba y lo bajó del tren de una oreja.

Joven abogado y maestro en la Facultad de Derecho de la universidad veracruzana, a los veinticinco años, mi padre ingresó al Servicio Exterior Mexicano como abogado de la Comisión de Reclamaciones México-Norteamericana, creada para atender las quejas de ciudadanos de los Estados Unidos afectados por los actos de guerra en la frontera norte. Conoció a mi madre en uno de esos viejos y añorosos tranvías amarillos que entonces surcaban la ciudad de México, se casaron y salieron al primer puesto diplomático en Panamá, donde yo nací nueve meses después, el 11 de noviembre de 1928.

Formamos una familia feliz. A los ojos de Tolstoy, pues, no una familia demasiado interesante. Pero ¿quién quiere ser interesante al precio de ser infeliz? Mi hermana Berta nació en México en 1932 y pasamos la infancia en las embajadas de México en Washington, Santiago de Chile y Buenos Aires. Seguramente nos unió la vida andariega y mutante de la diplomacia —«gitanos con frac», decía mi padre— pero, sobre todo, el ambiente de mutuo respeto y constante cariño de nuestra vida en común. Alfonso Reyes dejó testimonio de mi padre: «Era un hombre esencial, sin espuma.» Ese hombre sin espuma llegó un día a la Embajada de México en Río de Janeiro y encontró al máximo escritor mexicano contestando oficios, descifrando cables y archivando recortes.

«Yo me ocupo de la oficina, don Alfonso», le dijo mi padre. «Usted dedíquese a escribir.» Con otro gran embajador, Francisco Castillo Nájera, enviado del gobierno cardenista en Washington, mi padre afinó su extraordinaria disciplina de trabajo y atención al detalle, cualidades que lo distinguieron durante sus años al frente del Protocolo en la Secretaría de Relaciones Exteriores y luego sus embajadas en Panamá, La Haya, Roma y Lisboa. Dejar la diplomacia, jubilado, lo mató. Buscaba, retirado en México, su chofer, sus informes, su agenda diplomática diaria. Sin todo ello, se fue apagando, desconcertado, con una conmovedora mirada de ausencia y nostalgia.

Le debo mi información literaria básica. Su impulso, su tácito homenaje a la promesa incumplida del hermano muerto, me movieron desde niño. Era un hombre de humor, de ternura y puntualidad: buen ejemplo, buena muestra. Mi madre, a su lado, vivió con él un amor sin interrupciones. El mismo día de su muerte, mi padre hizo dos cosas. Se probó un traje nuevo y acosó sexualmente a mi madre. Ella representó siempre la dignidad y formalidad del hogar, la certeza de que detrás de los viajes, las necesarias adaptaciones a escuelas, lenguas, costumbres, había un principio de seriedad, rectitud y hasta impaciencia con la gente ambiciosa, arribista o intrigante. No carecía de humor. Excelente jugadora de póquer, la vi «despelucar» a los generales de la revolución que, para su desgracia, apostaban contra ella en las cenas de las embajadas. Y hasta el día de hoy, achacosa pero entera a sus noventa años, me confiesa: «Tengo una frustración en la vida. Hubiese querido manejar un helicóptero.»

Lo que manejaba maravillosamente era nuestro

Buick, cada verano, desde Washington a México, soportando el calor, las discriminaciones texanas («No se admiten perros o mexicanos») y las curvas de Tamazunchale. Esta destreza práctica compensaba con creces la disposición más soñadora y desinteresada de mi padre. Mi madre es la que organizaba el hogar, disponía los horarios, tenía lista la ropa y contraía las deudas para el automóvil, la escuela, el apartamento. Miraba más al futuro que mi padre, un hombre disciplinado y puntual al extremo, pero también —bravo por él— soñador, tierno, sin ambiciones monetarias. Podía ser enérgico e intolerante. Lo fue conmigo, desde luego: aún me duelen las cuerizas que me propinó. Lo era con toda muestra de impuntualidad, indisciplina o falta de cortesía. Lo era con los políticos mexicanos corruptos o altaneros. Recuerdo aún su enfrentamiento, nariz con nariz, con el cacique potosino Gonzalo N. Santos por una falta de respeto. Recuerdo su decisión de renunciar, durante el gobierno de Abelardo Rodríguez, a la secretaría general del Distrito Federal, horrorizado ante los ofrecimientos de «mordidas» y violaciones a la ley. Duró dos meses en el puesto. Creo que pasará la eternidad en el cielo.

FAULKNER

La libertad ya existe. Tal es el postulado implícito en toda legislación del progreso. ¿No son libres el empresario, el trabajador, el niño, la mujer, el individuo, la humanidad en suma, puesto que así lo declara la Ley? Si la libertad ya existe, *pace* Rousseau y *via* las revoluciones democráticas de Francia y los Estados Unidos, nada es trágico. De Dostoyevsky a Kafka, los escritores trágicos nos dicen que no es así. La libertad verdadera consiste en la posibilidad mínima de darle sentido a la realidad y darle realidad al mundo siempre consiste en una tarea por hacer. La libertad no nos es dada. La debemos hacer y la hacemos buscándola. Ni siquiera el sombrío (aunque siempre sonriente) Maquiavelo se atrevió a decir lo contrario: «Dios no lo hará todo, pues ello nos despojaría de nuestro libre albedrío y esa parcela de gloria que nos pertenece a cada uno de nosotros.»

Tuvimos que llegar al siglo XX para consagrar simultáneamente al totalitarismo y al nihilismo de suerte que, en la legislación kafkiana, el mundo tuviese un sentido final, definido por la Ley. En consecuencia, se declara inútil buscar otro sentido a la realidad. ¿Insiste usted, Herr K.? Entonces será usted el eliminado en nombre de la Ley. La Ilustración termina en Kafka: Tiene usted la obligación de ser feliz o correr el riesgo de convertirse en insecto.

El absurdo de la libertad y la Ley en Kafka nos recuerda con extraordinaria fuerza que la verdadera coincidencia de la sociedad y el ser humano requiere una visión trágica, es decir, una visión de conflicto y reconciliación, opuesta a la visión maniquea que ha regido la historia moderna, visión de pecado y exterminio. Cuando una religión reclama fundamentos históricos, sugiere Nietzsche, lo hace para justificar su dogmatismo «bajo la mirada severa... de la ortodoxia». Tú debes ser culpable a fin de que yo sea inocente. En el *Prometeo* de Esquilo, la Tragedia exclama: «Cuanto existe es justo e injusto a la vez...» ¿Quién encarna estas realidades de manera más inquietante que Iván Karamazov cuando traspasa el umbral decidiendo estar del lado de la Justicia y en contra de la Verdad, cuando la Verdad y la Justicia no coinciden?

Ésta es la decisión inmoral que el héroe trágico no tiene por qué tomar. La tragedia no sacrifica la Verdad a la Justicia ni la Justicia a la Verdad porque en la Tragedia las fuerzas en conflicto son igualmente legítimas, idénticamente morales en el sentido más hondo: son capaces, cuando son derrotadas, de hermanar el valor a la derrota. Valor, no pecado. Y una de las dimensiones del valor sin pecado que, aun cuando es ignorado y a veces, violado, es el valor del otro. Éste es el valor que William Faulkner identifica maravillosamente: la restauración de la comunidad dividida, no por la historia (en esta instancia, la fuerza económica y militar del Norte) sino porque los hombres y las mujeres ya habían dividido, desde antes de la guerra, sus almas.

La literatura de los Estados Unidos de América revela la tensión constante entre el optimismo de fundación y el pesimismo crítico. Aquél, consagrado en la Constitución y las leyes de la democracia norteamericana, se convierte, asimismo, en el credo de la vida social y económica: «*Nothing succeeds like success.*»

El optimismo progresista se transforma en la máscara de la expansión imperial. De las trece colonias inglesas del Atlántico, los Estados Unidos se expanden hacia el Oeste —la Luisiana francesa—, los territorios del Golfo de México —Texas—, hasta el Pacífico —California— y hacia el Caribe —la Florida española, Cuba, Puerto Rico y Centroamérica hasta Panamá. Todo ello en nombre del «destino manifiesto» de una nación designada por Dios para ser, como la Roma antigua, *caput mundis.*

La vitalidad de la literatura norteamericana se debe, en gran medida, a la oposición crítica de sus escritores. Aparte de literatura de azúcar como la serie de Polyanna, «la niña feliz», los novelistas y cuentistas, a partir de Hawthorne y siguiendo con Poe, Melville, Henry James y el propio Mark Twain en el siglo XIX, y con Dreiser, Sinclair Lewis, Frank Norris, Fitzgerald y Dos Passos en el XX, retratan el reverso de la medalla. Las pesadillas del sueño americano, los fantasmas diurnos y las oraciones nocturnas, la brutalidad de los ascensos sociales, la mediocridad de la clase media mediadora, la desilusión del éxito, la oquedad de la fama, son temas críticos constantes de la narrativa estadounidense.

William Faulkner le da a este proceso crítico su corona más rotunda, milagrosa, brillante y sombría.

Porque Faulkner va más allá de la crítica para alcanzar la tragedia. Está y no está solo. Franz Kafka y Samuel Beckett son, acaso, los otros dos escritores trágicos del siglo pasado. Es natural que no abunden. «La muerte de la tragedia» anunciada por Nietzsche acaso date, como creía el filósofo alemán, de la razón socrática. Lo que me parece indudable es que, en primer término, el cristianismo no podía convivir con la tragedia, toda vez que prometía la salvación eterna.

Despojado de vestiduras religiosas, el progreso laico, sobre todo a partir de Condorcet y la Revolución Francesa, renuncia a Dios pero no a la felicidad. Si, como creía Condorcet, la línea ascendente del ser humano hacia la felicidad es segura, la conciencia trágica queda excluida de las sucesivas visiones progresistas de Saint-Simon, Comte y Marx.

Convertir la experiencia en destino. Si éste es un rasgo propio de lo trágico, la filosofía del progreso y la salvación de las almas los oscurece. No creer en el Diablo es darle todas las oportunidades, escribe André Gide. Y el mundo occidental, al expulsar la tragedia de la historia, permitió que su lugar lo ocupase el crimen. En vez del progreso fatal y feliz anunciado por el Siglo de las Luces y su heredero, el siglo XIX industrial, el siglo XX se convirtió en el siglo del horror histórico, el crimen impune, la tragedia enmascarada. Kafka y Beckett le dan su más alta representación europea. En Kafka, el héroe tradicional amanece convertido en insecto, pero en insecto que se sabe insecto y piensa: Hay un abismo entre el mundo y yo pero el abismo se presenta como algo colmado por el poder. Conocemos el vacío que ocupa el poder usurpador pero, aun conociendo la mentira, asistimos estupefactos e inermes a la representación que la disimula. Dios ha muerto y no lo mataron los ateos ilustrados, sino una banda de vagabundos que, contra toda evidencia, están esperando a Godot.

La tragedia faulkneriana se inserta en esta búsqueda dolorosa de un mundo en el que, graduados de la oscuridad, podamos mirar con claridad las consecuencias de nuestra «Libertad rebelde», como la llamó Büchner en *La muerte de Danton*. Faulkner, entonces, escribe desde la más optimista y futurista de las sociedades, los Estados Unidos de América, donde «nada tiene más éxito que el éxito mismo». Esto convierte a los Estados Unidos en un país excéntrico, ya que la mayoría de las naciones tiene una experiencia inmediata y desastrosa del fracaso.

Faulkner disiente del optimismo fundador de «el Sueño Americano» para decirles a sus compatriotas: también nosotros podemos fracasar. También nosotros podemos portar la cruz de la tragedia. Esa cruz lleva el nombre del racismo. El Norte no derrotó al Sur. El Sur ya se había derrotado a sí mismo esclavizando, humillando, persiguiendo y asesinando al Otro, al hombre, a la mujer y al niño «diferentes» del poder blanco. Pero el dolor de la tragedia puede redimirnos, si al cabo reconocemos la humanidad compartida con los otros.

La tragedia faulkneriana se inscribe dentro de un espacio definido —el condado de Yoknapatawpha, cuya traducción de la lengua chicasó es «la tierra dividida»— y a partir de las raíces familiares que se hunden en esa tierra: los Sartoris y los Compson aristócratas, los Snopes advenedizos. Pero la tragedia es desencadenada muy a menudo por el extraño, por el «intruso en el polvo», que llega a Mississippi con otro perfil, amenazante por diferente, trátese de Charles Bon en *¡Absalón, Absalón!* o de Lena Grove en *Luz de agosto* —la extranjera de afuera que nos revela al extranjero de adentro, el negro Joe Christmas. Expándanse en grandes genealogías familiares o en grandes etapas históricas, las novelas de Faulkner son novelas de una tierra —el Sur— pero la historia, la geografía, la sociedad y las familias se resuelven y se significan, al cabo, en dos elementos trágicos: el destino individual y el testimonio colectivo. La serenidad de Lena Grove, la amarga sexualidad de Joanna Burden y la fatalidad del negro Joe Christmas son caracteres individuales en el gran coro colectivo de la tragedia faulkneriana. En el centro de este coro, una mujer resiste y sobrevive para contar: Miss Rosa Coldfield. Fuera del coro, un descendiente sobrevive para recordar: Quentin Compson.

Entre todos —protagonistas y escena, coros y corifeo—, la tragedia faulkneriana se integra, más allá de la historia del Sur, como la gran tragedia sofocleana se integra, más allá de la historia de Grecia, en el tiempo vivido como oportunidad de convertir la experiencia en destino. Acaso sea el tiempo, al cabo, el centro de la tragedia faulkneriana. Su prodigiosa amplitud, su incomparable receptividad, se encuentra en las palabras de Quentin cuando advierte que el presente empezó hace diez mil años y el futuro está ocurriendo hoy. Su trágica fatalidad, su prisión en la tierra, la define Joe Christmas cuando dice: «He ido más lejos en estos siete días que en los pasados treinta años. Pero nunca he logrado salir del círculo. Nunca me he escapado del círculo de lo que ya hice y nunca podré deshacer.»

Es esta tensión temporal entre nuestra manera de vivir, entender y sufrir el pasado, el presente y el futuro, donde la modernidad trágica de William Faulkner encuentra su grandeza narrativa.

Faulkner identifica su tema trágico: la restauración de la comunidad dividida, no por la historia, sino por hombres y mujeres que ya han dividido sus tierras y sus almas. Faulkner reúne todos los tiempos de sus personajes en el presente narrativo. Porque para el autor de *¡Absalón, Absalón!*, la unidad de todos los tiempos es la única respuesta posible a la división. Lo que propone Faulkner es la afirmación del Yo Soy colectivo contra las fuerzas de la Separación. Sus novelas adquieren la forma de «la oda, la elegía, el epitafio nacidos de una reserva amarga e implacable que se niega a la derrota».

GLOBALIZACIÓN

En mi vida, cuatro temas políticos a la vez que socioeconómicos han centrado la atención de la gente. Entre 1928 y 1939, la revolución, el fascismo y la crisis económica. Piers Brendon, de la Universidad de Cambridge, la ha llamado la era del «valle sombrío». Fueron once años en los que la estupidez y el mal combatieron por la supremacía calificativa. El mal lo personificaron los totalitarismos ascendentes: el fascismo italiano, el nacional-socialismo alemán, el militarismo japonés, y el estalinismo ruso. La estupidez, la cobardía ciega y la cautela elegante de las democracias europeas, Francia e Inglaterra. La zona de prueba y combate, la terrible guerra civil española, arena de todas las valentías y de todas las cobardías, de todas las glorias y de todas las miserias de eso que Eric Hobsbawm ha llamado «el siglo más breve». De esa década terrible quienes salen mejor librados son los Estados Unidos de América. Enfrentados, como todo el mundo, a la depresión económica, la inflación, el desempleo y la crisis del capitalismo, Franklin Roosevelt y el Nuevo Trato no tuvieron que apelar al totalitarismo estalinista ni al totalitarismo hitleriano. Convocaron al capital humano, a la imaginación democrática, a la dinámica social.

El segundo tema que nos absorbió fue la Segunda Guerra Mundial. Ha sido llamada la única guerra buena y necesaria. No cabía duda. Jamás se ha encarnado el mal de manera tan perfilada y atroz como en el nazismo. Combatirlo absolvía de pecado cualquier alianza con el mal menor —Stalin— pero imponía una fe casi absoluta en el bien de la libertad, que representaba la lucha de los Aliados. Los males del capitalismo occidental y del totalitarismo soviético eran opacados por el mal absoluto del Holocausto, los campos de concentración, la esclavitud impuesta a Francia, Bélgica, Holanda, Dinamarca, Noruega y los Balcanes, a Grecia... Incluso los crímenes de las purgas estalinistas parecieron borrados, un instante, por el sitio de Leningrado y la gloria de Stalingrado.

El júbilo del triunfo aliado pronto degeneró en la tercera, larga y terrible etapa de la guerra fría. Casi medio siglo de maniqueísmo a ultranza, los buenos aquí, los malos allá. El sometimiento total de la Europa central a la dictadura soviética. Y el reflejo simétrico de la intolerancia y la cacería de brujas en el macartismo norteamericano. Y si los Estados Unidos, al cabo, reaccionaron contra la «indecencia» macartista, impusieron a su corral vecino, la América Latina, una satanización represiva y regresiva contra toda reforma económica y social democrática en nombre de la paranoia anticomunista que hermanó al imperialismo norteamericano con el militarismo latinoamericano. Las guerras de Centroamérica se iniciaron en Guatemala en 1954 y sólo terminaron, gracias a la gestión diplomática de Contadora y las iniciativas del presidente de Costa Rica, Óscar Arias, en la década de los ochenta. De John Foster

Dulles («Los Estados Unidos no tienen amigos, tienen intereses») a Ronald Reagan («Los sandinistas pueden llegar en veinticuatro horas de Managua, Nicaragua, a Harlingen, Texas»). Iberoamérica debió sufrir la muerte de más de trescientos mil centroamericanos y la tortura, desaparición y muerte de miles de argentinos, uruguayos, chilenos y brasileños. Atroz aritmética de la guerra fría en Latinoamérica, cuyas heridas no acaban de cerrarse. La memoria del horror está viva. He conocido mujeres chilenas violadas por perros en presencia de sus hijos y de sus maridos en las mazmorras del salvador del cristianismo, Augusto Pinochet. He conocido madres argentinas que no volverán a ver a sus hijos «desaparecidos» por la sevicia de los militares mandados por Jorge Videla. He visto el terror que palidece los rostros de hombres y mujeres del Sur con sólo mencionar al «ángel de la muerte», el rubio y bello capitán Astiz, especialista en arrojar monjas vivas desde un avión al Río de la Plata; con sólo mencionar al general chileno Contreras, asesino de Orlando Letelier en las calles de Washington, de Carlos Prats en las calles de Buenos Aires, de Bernardo Leighton en las calles de Roma. Ariel Dorfman no falta a la verdad en su pieza teatral *La muerte y la doncella.* En los separos [calabozos] de la DINA en Santiago de Chile, los esbirros de la dictadura se divertían introduciendo ratones vivos en las vaginas de las prisioneras.

El siglo más corto. De Sarajevo 1914 a Sarajevo 1994. Qué largo resulta en comparación el siglo XIX que va de la Revolución Francesa a la Primera Guerra Mundial. Qué largo, también, culturalmente, un siglo que se extiende en literatura de Goethe a Joyce; en pintura, de Ingres y Delacroix a Matisse y Bracque; en filosofía, de Schopenhauer y Kant a Husserl y Heidegger. Y qué corto un siglo XX que empieza con Picasso y termina con Picasso.

El tema final del siglo XX se prolonga ya en el XXI y se llama la globalización (la mundialización para la excepcionalidad francesa). Y yo, que he vivido las cuatro etapas, digo ahora que la globalización es el nombre de un sistema de poder. Y, como el Espíritu Santo, no tiene fronteras. Pero como el Monte Everest, está allí. Y como la ley de la gravedad, es una evidencia irrebatible. Pero como el dios latino Jano, tiene dos caras. La buena cara es la del avance técnico y científico más veloz de toda la historia. El libre comercio, postulado de la libertad económica desde los días del *zoelverein* prusiano que preparó la unificación de Alemania. Las inversiones foráneas productivas. La accesibilidad y difusión de la información que deja desnudos a muchos emperadores que antes se cobijaban con las hojas de parra de las selvas asiáticas, africanas y latinoamericanas. La universalización del concepto de los derechos humanos y el carácter imprescriptible de los crímenes contra la humanidad: el caso de Pinochet, el asesino y torturador chileno, fuente de toda orden criminal durante su dictadura.

Pero Jano tiene otra cara menos atractiva. La velocidad misma del desarrollo tecnológico deja atrás, quizás para siempre, a los países incapaces de mantener el paso. El libre comercio acentúa las ventajas de las grandes corporaciones competitivas (muy pocas) y arrumba a la pequeña y mediana industria sin la cual los niveles de empleo, salario y bienestar de las mayorías sufren y restan soporte al desarrollo del tercer mundo. En consecuencia, la globalización acentúa la división entre ricos y pobres, internacionalmente y dentro de cada nación: el 20 por ciento de la población del mundo consume el

90 por ciento de la producción mundial. Se levanta el espectro de un darwinismo global, como lo ha llamado Óscar Arias. Las inversiones especulativas privan sobre las productivas: el 80 por ciento de los seis mil millones de dólares que circulan diariamente en los mercados globales son capitales de especulación. Las crisis de la globalización, por este motivo, no son crisis de las empresas ni de la información ni de la tecnología: son crisis del sistema financiero internacional, provocadas por la ruptura de los controles sociales de la economía y la disminución del poder político frente al poder cresohedónico.

Unión de Creso —dinero— y Hedoné —placer—, la cultura global se convierte en un desfile de modas, una pantalla gigante, un estruendo estereofónico, una existencia de papel *couché*. Nos convierte en lo que C. Wright Mills llamó «Robots Alegres». Nos condena, según el título de un célebre libro de Neil Postman, a «divertirnos hasta la muerte». Mientras tanto, millones de seres humanos mueren sin haber sonreído nunca. Un vasto traslado del mundo rural a las ciudades acabará, en el siglo XXI, por erradicar una de las más viejas formas de vida, la vida agraria. Sólo habrá vida citadina. Y sólo habrá una crisis generalizada de la civilización urbana: pandemias incontrolables, gente sin techo, infraestructuras desmoronadas, discriminación contra las minorías sexuales, la mujer, el inmigrante. Mendicidad. Crimen.

¿Hay respuestas a esta crisis? ¿Qué papel le corresponde en el siglo XXI a esa izquierda en la que yo me eduqué, cuyos ideales asimilé, cuyas crisis atestigüé y critiqué? ¿Puede volver la política a ejercer control sobre los mercados anárquicos? ¿Tiene un papel el Estado en el mundo global? Las hay. Lo puede. Lo tiene. El antiestatismo friedmanita de los años Reagan-Thatcher demostró su hipocresía y su insuficiencia. Declarado obsoleto, el Estado resultaba bien vigente para rescatar a bancos quebrados, a financieros fraudulentos y a industrias bélicas mimadas. En 2001, nos damos cuenta de que no hay democracias estables sin Estado fuerte. Lejos de disminuir al Estado, la globalización extiende las áreas de la competencia pública. Lo que ha disminuido es el Estado propietario. Lo que es más necesario que nunca es el Estado regulador y normativo. No hay nación desarrollada en la que esto no sea cierto. Con más razón, deberá serlo en países con agentes económicos débiles: la América Latina.

Están a la vista los efectos nocivos de una globalización que escapa a todo control político, nacional o internacional, para favorecer a un sistema especulativo que en palabras de uno de sus más sagaces protagonistas, George Soros, ha llegado a sus límites. Si continúa sin frenos, advierte Soros, el mundo será arrastrado a una catástrofe. Las crisis de la globalización —Filipinas, Malasia, Brasil, Rusia, Argentina— tienen un origen perverso: sobrevalúan al capital financiero pero subvalúan al capital social.

La misión del conjunto social dentro de lo que, a falta de mejor denominación, seguiremos llamando «la nación», consiste en reanimar los valores del trabajo, la salud, la educación y el ahorro: devolverle su centralidad al capital humano.

¿Es tolerable un mundo en el que las necesidades de la educación básica en las naciones en desarrollo son de nueve mil millones de dólares, y el consumo de cosméticos en los Estados Unidos también es de nueve mil millones de dólares?

¿Un mundo en el que las necesidades de agua, salud

y alimentación en los países pobres podrían resolverse con una inversión inicial de trece mil millones de dólares —y donde el consumo de helados en Europa es de trece mil millones de dólares?

«Es inaceptable —nos dicen, entre otros, el ex director general de la Unesco, Federico Mayor, y el director del Banco Mundial, James Wolfenson— que un mundo que gasta aproximadamente ochocientos mil millones al año en armamento no pueda encontrar el dinero —estimado en seis mil millones por año— para dar escuela a todos los niños del mundo.»

Tan sólo una rebaja del uno por ciento en gastos militares en el mundo sería suficiente para sentar frente a un pizarrón a todos los niños del mundo.

Todos estos datos deberían impulsar a la comunidad internacional a darle un rostro humano a la era global.

Y sin embargo, al fin y al cabo, nos hallamos de vuelta en nuestros pagos, los problemas no pueden esperar una nueva ilustración internacional que tarda en llegar y acaso nunca llegue.

La caridad empieza por casa y lo primero que los latinoamericanos debemos preguntarnos es, ¿con qué recursos contamos para sentar las bases de un desarrollo que, a partir de la aldea local, nos permita, al cabo, ser factores activos y no víctimas pasivas del veloz movimiento global en el siglo XXI?

La globalización en sí no es panacea para la América Latina.

No seremos excepción a la verdad que se perfila con claridad cada vez mayor. No hay globalidad que valga sin localidad que sirva.

En otras palabras: No hay participación global sana que no parta de gobernanza local sana.

Y la gobernanza local necesita sectores públicos y privados fuertes y renovados, conscientes de sus respectivas responsabilidades. «Poner en orden la propia casa, construir una economía estable... y un Estado sólido, capaz de ofrecer seguridad en todos los órdenes» (Héctor Aguilar Camín, *México: la ceniza y la semilla*).

La globalización será juzgada. Y el juicio le será adverso si por globalización se entiende desempleo mayor, servicios sociales en descenso, pérdida de soberanía, desintegración del derecho internacional, y un cinismo político gracias al cual, desaparecidas las banderas democráticas agitadas contra el comunismo durante la guerra fría por el llamado mundo libre, éste se congratula de que, en vez de totalitarismos comunistas o dictaduras castrenses, se instalen capitalismos autoritarios, eficaces, como en China, que siempre son preferibles —en la actual lógica global— a neoliberalismos fracasados que en realidad son capitalismos de compadres, como en Rusia.

La globalización puede instalarnos en un mundo indeseable dominado por la lógica especulativa, el olvido del ser humano concreto, el desprecio hacia el capital social, la burla de los restos de soberanías nacionales ya heridas profundamente, la destitución del orden internacional y la consagración del capitalismo autoritario como forma expedita de seguridad, sin necesidad de mayores explicaciones.

Pero el desafío está allí. El Everest no se moverá. ¿Cómo podemos escalarlo? ¿Cómo podemos revertir las tendencias negativas de la globalización a tendencias favorables?

¿Podemos aprovechar las oportunidades de la globalización para crear crecimiento, prosperidad y justicia?

Quiero decir con esto que si la globalización es inevitable, ello no significa que sea fatalmente negativa.

Significa que debe ser controlable y que debe ser juzgada por sus efectos sociales.

¿Es posible socializar la economía global?

Yo creo que sí, por más arduo y exigente que sea el esfuerzo.

Sí, en la medida en que logremos sujetar las nuevas formas de relación económica internacional a la acción de base de la sociedad civil, al control democrático y a la realidad cultural.

Sí, en la medida en que la sociedad civil sea capaz de ofrecer alternativas a un supuesto modelo único.

Sí, en cuanto la sociedad civil rehúse la fatalidad, el *fait accompli* y constantemente reimagine las condiciones sociales, le recuerde a todos los poderes que vivimos en la contingencia y vincule la globalidad a hechos sociales concretos y variables dentro de lo que, a falta de una nueva terminología, seguimos llamando «naciones».

La globalización en sí no es panacea.

Se requiere la base de sociedades civiles activas, de culturas diversificadas que se opongan al acecho de una cultura mundial de puro entretenimiento, uniforme, excluyente y vacua.

Se requiere de sectores públicos y privados conscientes de sus respectivas responsabilidades: la iniciativa privada necesita un Estado fuerte, no grande sino fuerte gracias a su base tributaria y su política social en beneficio de un sector privado que requiere, a su vez, de una población trabajadora educada, saludable, con capacidad de consumo. «La pobreza no crea mercado», ha dicho un lúcido empresario mexicano, Carlos Slim. «La mejor inversión es acabar con ella.»

Se requiere de un marco democrático que le devuelva a la noción mermada de soberanía su sentido político prístino: no hay nación soberana en el concierto internacional si no es soberana en el orden nacional, es decir, si no respeta los derechos políticos y culturales de la población concebida no como simple número sino como compleja calidad: no como habitantes sino como ciudadanos.

Invoco a Juan Bautista Alberdi: Gobernar es poblar, sí, pero poblar es educar, añadiría Domingo F. Sarmiento, y sólo una ciudadanía educada puede gobernar en beneficio de su país y el mundo.

Esa base, la única firme, la única creativa para convertir a los procesos globalizadores en oportunidades de crecimiento, prosperidad y justicia, es la identificación activa de la sociedad civil, la democracia y la cultura como depositarias inseparables de una nueva soberanía para el siglo XXI y de una refundación, acaso con un nombre que aún ignoramos, de ese plebiscito diario, que, en palabras de Renan, constituye una «nación».

Sólo puede haber buen gobierno nacional si hay un sector público y un sector privado conscientes de sus deberes para con la comunidad local a la cual deben servir primero a fin de ser parte positiva, en segundo término, de la comunidad global.

Ello exige que entre ambos sectores juegue el papel de puente, instancia supletoria y vigilancia política, el tercer sector.

Navegando en el barco de la globalidad, no arrojemos por la borda ni al sector público ni al sector privado ni a las sociedades en las que actúan. La globalización podría convertirse, sin la flotación equilibrada de esos tres factores, en un *Titanic* indefenso ante los icebergs imprevistos de una historia llena de peligros, tormentas, desplazamientos, sorpresas financieras, resurrección de viejos prejuicios y resistencia de viejas culturas. Lejos de haber terminado, la historia está más viva que nunca, más conflictiva, más desafiante que nunca.

Porque junto con los vicios de la aldea global, han resurgido los vicios de la aldea local. El tribalismo. Los nacionalismos reductivos y chovinistas. La xenofobia. Los prejuicios raciales y culturales. Los fundamentalismos religiosos. Las guerras fratricidas.

No es ésta, ni mucho menos, la primera «mundialización». Lo fue, con creces, la era de los grandes descubrimientos, la circunnavegación de la tierra y la creación del *jus gentium*, el derecho internacional como respuesta a los procesos globales de conquista, colonización y rivalidad comercial.

Lo fue, conflictivamente, el paso de la «primera ola» agrofeudal (Toffler) a la «segunda ola» de una industrialización veloz que despojó de primacía al mundo agrario y artesanal, provocando la rebelión de Ned Ludd y sus partidarios (los *ludditas*) destruyendo las máquinas que le quitaban trabajo al artesano y al labriego.

Hoy, un neoluddismo que el ex presidente mexicano Ernesto Zedillo ha denominado «globalifobia», repite la actitud de oponerse a lo imparable: la nueva economía tecnoinformativa que da primacía a la calidad sobre la cantidad del producto y se manifiesta en vastas alianzas mundiales para la producción, la distribución y la rentabiilidad.

Que esta revolución provoca desquiciamientos, dolor, injusticia, es tan cierto hoy como en el siglo XIX. Que la nueva economía no va a desaparecer al golpe de manifestaciones de descontento, también es cierto, como en el siglo XIX.

Decía que la nueva economía global, como el Monte Everest, está allí. No se va a mover. El problema es cómo escalarla.

El Cristo del Corcovado está allí. No se trata de dinamitarlo porque el mundo no es perfecto. Se trata de abrazarlo para que el mundo sea menos imperfecto.

Ya hay dos mil millones de computadoras en el mundo. Más y más, los teléfonos se conectarán a las computadoras, se multiplicarán las voces y los datos, la comunicación de uno a uno se transformará en comunicación entre uno y muchos.

Y hasta los guerrilleros, como lo ha demostrado Marcos en Chiapas, harán sus revoluciones por Internet.

El hecho es novedoso y aplastante: Bill Clinton, escribiendo sobre «la lucha por el espíritu del siglo XXI» en el diario *El País*, nos da un dato impresionante: Cuando asumió la presidencia de los Estados Unidos, en enero de 1993, sólo existían cincuenta sitios en la red mundial. Cuando dejó la Casa Blanca, ocho años después, había trescientos cincuenta millones.

¿Resuelven las nuevas tecnologías y la informática los problemas básicos de la gran masa de pobres en Latinoamérica y el mundo?

Por sí solos, no.

Pero en la medida en que la novedad tecnológica se extiende como factor acelerado de educación en comarcas y clases sociales que pueden recibir instrucción sin necesidad de caminar tres horas a una escuela y sin la posibilidad de pagar a maestros escasos y mal remunerados, entonces sí.

En la medida en que la tecnología y la información

pueden llegar a las erosionadas e improductivas tierras muertas de la América Latina y demostrar cómo se conservan tierra, agua, bosques y se moderniza y enriquece el quehacer agrícola, entonces sí.

En la medida en que la tecnología y la información se convierten en vehículos de una solución básica de la pobreza, que es generalizar el microcrédito, entonces sí.

En la medida en que la información y la tecnología pueden multiplicar los ingresos de los pequeños productores mediante la identificación de mercados, entonces sí.

En la medida en que la información y la tecnología le otorguen a los ciudadanos los poderes necesarios para reconstruir los controles políticos y sociales de la economía, entonces sí.

En la medida en que la información y la tecnología le proporcionen a cada individuo el equipo cultural necesario para aprender, producir, influir, entonces sí.

En la medida en que la información y la tecnología le permitan a los ciudadanos adquirir perfil propio, identificar intereses y asumir cultura, entonces sí.

En la medida en que la información y la tecnología le devuelvan al Estado y a la política su indispensable papel de actor central, entonces sí.

Globalización y política. Lo ha dicho con gran precisión el politólogo mexicano Federico Reyes Heroles: «En nuestra América Latina... los agentes económicos no poseen la capacidad de sustituir al Estado... Despidamos al Estado benefactor pero fortalezcamos al Estado regulador.»

Reyes Heroles nos recuerda que no hay democracias estables sin Estado fuerte. Esto es cierto en las democracias fuertes de las economías fuertes del Hemisferio norte.

Lejos de disminuir al Estado, la globalización y la apertura extienden las áreas de la competencia pública y reafirman la función redistribuidora del Estado por la vía fiscal.

El Estado latinoamericano sigue siendo factor indispensable para implementar las políticas de salud, educación y nutrición. El Estado no puede renunciar a su función recaudatoria, mejorar la eficiencia del gasto y obtener recursos adicionales para la política social.

Estado no grande, sino fuerte. Política de pie, no recumbente. Empresa privada productiva, no especulativa. Sociedad civil atenta, consciente de que los derechos sociales dependen de la acción y la organización sociales. Tercer sector como conducto de inteligencia social: cuál es mi identidad, cuáles mis intereses, cuáles mis desafíos.

No oculto por un momento los males de la economía global. El abismo creciente entre pobres y ricos. La abolición de ocupaciones tradicionales. La urbanización devastadora. La rapiña de recursos naturales. La destrucción de estructuras sociales. La vulgaridad de la cultura comercial.

Pero niego dos políticas: La del avestruz que esconde la cabeza en la arena. Y la del toro que entra a destruirlo todo en la cristalería.

La pura negación no va a ponerle fin al proceso globalizador. La cuestión es: cómo aprovecharlo.

¿Cuáles serán, una vez asimiladas las virtudes, limadas las asperezas, agotadas las oposiciones, reforzadas las resistencias, legisladas y sujetas a política las realidades de la selva y las del zoológico globales, los temas que podemos prever ya como nueva arena de disputas dentro de cuarenta, cincuenta años, cuando yo ya no esté aquí? Me atrevo a imaginar tres. La protección del medio ambiente. Los derechos de la mujer. Y la defensa de la esfera personal contra la invasión pública, así como la defensa de la esfera de lo público contra la rapacidad privada.

Los méritos de la globalización serán urnas vacías si no se llenan con los líquidos de la gobernanza local: las políticas de desarrollo, bienestar, trabajo, infraestructura, educación, salud y alimentación que se inician localmente a fin de crear el círculo virtuoso de un mercado interno sano como condición para contribuir a un mercado global vigoroso pero más justo, realmente global en la medida en que incluye cada vez a más hombres y mujeres en el proceso del mejoramiento real de sus vidas. La exclusión no puede ser el precio para alcanzar la eficiencia.

Creo que sólo a partir de esta gobernanza local sana se puede aspirar a un nuevo orden internacional igualmente saludable. Pues en la medida en que el Estado nacional inicie, coopere en y proteja las medidas nacionales para resolver la galaxia de problemas que aquí he señalado, en esa medida tendrá más autoridad para proponer leyes globales sobre medio ambiente, migración y normas de trabajo, financiamiento para el desarrollo y jurisdicciones internacionales para combatir el crimen organizado, política familiar, feminismo, educación, salud y cuidado de la infancia.

Ante todo, gobernanza local efectiva: política.

En seguida, organización internacional reforzada por políticas locales, y viceversa. Avenidas de doble circulación, es cierto, pero si la comunidad nacional no crea sus propios instrumentos para resolver localmente los problemas, la ayuda internacional puede irse a un pozo sin fondo en el que, lo sabemos todos, la corrupción es el más insaciable de los monstruos.

La globalización sólo favorece al desarrollo humano si al mismo tiempo se fortalecen las instituciones públicas tanto nacionales como internacionales, a fin de sujetar a derecho la multitud de agentes no políticos que actualmente despojan de poder a los pobres electos a favor de los no electos.

No contribuyen a la legalidad dentro de la globalidad las decisiones que dan la espalda a los tratados protectores del medio ambiente, a los acuerdos de desarme equilibrado y sobre todo al esfuerzo máximo para hacer que coincidan la globalidad y la justicia penal.

Proclamar un eje del mal es una manera simplista de combatir al terrorismo identificándolo con dos o tres Estados mal escogidos. El terrorismo no tiene Estado. Ésa es su ventaja y su peligro. Carece de bandera. No tiene rostro. Aparece un día en Afganistán, otro en el País Vasco, un tercer día en Oklahoma y al siguiente en las calles de Belfast. La tragedia del 11 de septiembre de 2001 nos horrorizó a todos y confirmó que el terrorismo es un hecho universal. Hay que combatirlo con vigor allí donde se manifieste, sin satanizar ni a naciones ni a culturas enteras. Pero sin caer en las inadmisibles trampas de atribuir el terrorismo a un odio histórico contra los Estados Unidos o a la corrupción e ineficacia de determinados gobiernos islámicos, y mucho menos a un choque de civilizaciones, sí debemos afirmar que las causas profundas de los conflictos en nuestro mundo son la inestabilidad, la ilegalidad, la pobreza, la exclusión y, en términos generales, la ausencia de una nueva legalidad para una nueva realidad.

Por eso es tan importante ir construyendo, paso a paso, el edificio de la legalidad internacional para la era global. No abramos, como Virgilio en el infierno, una puerta de marfil para enviarle falsos sueños al mundo. Es preferible la paciencia de Job, para quien las aguas acabarán por desgastar las piedras, pero permitirán, también, que el árbol retoñe.

Pero en las calles de Seattle, de Praga, de Génova, lo que hay es impaciencia, una impaciencia que poco a poco se convierte en la inteligencia de que la globalización no debe ser, sin más, satanizada, sino transformada en arma de beneficio público, de bienestar creciente.

En un extraordinario discurso ante la Asamblea Nacional de Francia, el Presidente de Brasil, Fernando Henrique Cardoso, nos da las pautas para ello: El sistema económico internacional debe crear fondos de lucha contra la pobreza, el hambre y la enfermedad en los países más desfavorecidos. Se deben reducir o anular las deudas de los países más pobres de África y la América Latina. Se debe llegar a un nuevo contrato internacional entre Estados al servicio de los pueblos. Se debe, en una palabra, globalizar la solidaridad. En vez de la predominancia de algunos Estados y de algunos mercados, se debe instrumentar un nuevo contrato internacional entre naciones libres.

El presidente Cardoso no sólo propone un ideal —y no hay metas dignas de nuestra acción humana si primero no hay ideales dignos de nuestra condición humana—. Nos hace ver que vivimos hoy una realidad mutante y una legalidad incierta, como lo fue para las sociedades de Occidente en su pasaje del orden consagrado y seguro de la Edad Media a la incertidumbre del valiente mundo nuevo del Renacimiento, incertidumbre que expresan en su más alto grado las tragedias de William Shakespeare y las novelas de Miguel de Cervantes.

Hoy, entre los desafíos del nuevo siglo, se encuentra el desafío de imaginar el nuevo siglo.

Shakespeare y Cervantes, sí, pero también Vitoria y Bodino, Las Casas y Grocio.

Desde esta nuestra América Latina, desde estas tierras feraces, bellas, dolientes, pisoteadas y acribilladas por sí mismas y por quienes codician, yo no lo sé, si su pobreza o su belleza, pedimos hoy, simplemente, globalizar no sólo el hecho, sino el derecho, elevar a derecho el comercio y la salud, la educación y el medio ambiente, el trabajo y la seguridad.

Que el Norte, en su propio beneficio, sepa, en la era global, distribuir beneficios y reducir cargas.

Que el Sur, en vez de reiterar una y otra vez su cuaderno de quejas, su *cahier de doléances*, sepa limpiar primero su propia casa, no exigirle al mundo lo que antes no nos demos a nosotros mismos: la soberanía de la libertad interna, la democracia y los derechos humanos, la respetabilidad de la justicia que destierra la corrupción, la impunidad y la cultura de la ilegalidad en nuestro propio suelo.

Y sólo entonces, a partir de todo ello, hagamos válida una globalidad de derechos y obligaciones compartidas, de acuerdo con la certeza de que no hay globalidad que valga sin localidad que sirva.

HIJOS

He asistido al nacimiento de mis tres hijos. Mi primera hija, Cecilia, nació en la ciudad de México en 1962. Su madre, mi primera mujer, Rita Macedo, era una bellísima actriz de perfil mestizo, morena, de grandes ojos rasgados y pómulos altos. Empezaba a filmar *El ángel exterminador* con Luis Buñuel cuando los médicos le advirtieron la necesidad de reposo: estaba embarazada y su parto sería difícil. De hecho, Rita aparece en la escena final de la película, cuando los escapados del encierro se reúnen en una iglesia para dar gracias y descubren, nuevamente, que no pueden salir... Como suele suceder en el cine, la última escena es la primera en filmarse. De allí que Rita aparezca al final solamente.

Pero el parto de Cecilia no fue difícil. Sí fue, como lo es siempre este hecho natural y multiplicado entre todos, único y milagroso. Cada padre atribuye al nacimiento de un hijo cualidades maravillosas, intransferibles y difíciles de comprender en un caso que no es el propio, aunque cada padre, a su vez, sabe que él también dará carácter único al alumbramiento del hijo. El nacimiento de Cecilia fue un hecho musical. Pude haber oído o recordado palabras, imágenes, flores o frutos, animales o aves, ríos, océanos. Sólo escuché música. No lo explico. Tampoco lo imagino. Lo atestiguo. En el momento en que Cecilia apareció y gritó por primera vez, yo supe que escuchaba un dictado de la naturaleza, el más reciente pero también el más antiguo. Oír la voz del ser que nace es oír el eco del origen de todas las cosas. Es también oír un canto apasionado. Al nacer, una niña no grita sólo porque eso es lo natural. Su naturaleza, mediante la voz, está estableciendo allí mismo un puente abierto a la sociedad, la cultura, el amor. No es otro el milagro del nacimiento.

Cecilia llegó saliendo de la orfandad a la paternidad. Dejó oír en seguida la voz de la ternura y al abrazarla por primera vez yo sentí que mi cuerpo y el de ella se expresaban libremente. Padre e hija, distintos, pero ambos dueños, gracias a la hermosura de un instante, de una sexualidad libre en la que el deseo y el placer de la relación amoroso-filial se confunden.

«La Fuentecita», «La Gordita», «La Ex Gordita» la fue llamando Luis Buñuel a medida que Cecilia crecía y Buñuel abandonaba su cruel fantasía de arrancarle a la niña la redonda cabeza y jugar al fútbol con ella. Creció con tensiones, sentimientos de abandono, una aguda mirada crítica y realista sobre las cosas y hoy, a punto de cumplir los cuarenta años, da cauce cada vez más a un tierno vigor y a un estar sin complacencias ni hacia sí misma ni hacia los demás. A mí me exime de su rigor y me incluye en su cariño.

Pero viendo pasar la vida de mi hija, yo estoy para siempre detenido en el instante de su aparición, cuando escuché una música de la necesidad y el deseo. Una voz de auxilio, alegría, tristeza, que después se va perdiendo porque el habla y el canto ya no son la misma cosa. No lo permite la vida práctica. Es privilegio del nacimiento llegar cantando. Por todo ello la llamé allí mismo Cecilia, santa de la música, condenada a muerte por sofoco en su propio baño, decapitada sólo después de tres intentos fallidos del soldado romano que la dejó agonizar durante tres días enteros. Nombramos para exorcizar.

En 1972 me casé con mi segunda esposa, Silvia Lemus, y mi segunda hija, Natasha, nació en Washington en 1974. Fue una niña rebotona, alegre, llena de imaginación y humor. La gran ilusión de un padre es que su hija sea siempre una fuente de ternura y entre siempre a la sala haciendo cabriolas. Pero las fotografías se desvanecen, las gasas se rasgan, las sedas se amarillentan. La Primera Comunión no es un evento eterno.

«Melania», entró Natasha diciéndole a una amiguita cuando ambas cumplían cuatro años y pasaban saltando por mi biblioteca, «te presento a mi papá. Tiene cien años de edad». Envejecemos a ritmos distintos. Se establecen conflictos entre separación y reunión. Cuando triunfa la separación, no debe haber inocentes ni culpables, sino el esfuerzo interminable de ajustar cuentas y encontrar equilibrios dentro de uno mismo, con nuestros padres, con nuestros hijos.

Natasha y yo hemos estado tan cerca y tan separados el uno del otro como cada cual dentro de su propia piel. Ella habla del «triste invierno» de su juventud, de sus repetidos intentos de hacerse mujer, inventarse y reinventarse una y otra vez. Quería agradar. Quería asombrar. A veces era una exiliada hambrienta en su propia casa. En una isla solitaria encontró un cajón de libros y regresó a sorprender a sus maestros, corregirlos, más adelantada que ellos, hasta exasperarlos: «Has leído demasiado, niña.»

Sabía demasiado, se escudaba en una cultura tan brillante como maldita. No sabía inventarse a sí misma en un escenario, en un pedazo de papel. Tenía que actuar su historia. Le faltaba salir de la reclusión de los placeres intangibles y brumosos a los espacios de la comunicación con los demás, escribiendo, actuando, dándole oportunidad a sus talentos. Le faltaba descubrir la plaza donde ser todo lo que se quiere ser es una virtud.

A Natasha le di el nombre del personaje de *La guerra y la paz*, la bella Natasha Róstova, pero también el de la Filippovna de Dostoyevsky.

> Mi hijo fue un joven artista iniciando un destino que nadie podría deshacer porque era el destino del arte, de obras que al cabo sobreviven al artista. Tocando la frente afiebrada de su hijo, la madre se preguntaba, sin embargo, si este joven artista que era su hijo no hermanaba demasiado la iniciación y el destino. Las figuras torturadas y eróticas de sus cuadros no eran una promesa, eran una conclusión. No eran un principio. Eran, irremisiblemente, un fin. Entender esto la angustiaba porque la madre quería ver en el hijo la realización completa de una personalidad cuya alegría dependía de su creatividad. No era justo que el cuerpo lo traicionase y que el cuerpo, calamitosamente, no dependiese de la voluntad.
>
> Miraba trabajar a su hijo, abstraído, fascinado, mi hijo va a revelar sus dones, pero no tendrá tiempo para sus conquistas, va a trabajar, va a imaginar, pero no va a tener tiempo para producir. Su pintura es inevitable, ése es el premio, mi hijo no puede sustituir o ser sustituido en lo que sólo él hace, no importa por cuánto tiempo, no hay frustración en su obra, aunque su vida quede trunca...

Cuando escribí estas líneas, hace pocos años, las imaginé como un exorcismo, no como una profecía. Pensaba en mi hijo Carlos Fuentes Lemus, nacido en París el 22 de agosto de 1973 y muerto en Puerto Vallarta, Jalisco, el 5 de mayo de 1999. Apenas empezó a caminar —cuando su madre Silvia y yo vivíamos en una granja de Virginia—, su cuerpo se llenaba de moretones y sus articulaciones se hinchaban. Pronto supimos la razón. Carlos, a causa de una mutación genética, sufría de hemofilia, la enfermedad que impide la coagulación de la sangre. Desde muy pequeño, debió someterse a inyecciones del elemento coagulante que le faltaba, el Factor Ocho. Pensamos que, aunque molesto, en este procedimiento se encontraba un alivio para toda la vida. La contaminación de las reservas sanguíneas por el virus del sida desprotegió a los hemofílicos, a veces por decisiones médicas equivocadas, a veces por actos de irresponsabilidad criminal de las autoridades en Europa y en los Estados Unidos. El hemofílico quedó desamparado, abierto a terribles infecciones y al debilitamiento de su sistema inmunológico.

Carlos tuvo una infancia de dolores, pero muy pronto, de una manera más que intuitiva, como si su precocidad fuese un anticipo de la muerte y un acelerador de su vida creativa, concentró sus horas en el arte de las palabras, la música y las formas. A los cinco años de edad ganó el Premio Shankar de Dibujo Infantil otorgado en Nueva Delhi, India: sus maestros en la escuela primaria a la que Carlos asistía en Princeton enviaron sus obras iniciales, sin que él o nosotros lo supiésemos, al concurso. De allí en adelante, Carlos nunca abandonó el lápiz primero, el pincel en seguida y sus tempranas adoraciones artísticas nunca: Van Gogh y Egon Schiele.

Lo recuerdo, durante un viaje de verano por Andalucía, exigiendo que el auto se detuviese a cada momento para fotografiar, admirar y a veces recoger girasoles, como si se llevase con él un cuadro del pintor holandés. Plantó semillas de girasol en el jardín de nuestra casa en la Universidad de Cambridge, pensamos que perecerían en el frío inglés, pero al regresar una primavera, florecían como dentro de un cuadro... Luego, en un notable salto al pasado, Carlos descubrió el arte preciso y luminoso del renacentista Giovanni Bellini y la formalidad expresiva del pintor japonés, Utamaru. Éste era su acervo pictórico.

La imagen empezó a ocupar el centro de la vida de Carlos. La imagen pictórica primero, en seguida la imagen literaria, al cabo la imagen fotográfica, inmóvil, y la cinematográfica, fluida. Fue como si entendiera que la imagen escapa a toda definición reductiva y abarca, en un acto casi amoroso, los sentidos visuales, auditivos, olfatorios, gustativos... Por eso fue tan dolorosa para él la meningitis que casi lo destruyó en enero de 1994, privándolo prácticamente de la vista y del oído que eran para él la compañía más íntima y sensual de su cuerpo enfermo. Sus pasiones eran Presley, Elvis Presley, Bob Dylan, los Rolling Stones, sobre todo Elvis: cada año, cada 16 de agosto, Carlos viajaba a Memphis para conmemorar el aniversario de la muerte de Elvis. Su colección de fotografías tomadas por él mismo constituyen un singular archivo de la inmortalidad del Rey del Rock.

Como a muchos padres que nos quedamos en José Alfredo Jiménez y Ella Fitzgerald, a mí me resultaba difícil seguirle a mi hijo por los meandros de sus gustos musicales. En cambio, sentía una identificación amorosa con sus gustos literarios. La poesía de Keats, Baudelaire y Rimbaud, el teatro de Oscar Wilde, las novelas de Jack Kerouac y la filosofía de Nietzsche... Me di cuenta de que, en la lectura, Carlos trascendía la imagen para buscar afanosamente —no sé si para alcanzarla— la metáfora, es decir, la encarnación de las cosas del mundo en su parentesco más misterioso, más lejano pero más cierto: la relación más olvidada pero más natural, simplemente, entre *esto* y *aquello*.

Carlos, desde el lecho de los hospitales que debió frecuentar a medida que recobraba milagrosamente la vista y el oído pero perdía, a veces por errores irresponsables e imperdonables de la cirugía, otras funciones vitales, no abandonaba nunca el papel y la pluma, el dibujo y el poema, en una búsqueda febril del sentido profundo de todas las cosas que le iluminaban la vida al tiempo que se la arrebataban. Digo «milagro». Tiene un nombre: la atención de un eminente epidemiólogo mexicano, el doctor Juan Sierra, devolvió a Carlos, una y otra vez, a la vida creativa.

Carlos realizó su trayecto artístico con urgencia, con alegría, con dolor, pero sin una sola queja. Sus ojos profundos, brillantes a veces, ausentes otras, nos decían que el dolor individual de nuestro cuerpo es no sólo intransferible, sino inimaginable para los demás. Si no lograba transmitirlo en un poema o una pintura, el dolor permanecería para siempre mudo, solitario, dentro del cuerpo sufriente. Hay una gran diferencia entre decir «el cuerpo me duele» y «el cuerpo duele». Cómo darle voz a uno y otro dolor es el enigma planteado por Elaine Scarry en su gran libro, *El cuerpo adolorido*. Mi hijo Carlos se lo propuso a sí mismo en términos de urgencia verbal y visual. «¿Viviré mañana?», se pregunta en uno de sus poemas.

¿Viviré mañana? No lo sé decir.
Pero no me iré de aquí sin resistencia.
Esta recámara es mi núcleo.
Pensar bajo las cobijas es mi fuga,
con los ojos cerrados,
para escuchar un miedo escondido en el silencio,
mi miedo que al romperse se vuelve
el desconocido mal.
Sea bienvenido el misterio.
Pero mi reacción, desconocida también,
también por ello me aterra.
Entonces mi temor no tiene tiempo
de pensar su propio terror
y la belleza me embarga toda entera.

No existe lo predecible,
y éste es el temor mayor.
[...]
Quiero verte
en la misma posición, sacudida en llanto,
despojada por sólo una semana más
de tus débiles apoyos.
«Cada hombre mata lo que más quiere.»
Cada mujer se dejará amar
hasta la muerte.
¿Cuál es el amor hasta la muerte?
¿Es sólo un peregrino
de todas las semejanzas?

Mi hijo sentía una gran identificación con los artistas que murieron jóvenes, John Keats, Egon Schiele, James Dean, Gaudier-Brezka... No tuvieron tiempo, me decía Carlos, de ser otra cosa sino ellos mismos. Alguna vez le hablé de su tío desaparecido, Carlos Fuentes Boettiger, el hermano de mi padre, muerto de tifoidea al iniciar sus estudios en la ciudad de México a los veintiún años de edad. Como Carlos mi hijo, Carlos nuestro tío empezó a escribir muy joven y publicó en Jalapa, Veracruz, una revista literaria que contó con el apoyo del poeta Salvador Díaz Mirón. Hay una extraña similitud entre el poema de mi hijo muerto a los veinticinco años y otra de mi tío muerto a los veintiún años. Encuentro en la revista *Musa Bohemia* un poema escrito por mi tío Carlos Fuentes en 1914:

Tengo miedo al reposo, aborrezco el descanso...
Me acobarda la noche.
Porque entonces mi vida se yergue en un reproche,
me mira gravemente y me muestra después
el fantasma tremendo, la terrible vejez...

Ninguno de los dos Carlos llegó a «la terrible vejez», pero el temor de lo impredecible nos acerca a mi mujer y a mí, padres de Carlos Fuentes Lemus, al dolor que hoy entendemos mejor de tantos amigos nuestros que perdieron tempranamente a un hijo.

Junta de sombras, fatalidades entrelazadas y muerte, junto con las personas, de todo lo que dejan, inerte, en un cajón, en un ropero, en un lienzo vacío o una página en blanco. Y a pesar de todo, pugnamos por mantener el calor del objeto, la vigencia del trazo, la huella del caminante... Qué alegría nos dio saber que la última noche de su existencia, desde Puerto Vallarta, Carlos, dotado de una intuición feliz y terrible a la vez, estuvo llamando por teléfono a todos sus amigos en todo el mundo, contándoles sus planes para terminar su película, publicar su libro de poemas, exponer sus cuadros, decirles que estaba contento, fuerte, lleno de creatividad, enamorado de su novia Yvette. A la mañana siguiente caería fulminado por un infarto pulmonar.

Quedamos solos Silvia y yo. Nuestra entrañable amiga Carmen Balcells entendió mejor que nadie la relación entre la madre y el hijo:

> Pienso sobre todo en Silvia, porque ella ha tenido toda su vida una dedicación extraordinaria con ese muchacho y ha vivido en un continuo sobresalto sobre su salud. Recuerdo perfectamente una visita que hice a Carlos en Nueva York y me impresionó su fragilidad y el desvelo de Silvia, que más que una mamá, parecía una novia o una amiga entrañable ofreciendo su inquebrantable apoyo a un muchacho lleno de inquietudes y de deseos juveniles de entrar en una normalidad que nunca le fue posible...

Los exorcismos de la muerte se vuelven a veces profecías de la vida. Carmen Balcells tiene razón. En *Los años con Laura Díaz*, evoqué la muerte de mi tío Carlos Fuentes en Veracruz a principios de siglo, pero quise evitar, escribiéndola, la muerte de mi hijo Carlos, transformado en el segundo Santiago de la genealogía de Laura Díaz:

> Silencio. Quietud. Soledad. Es lo que nos une, pensaba Laura con la mano ardiente de Santiago entre las suyas. No hay respeto y cariño más grande que estar juntos y callados, viviendo juntos pero viviendo el uno para el otro, sin decirlo nunca. Ser explícito podía ser una traición a ese cariño tan hondo que sólo se revelaba mediante un silencio comparable a una madeja

> de complicidades, adivinaciones y acciones de gracia... Todo esto vivieron Laura y Santiago mientras el hijo se moría, sabiendo los dos que se moría, pero cómplices ambos, adivinos y agradecidos el uno del otro porque lo único que decidieron desterrar, sin palabras, fue la compasión. La mirada brillante del muchacho en cuencas cada día más hondas le decía al mundo y a la madre, identificados para siempre en el espíritu del hijo, ¿quién está autorizado para compadecerse de mí? No me traicionen con la piedad. Seré un hombre hasta el fin.

El que trabaja de noche acaba sintiéndose el creador del mundo. Sin la tarea nocturna, no aparecería el siguiente sol. Cuando yo me acostaba a dormir, Carlos pasaba a despedirse envuelto en una vieja bata de playa. Sólo una vez, creyendo que yo dormía, se alejó murmurando, «*I am damned*», «Estoy maldito». Entonces entraba a la noche y la noche le daba toda la educación que necesitaba. La noche era su metáfora. Descendía la noche y nada podía detenerla. Era la hora de una creación contra la oscuridad y la muerte.

La muerte de Carlos dejó en mí y en su madre la realidad de cuanto es indestructible. Vivía ya en nosotros y no lo sabíamos. No sé si esto es solaz suficiente para la persistente pregunta que nos hace la pérdida de la promesa. «Morir joven es una cabronada», nos dice nuestro amigo el escritor catalán Terenci Moix. Sentimos la obligación espontánea, feliz, de hacer por el muerto lo que él ya no pudo hacer. Pero esta experiencia vicaria no basta. Hay que llegar a saber que los hijos, vivos o muertos, felices o desgraciados, activos o pasivos, tienen lo que el padre no tiene. Son más que el padre y más que ellos mismos. Son nuestro compás de espera. Y nos imponen la cortesía paterna de ser invisibles para nunca disminuir el honor de la criatura, la responsabilidad del hijo que necesita creer en su propia libertad, saberse la fragua de su propio destino. Nuestros hijos son los fantasmas de nuestra descendencia. Y el hijo, dijo maravillosamente Wordsworth, es el padre del hombre.

Sus hermanas acompañaron a Carlos más allá de la muerte. Natasha escribió sobre él: «Carlos era romántico de corazón y pienso que para su mundo y su cabeza más sanas que la mayoría, su muerte fue más bella que dos meses en el hospital. Príncipe criollo, no hay quien no te quisiera.» Y Cecilia, a nuestro lado en todo momento, reunió en un video los momentos preservados de la vida de su hermano. Viendo el homenaje de mis hijas a mi único hijo, entendí que un hijo merece la gratitud del padre por un solo día de existencia en la tierra.

HISTORIA

Los niños latinoamericanos, eurolatinos y también, supongo, francoafricanos y francoasiáticos, estudiamos la historia universal en los libritos verdes de los señores Malet e Isaac que dividían las épocas muy nítidamente en Edad Media, Edad Moderna y Edad Contemporánea. La primera se iniciaba con la consolidación del Cristianismo tras la caída de Roma. La segunda, a escoger, entre el Descubrimiento de América y la Caída de Constantinopla. Y la tercera, qué duda cabe, con la Revolución Francesa de 1789.

Era una historia del Occidente para el Occidente. Pero detrás del catálogo de fechas y eventos se dibujaban tiempos y espacios más significativos. El sistema jerárquico medieval, ordenado verticalmente y fundado en la fe, debió su vitalidad a la tensión política entre el poder espiritual y el poder temporal. De esta tensión —ausente del mundo bizantino y ruso— nacería, al cabo, la democracia. El Renacimiento puso fin al fraccionamiento feudal y vio el nacimiento de los Estados-Nación, impulsados por la tradición comercial y mancillados por las guerras de religión. La conquista de los pueblos no europeos admitió a éstos en la historia universal, pero a condición de dejarse colonizar —es decir, «civilizar», es decir (sin comillas) explotar—. Fue la era de las monarquías absolutas por derecho divino, socavadas al cabo por el surgimiento de burguesías industriales y mercantiles cuyos gritos de emancipación fueron las revoluciones francesa y norteamericana. La era contemporánea, por último, era presentada como un siglo XIX de desarrollo material que prometía, al iniciarse el siglo XX, la sinonimia de progreso, libertad y felicidad: el sueño de la modernidad, el triunfo del optimismo de Condorcet.

El esquema milenario poseía, de esta manera, un espacio: el mundo entero colonizado por el Occidente —pero sólo un tiempo, precisamente el de la historia occidental como medida de lo propiamente humano: Hume, Herder, Locke. Y qué duda cabe que un milenio occidental escrito por Dante, Cervantes y Shakespeare, cantado por Bach, Mozart y Beethoven, construido por Brunelleschi, Fischer von Erlach y Christopher Wren, pintado por Rembrandt, Velázquez y Goya, pensado por Tomás de Aquino, Spinoza y Pascal, esculpido por Bernini, Miguel Ángel y Rodin, novelado por Dickens, Balzac y Tolstoy, poetizado por Goethe, Leopardi y Baudelaire, filmado por Eisenstein, Griffith y Buñuel, y explicado por Kepler, Galileo y Newton, es un milenio que no sólo le da gloria al Occidente, sino a la humanidad entera.

¿Cómo es posible ser persa?, se preguntó, irónicamente, Montesquieu en un Siglo de las Luces que dejaba en la sombra —pese a Vico— a la mayoría no blanca, no europea, de la humanidad. La conquista o re-conquista de la presencia histórica de los pueblos marginados de Asia, África y América Latina ha sido uno de los hechos fundamentales del milenio. Resulta que no había una sola historia. Había muchas historias. No había una sola cultura. Había muchas culturas.

Llegar con esta conciencia al fin del milenio es uno de los triunfos del milenio.

En cambio, el tiempo que termina tendrá la marca cainita de la violencia del hombre contra el hombre. El *homo homini lupus* de Hobbes maculó las grandes conquistas científicas y artísticas del milenio. La intolerancia se desplegó desde los tribunales católicos y protestantes hasta los tribunales de Vishinsky y de McCarthy. En medio, una historia universal de la violencia escribió páginas de dolor creciente en la conquista de América, en la Guerra de los Treinta Años, en la persecución y expulsión de las minorías árabe y judía de Europa, en el ataque colonial europeo contra el África negra, la India, China, pero también en la expansión económica gracias al trabajo forzado, al trabajo infantil, a la esclavitud racial y a la marginación del sexo femenino.

La capacidad del hombre para infligirle dolor al hombre culminó en nuestro propio, moribundo siglo XX. Jamás, en toda la historia, murieron tantos seres humanos tan cruelmente. Súmese los millones de muertos en las dos guerras mundiales y en las subsecuentes guerras coloniales —Argelia, Vietnam, el Congo, Rhodesia, Centroamérica— a las víctimas del terror interno, el exterminio ordenado por Adolf Hitler contra judíos, católicos, comunistas, gitanos, eslavos y homosexuales; el exterminio sistemático de sus propios camaradas primero y de millones de ciudadanos después, en las prisiones de Josip Stalin y, en escala más modesta pero no por ello menos dolorosa, las víctimas de las dictaduras militares latinoamericanas, prohijadas y protegidas por los gobiernos de los Estados Unidos de América.

Lo extraordinario de este recuento es que el milenio del mayor progreso técnico y científico de la historia coincidió con el milenio del mayor retraso político y moral, comparativamente, de la historia. Ni Atila ni Nerón ni Torquemada fueron menos crueles que Himmler, Beria o Pinochet. Pero tampoco tuvieron que medirse con Einstein o Freud. La tragedia del milenio al morir el milenio es que, contando con todos los medios para asegurar la felicidad, los hayamos violado empleando los peores métodos para asegurar la desgracia. Fleming, Salk, Crick y Wasson, Pauling, Marie Curie. Todos los grandes benefactores del siglo que termina deben convivir para siempre con las sombras de los verdugos fatales pero innecesarios, los criminales históricos que no tuvieron necesidad ni justificación alguna para matar a millones de seres humanos.

La violencia de la tragedia antigua se presentaba como parte de la lucha ética de la humanidad: somos trágicos porque no somos perfectos. Las tiranías del siglo XX convirtieron la tragedia en crimen: tal es el crimen trágico de la historia contemporánea. Los monstruos políticos le negaron a la historia la oportunidad de redimirse conociéndose. La víctima del Gulag, de Auschwitz o de las prisiones argentinas fue privada del re-conocimiento trágico para convertirse en cifra de la violencia, víctima número nueve, nueve mil o nueve millones... El significado profundo de algunos grandes escritores del siglo que termina —pienso sobre todo en Franz Kafka y en William Faulkner, en Primo Levi y Jorge Semprún— ha consistido en devolverle dignidad trágica a las víctimas de una historia criminal.

Criminal o trágica, se nos informó que, al terminar la guerra fría hace diez años, terminaba también la historia. Las violencias crecientes en los Balcanes y Chechenia, en Argelia y el África subsahariana, en la Tierra Santa, más la violencia como norma y no excepción de la vida citadina contemporánea, debían advertirnos contra una excesiva celebración el último día de diciembre de 1999 o el primer día de enero del 2000. Ni la grandeza ni la servidumbre humanas saben de calendarios. En los días luminosos, crearemos comunicaciones, artes, adelantos médicos asombrosos, y penetraremos los espacios que aún desconocemos en un universo infinito, sin principio ni fin. Crearemos amistad y amor. Pero en las noches más turbias, dejaremos que se muera de hambre la tercera parte de la humanidad, le negaremos escuela a la mitad de los niños del planeta y le cerraremos el acceso a la libertad corporal a la mitad del género humano, las mujeres. Continuaremos expoliando a la naturaleza como si nuestra arrogante saña llegase a negarle al aire, al agua, a los bosques, el derecho a sobrevivirnos.

Milenio en que la historia dejó de ser una sola —la de Occidente— para incorporar a muchas historias y a muchas culturas.

Milenio en que el extraordinario progreso científico, material y técnico no alcanzó a superar el terrible retraso moral y político.

¿Será mejor el que ahora se inicia?

Es la pregunta que me hace mi gran amigo Jean Daniel y se la contesto con estas palabras:

> Querido Jean Daniel,
>
> El siglo XX abrazó por igual la promesa de una humanidad perfectible y la promesa de una libertad que,

para serlo, incluiría también la libertad para el mal. Siglo de Einstein y Fleming, pero también de Hitler y Stalin. Siglo de Joyce y de Picasso, pero también de Auschwitz y el Gulag. Siglo de las luces científicas, pero también de las sombras políticas. Universalidad de la tecnología, pero también de la violencia. Progreso inigualado, incluso en su desigualdad. Jamás, en la historia humana, fue mayor el abismo entre el desarrollo técnico y científico y la barbarie política y moral. ¿Nos reservará algo mejor el siglo XXI? Tenemos derecho a ser escépticos. O por lo menos, a definir como Oscar Wilde al pesimismo como un optimismo bien informado.

IBEROAMÉRICA

Creo en Iberoamérica. El Atlántico no es para mí abismo, sino puente. Las aguas del Mediterráneo fluyen del Bósforo y Andalucía a las Antillas y el Golfo de México. Mar de encuentros. El primero fue un choque. La América deseada fue la América destruida. El sueño europeo de una nueva Edad de Oro en un Nuevo Mundo pereció en la mina, la hacienda, el barco esclavista. Se derrumbaron grandes civilizaciones. La conquista de América fue una catástrofe. Pero una catástrofe, dice María Zambrano, sólo es catastrófica si de ella no nace nada que la redima. Y de la catástrofe de la conquista nacimos todos nosotros. Somos, mayoritariamente, mestizos, hijos del encuentro. Hablamos, mayoritariamente, castellano y portugués. Y hasta cuando somos ateos, somos católicos. Pero nuestro cristianismo es sincrético. Carga, transforma y deforma las grandes herencias de las culturas indígenas constructoras de Chichén-Itzá, Teotihuacan, Mayapán y Machu Picchu. Sociedades indígenas de regímenes políticos autoritarios, a menudo crueles, explotadores... y aislados. Pero en el seno de cada una se libra el combate entre la oscuridad del sacrificio y la guerra (Huitzilopochtli) y el principio de la luz y la creación (Quetzalcoatl). ¿Quién hubiese ganado, el hijo de la Coatlicue o el hijo de la Serpiente Emplumada? Nunca lo sabremos. La cultura indígena de América es una cultura interrumpida, consciente de su fragilidad: «¿En vano hemos venido, pasamos por la tierra? ¡Que al menos flores, que al menos cantos...!» y condenada a sucumbir de pura sorpresa. Las profecías se cumplen. El otro llega. No estamos solos en el mundo.

No nació de la conquista de América un orden justo, aunque la conquista de América dio origen a la lucha universal por la justicia. España es la única potencia colonial que debate consigo misma sobre la justicia o la injusticia de sus actos. De este debate, iniciado por los frailes Antonio de Montesinos y Bartolomé de las Casas, nacerá el concepto de los derechos humanos como derechos universales: Vitoria y Suárez. Y del mestizaje racial y cultural nacerá una cultura religiosa sincrética (los ídolos detrás de los altares, Santa María madre de Dios y de los indios; Jesucristo, el dios pasmoso que en vez de exigir sacrificio se sacrifica a sí mismo). Cultura del asombro, de la ironía, de la paciencia, de la memoria y del rencor a veces, de la humildad más generosa otras, de la creatividad más novedosa y urgida siempre: Kondori, el indio arquitecto del Perú; Aleijadinho, el escultor mulato del Brasil; Sor Juana, la poeta mestiza de México. Si el barroco es «horror al vacío», en Iberoamérica los llenó todos. Fue diferente del barroco europeo, sublimación sensual de la Contrarreforma. El barroco americano es el arte de la Contra Conquista. Suple los abismos de la utopía del Nuevo Mundo.

Se gestaron las nacionalidades iberoamericanas con y en contra del régimen colonial. El rey de España estaba muy lejos y nunca visitó sus vastos dominios americanos (Juan Carlos I es el primer monarca español que vino a América). Las leyes de Indias extendieron protección a los pueblos autóctonos. Pero la lejanía y aislamiento propiciaron los cacicazgos rurales, los grandes latifundios, la explotación del trabajo. En el Caribe y Brasil, la población indígena diezmada fue sustituida por la negritud esclava. Los Habsburgo, lejanos, dejaban hacer a favor de las elites criollas. Los Borbones, reformadores demasiado cercanos y oficiosos, obligaron a hacer a favor de la metrópoli española. La elite criolla se rebeló, simultáneamente, en 1810, de Buenos Aires y Santiago de Chile a Caracas y México. Tuvimos héroes: Bolívar, Hidalgo, San Martín. Tuvimos estatuas.

Fue la hora de la independencia, de los grandes sueños y de las constituciones (Victor Hugo) «hechas para los ángeles, no para los hombres». El techo protector de la monarquía, benévola con los Austrias, entrometida con los Borbones, se desplomó. A la intemperie, creamos democracias instantáneas, repúblicas *nescafé*, desesperadamente confiadas en la imitación extralógica de Francia, Inglaterra y los Estados Unidos, fatalmente condenadas a ahondar las diferencias entre el país real y el país legal. El resultado fue el movimiento pendular entre la dictadura y la anarquía. Época de los tiranos nacionales y locales. Entre la civilización y la barbarie, dictaminó el argentino Domingo Sarmiento, en su libro sobre el más temible tirano gaucho, Facundo Quiroga, capaz de abrirle la cabeza de un hachazo a su propio hijo.

Construir una semblanza de Estado nacional fundado en derecho fue la tarea de hombres de Estado tan debatibles y debatidos hasta hoy como Diego Portales en Chile, el propio Sarmiento y Bartolomé Mitre en Argentina y Benito Juárez en México. A Juárez lo salvan y glorifican sus señas de identidad: indio zapoteca, analfabeto hasta los doce años, abogado liberal, presidente reformista, patriota enfrentado a la invasión francesa y a la corona de sombras de Maximiliano de Austria y Carlota de Bélgica. Pero la tarea seguía inconclusa. Las reformas liberales, el Estado de derecho, consagraban el desarrollo pero no la justicia, y profundizaban la desigualdad. A Juárez siguió Porfirio Díaz con treinta años de paz sin libertad. Argentina creó una base de prosperidad oligárquica gracias a su estatus de dependencia comercial con Europa: Argentina, de facto, fue una colonia británica hasta 1940. Chile logró los mayores adelantos en la lucha cívica, obrera, política. Colombia se engañó a sí misma creyéndose la Atenas de América: liberales y conservadores turnados en el poder pero sin el poder de cambiar nada, sembraron los horrores de la guerra perpetua. Y en 1898, los últimos vestigios de la colonia española, Puerto Rico y Cuba, pasaron a ser colonias de los Estados Unidos, y Centroamérica y el Caribe, «patio trasero» de Washington.

La derrota simultánea de España y la América Española en 1898 y en aguas del Caribe debió alertarnos a los peligros del rencor y el aislamiento. Debió abrirnos los ojos a esa «comunidad de naciones hispánicas», el *Commonwealth* hispanoamericano que el ministro Aranda le propuso a Carlos III, para evitar el desmembramiento hispánico, en el siglo XVIII. Lo que se abrió paso a lo largo del siglo XX fue, por una parte, la conciencia de la continuidad cultural de Iberoamérica. La Revolución Mexicana reveló la totalidad del pasado del país, oculto por la fachada de cartón del progreso porfirista. Y el pasado del país resultó ser su presente: su cultura.

En vez de una superficial imitación de la moda europea («Guatemala, París de Centroamérica», rezaba un arco triunfal a la entrada de la ciudad), las catástrofes internas (dictaduras, injusticias, riqueza latente, frágil prosperidad, pobreza persistente) y las externas (las dos guerras mundiales, el Holocausto y el Gulag, la percepción latinoamericana de que la violencia no era privilegio nuestro, sino condición universal de la historia, a la que no escapaba la Alemania de Bach y de Goethe) dieron vida a una cultura iberoamericana más moderna mientras más arraigada en la tradición. Tradición afroamericana de Alejo Carpentier y Wifredo Lam, de Edouard Glissant y de Jorge Amado. Tradición indoamericana de Miguel Ángel Asturias, de Rufino Tamayo y José María Arguedas. Tradición euroamericana de Jorge Luis Borges, Alfonso Reyes y Roberto Matta. Y uniendo raíz y firmamento, los dos más grandes poetas del siglo XX latinoamericano: el chileno Pablo Neruda y el peruano César Vallejo, épico aquél, trágico éste. La tradición nutre a la creación, la creación nutre a la tradición: música de Carlos Chávez y de Heitor Villa-Lobos, arquitectura de Oscar Niemeyer y de Luis Barragán, pintura de Orozco, Frida Kahlo, Portinari, Soto, cine de Emilio Fernández y Nelson Pereira dos Santos, pero también ciencia de Ignacio Chávez y Bernardo Houssay y también arte popular alimentado de «alta cultura» y ésta, del habla de Cantinflas en México y Sandrini en Argentina y Verdejo en Chile, de los tangos de Discépolo y los boleros de Lara, y de las voces de Gardel, Lucha Reyes y Celia Cruz.

Quizás hacía falta esta asimilación indo-afro-iberoamericana para tender el puente sobre el Atlántico, colmar el abismo de los rencores y las querellas y reconocernos en nuestra otra mitad que es España. Pero España para Iberoamérica es algo más que España. Es el Mediterráneo renaciendo en el Caribe, el Golfo, el Pacífico y el Atlántico americanos. España es la filosofía griega y el derecho romano. España es la España de las tres culturas, cristiana, árabe y judía, dándose cita en la corte de Alfonso el Sabio y desastrosamente expulsadas por el dogmatismo ciego de los Reyes Católicos, Isabel y Fernando. España es la gran lección de una cultura fortalecida por la adversidad. Es la España del judío converso Fernando de Rojas y la primera gran novela urbana, *La Celestina*, derrumbando los muros de la ciudad medieval para que circulen libremente el sexo, el dinero, el amor y la muerte. Es la España de Cervantes y de Velázquez, los dos grandes creadores —el *Quijote*, *Las Meninas*— de una realidad fundada en la imaginación. La realidad como creación de la imaginación, no como reflejo servil de la convención: Quevedo y Góngora. La España de Goya, la crítica más acerba, aguda y alerta contra las beatitudes de la modernidad: cuidado, el sueño de la razón produce monstruos; mucho cuidado, Saturno devora a sus propios hijos...

España era algo más que la «leyenda negra» inventada por «la pérfida Albión» (dos tópicos concurrentes y enemigos a la vez). Era la España de los primeros parlamentos europeos (León, 1188, el primero de Europa; Cataluña, 1217; Castilla, 1265), de las libertades municipales y de las comunidades rebeldes aplastadas por el absolutismo real en 1521 (caen las banderas comunitarias de Castilla en Villalar, caen los pendones de Cuauhtémoc en Tenochtitlán). Era la España de la Constitución Liberal de Cádiz en 1812, la España de la República niña (María Zambrano) asesinada por el fascismo en

1939. Era la España peregrina que reanimó y a veces fundó la modernidad cultural de la América Latina en el exilio. Era la España de la resistencia interna a Franco. Era la España que tuvo el inmenso talento político de unir fuerzas, conciliar ideologías y consolidar una ejemplar democracia europea en los últimos treinta años del siglo XX.

Es la España que junto con los hispanoamericanos del Nuevo Mundo hablamos la segunda lengua occidental, la cuarta lengua mundial: el castellano, idioma de quinientos millones de hombres y mujeres. Las diferencias están allí. Los nacionalismos y los regionalismos crean sombras aquí, dan luces allá, establecen matices en todas partes. Pero la lengua une. Treinta millones de norteamericanos hablan español.

Somos el Territorio de la Mancha. Manchados, impuros, mestizos, abiertos por fuerza a la comunicación, las migraciones, la confianza en nuestra aportación al mundo. Somos los escuderos de Don Quijote.

IZQUIERDA

¿Y la izquierda? ¿Tiene razón de ser después de sus terribles fracasos, oportunismos, traiciones, pasividades, a lo largo del siglo XX? Quiero recordar aquí, porque en ello creo, sus victorias también, en su lucha contra los fascismos, en Europa, en los Estados Unidos, en Latinoamérica. Pero también en su combate contra las dictaduras de izquierda. La democracia de izquierda se manifestó en gente tan diversa como el poeta Osip Mandelstam en Rusia, el periodista Carlos Franqui en Cuba, los escritores Milan Kundera, Geörgy Konrad y Leszek Kolakowski en la Europa Central...

¿Y hoy? Cayó el muro de Berlín. Se derrumbó la Unión Soviética. Lo que no se derrumbó fue la injusticia social. Lo que no cayó fue la explotación del hombre por el hombre.

Han concluido, con el siglo y el milenio, dos teorías reductivistas de la economía y la sociedad. El llamado «socialismo real», que no era ni socialismo ni real, sino la fachada totalitaria y dogmática de una economía sin libertad ni eficiencia, murió al caer el muro de Berlín en 1989. En su lugar, otro dogma, el de la libertad irrestricta del mercado, fue puesto en práctica por los gobiernos de Ronald Reagan en los Estados Unidos y Margaret Thatcher en la Gran Bretaña. Supuestamente abandonadas a la mano divina del mercado, las fuerzas económicas, concentradas en la cúspide, poco a poco *(trickle down)* irían goteando sus beneficios hacia las mayorías. Tampoco sucedió así. La concentración en la cima se quedó en la cima y, como oportunamente —como siempre— lo indicó John Kenneth Galbraith, la ausencia del Estado se convertía en brutal presencia del Estado apenas se trataba de aumentar los gastos militares o salvar a bancos defraudadores o quebrados. Al cabo, la derecha poscomunista aumentó las distancias entre ricos y pobres, desprotegió a éstos, concentró la riqueza y consagró la filosofía neodarwinista expresada por Reagan: el que es pobre es porque es holgazán.

La gobernanza de los movimientos de centro-izquierda en los países europeos representa, ciertamente, una reacción contra ambos dogmatismos. Pero todos han vivido una realidad inescapable que es la de la globalización económica y —a diferencia de la derecha thatcherista y reaganista— deploran, no el hecho de la globalización, sino el hecho de una globalización sin ley, abandonada a su capricho especulativo y superior a toda normatividad nacional o internacional.

Si algo une a la nueva izquierda europea es su decisión de sujetar la globalización a la ley y la política. El «darwinismo global» sólo genera inestabilidad, crisis financiera y desigualdades crecientes. La misión de la nueva izquierda es controlar la globalización y regular democráticamente los conflictos que de ella se derivan. Ello no significa que la izquierda tema a la globalización. Al contrario, ve en los procesos de mundialización un nuevo territorio histórico en el cual actuar.

La globalización le permite a la izquierda llamar la atención sobre la distancia creciente entre espacio económico y control político. Existe, en otras palabras, una economía veloz y una adaptación política lenta. En estas circunstancias, el control democrático se vuelve difícil, pero ello mismo obliga a la izquierda a combatir las distorsiones del mercado en la distribución de recursos, a equilibrarlo con medidas de solidaridad social, defensa del medio ambiente, creación de bienes públicos y prioridad a la política como instrumento de decisión racional.

La globalización da enorme influencia a los agentes no políticos y despoja de poder a los poderes electos a favor de los no electos. El peligro no es ya el «ogro filantrópico», el Estado devorador criticado por Octavio Paz, sino el «ogro desatado», el mercado sacralizado cuando, en palabras de Milos Forman, «salimos del zoológico y entramos a la selva». Que el mercado y la política se apoyen mutuamente. Tal es el desiderátum de la nueva izquierda. «Vivimos en una economía de mercado, pero no en una sociedad de mercado.» Esta consigna de Jospin es central a la filosofía de la nueva izquierda. Pero precisamente porque han surgido nuevas desigualdades al lado de las antiguas, la izquierda reafirma el valor de la igualdad y, lejos de temerle a la globalización, ha de ver en ella un nuevo territorio histórico en el cual actuar. Norberto Bobbio no ha dejado de insistir en la centralidad del tema igualitario para definir las políticas de izquierda como valores iguales y oportunidades iguales para cada individuo. La globalización, lejos de arrumbar el concepto de la igualdad, lo debe revalorizar en un horizonte ampliado, sin dogmas deterministas, pero con políticas tan concretas como puedan serlo, en primerísimo lugar, la oportunidad educativa en todas sus dimensiones modernas: educación básica, superior y, desde ahora, vitalicia.

Quienes se oponen a la innovación, conducen a los obreros al fracaso. La nueva izquierda no puede ser un neoluddismo sino una política de oportunidades crecientes para el trabajo mediante arreglos contractuales que tomen en cuenta no sólo la flexibilidad de las empresas, sino la de los trabajadores. Han muerto el fordismo capitalista y el estajavonismo soviético. Más que políticas de pleno empleo, la izquierda debe definirse a favor del empleo satisfactorio que puede conducir a un creciente empleo con más trabajos temporales, de duración limitada y movilidad mayor, lo cual, para regresar a la base misma del proyecto, implica contar con sistemas de educación y entrenamiento continuos. El gobierno francés de Jospin es el que más rápidamente se dio cuenta de que la economía moderna multiplica el destino del trabajo e implica mejor salario con menos horas en más ocupaciones.

Más crecimiento con más igualdad. Ello requiere medidas tan concretas como la modernización de la infraestructura regulatoria de la economía, reformas fiscales, reformas de los mercados financieros, del sector bancario y de las empresas. Ello requiere una constante negociación social para combatir la inflación aumentando los ingresos reales de los trabajadores. La DS italiana hace notar que entre 1996 y 1998, la izquierda italiana logró un aumento del ingreso real del trabajo del 3 por ciento sin inflación, en tanto que los precedentes gobiernos tecnocráticos permitieron un gran deterioro del salario.

La izquierda puede atestiguar que la globalización no es ni un monstruo ni un valor en sí. No se trata de sujetarla a un juicio de valor, sino de someterla a poderes políticos responsables y elegidos. Hace falta, como insiste Massimo d'Alema, crear una dimensión política supranacional para gobernar a la globalización. Gobernada, la globalidad es una oportunidad para todos. Sin gobierno, redunda en la anarquía y desigualdad para todos. Hoy, globalidad e irresponsabilidad fraternizan en exceso. La izquierda deberá insistir en la necesidad de un ordenamiento político internacional que «regule la expansión y la haga conciliable con los valores de la democracia, de la libertad individual y colectiva, así como la justa distribución de la riqueza» (D'Alema).

El futuro de la izquierda, ha dicho el ex primer ministro italiano, es idéntico a su capacidad de proponer y transformarse. No hay izquierda que no sepa proyectar el futuro sin sacrificar valores permanentes de igualdad (no igualitarismo o nivelación) junto con valores de libertad para escoger; junto con valores que nos liberen de la necesidad. El capitalismo propone las razones de la economía. Pero la democracia propone los valores del consenso político. En el compromiso entre ambos, la izquierda es el espacio político en el que los más débiles de la sociedad y del mercado pueden combatir y negociar sus conquistas.

El desafío, por supuesto, es muy grande. Otra parte, más radical, de la izquierda italiana argumenta que el capitalismo global ha dejado de buscar consensos y vive en constante contradicción con su propio Estado de derecho y sus propias declaraciones de derechos humanos. No hay derechos del hombre. Hay derechos del mercado.

Esta crítica radical no excluye, al cabo, las metas de primacía política y gobernanza de la globalidad que propone la izquierda reformista. Pensar lo contrario, es darle todas las ventajas al *statu quo* y animar, incluso, el desaliento ante lo supuestamente inevitable. En Italia, Walter Veltroni y la democracia de izquierda ofrecen, en cambio, múltiples pautas para seguir distinguiendo, como nos lo pide Bobbio, a derecha de izquierda, otorgándole a ésta el proyecto de más crecimiento con más igualdad.

No paso por alto, sin embargo, la saludable actitud de mi amiga Rossana Rosanda: Es preferible tener más dudas que razonables certezas. Ello, quizás, también es parte de una nueva izquierda que abandona los terribles lastres de los dogmatismos que han conducido, una y otra vez, a su fragmentación, ayuno propositivo y, al cabo, derrotas. Duele admitir que el caso de la izquierda mexicana es particularmente ilustrativo en este respecto.

Después de las elecciones democráticas del 2 de julio de 2000, que pusieron fin a setenta y un años de gobierno por un partido único (el PRI o Partido Revolucionario Institucional), la vida partidista mexicana reveló su anacrónica insuficiencia. El PRI vivía de su simbiosis con el Presidente de la República. PRI sin presidente es como huevo sin sal: una gallina descabezada corriendo a tontas y a locas por un corral cercado de nopales. El PRD (Partido de la Revolución Democrática) representó la oposición de izquierda al PRI pero, como éste, da muestras de desfallecimiento interno. Sus consignas contra el PRI ya no tienen sentido: ambos son partidos de oposición. Pero las propuestas del PRD se parecen demasiado a las de la vieja izquierda nacionalista, hambrienta de un macroestado, grande por su tamaño aunque pequeño por su eficacia. Renuente a aprovechar las ventajas del mundo moderno e inclinada a condenarlas en bloque como parte de un complot contra la nación, exonerante de las dictaduras extranjeras si se dicen de izquierda, la izquierda mexicana requiere una puesta al día que la conduzca por el camino de la socialdemocracia. Hay una parte del viejo PRI sin redención: son los llamados dinosaurios incapaces de abandonar sus añoradas prácticas del fraude electoral. Pero hay otra parte de talante socialdemócrata que preserva las mejores tradiciones de la Revolución Mexicana pero las pone al día en un país abierto al mundo, a la modernidad crítica y a las oportunidades de construir globalidad y modernidad a partir de la localidad.

Escribo en el 2001. El centroderecha (el Partido Acción Nacional del presidente Vicente Fox) está en el poder. Frente a él, la única oposición viable es la socialdemocracia de centroizquierda.

La transición democrática española ha sido el gran ejemplo del paso de una dictadura mucho más dura que la del PRI a un Estado democrático. Cuatro décadas de guerra civil y dictadura franquista impusieron obligaciones a España que sus actores políticos supieron cumplir con el ánimo de servir al país y a la democracia, no a sus intereses partidistas. El rey Juan Carlos fue el gran mediador de todas las tendencias, el fiel de la balanza. La izquierda posfranquista sólo llegó al poder en 1982 con un político excepcional, Felipe González, a la cabeza. Durante trece años, González y el Partido Socialista en el poder enfrentaron y resolvieron el gran problema del posfranquismo: equiparar las estructuras políticas al desarrollo económico y social, adecuando las tres fuerzas —política, economía y sociedad— a la Europa que se preparaba para dejar atrás tanto los simplismos maniqueos de la guerra fría como las fórmulas vencidas del llamado socialismo real al este del río Elba.

El gobierno de Felipe González animó el desarrollo del mercado interno español, pero siempre acompañado de políticas sociales a favor del empleo, el salario, la producción y la salud. Demostró que la izquierda moderna puede satisfacer las demandas del crecimiento junto con las de la justicia, allí donde la derecha recalcitrante sólo contempla, sea la restauración de añejos privilegios, sea la exclusión pura y llana de las demandas sociales. Al integrar a España en la Comunidad Económica Europea, González obtuvo para su país ventajas enormes a fin de equiparar cuanto antes los retrasos de la Península Ibérica en materia de comunicaciones, modernización de la planta industrial y capitalización, a los adelantos del occidente europeo. La España socialista no perdió soberanía: ganó cooperación.

Como toda obra política, la de Felipe González y sus compañeros del PSOE fue imperfecta, tuvo altibajos y sufrió la usura del tiempo. Pero yo veo en González y el socialismo español los perfiles de una izquierda democrática para el siglo XXI, una izquierda que no satanice ni a la empresa privada ni al Estado, sino que a ambos les dé sus funciones propias y éstas se sostengan sobre el vigor y pluralidad de la sociedad civil, la vida partidista y el ejercicio efectivo y vigilante de los procesos democráticos.

América Latina, donde los estragos del estatismo excesivo por una parte y del mercado salvaje por la otra, han demostrado sus respectivas insuficiencias para atender la pavorosa miseria y desigualdad de un continente de cuatrocientos millones de seres donde doscientos millones se encuentran sumidos en la pobreza, tiene el derecho de confiar en una izquierda democrática postsoviética que le devuelva poder a la gente en un marco de atención a las prioridades del orden social: salud, educación, techo, trabajo, salarios, infraestructuras, derechos de la mujer, cuidado para la tercera edad, respeto a las minorías sexuales y a la libertad de expresión, protección a las etnias, combate al crimen, seguridad ciudadana. Una izquierda menos ideológica y más temática.

La izquierda añorante de lo que ya no fue no puede ser una izquierda constructiva de lo que debe ser. Pero la izquierda en el poder debe admitir siempre la existencia de otra izquierda fuera del poder: la que resiste al poder, hasta cuando (incluso cuando) es el poder de izquierda. Éste será el desafío para la izquierda del siglo XXI. Aprender a oponerse a sí misma para nunca más caer en los dogmas, falsificaciones y arbitrariedades que la mancillaron durante el siglo XX.

JESÚS

Busco en vano un personaje histórico más completo que Jesús, el Cristo. Las figuras que con paso más recio han cruzado el escenario del tiempo carecen, por su intensa actividad externa, del reino espiritual interno de Jesús. Los místicos mismos, dada la intensidad de su vida interior, no poseen el lugar en la plaza que ocupa Jesús, como ser histórico activo. Los más grandes científicos, por obediencia a la indispensable objetividad de los resultados creíbles, se abstienen de atribuibles dimensiones espirituales, ni siquiera morales. No se puede culpar a Albert Einstein de la muerte en Hiroshima, aunque sí se puede culpar a Himmler de la muerte en Auschwitz. Los defectos personales de los grandes creadores místicos son anecdóticos aunque interesantes, así como sus virtudes. Pero, al cabo, la obscenidad de Mozart, el desaliño de Beethoven, la descortesía de Gogol, la gula de Balzac, los vicios de Coleridge o de Baudelaire, en nada afectan nuestra admiración por sus obras. Nadie desearía tener de vecino a personaje tan neurótico como Dostoyevsky. Y seguramente, Bach sería el más sereno e invisible habitante de un condominio. Donde se mezclan más conflictivamente la personalidad pública y la privada de un artista es en el espacio ideológico. Aragon, Éluard, Neruda, Alberti como protagonistas del comunismo; Benn, Pound, D'Annunzio, Céline, Brasillach como soportes del fascismo, han merecido severas reprobaciones que, al cabo, no dañan intrínsecamente a su obra. En cambio, las víctimas de la intolerancia, la dictadura y el dogma, rebasan a veces el altísimo nivel de su obra para ser admirados, sobre todo, como mártires, de Vives a Lorca y Miguel Hernández, de Giordano Bruno a Osip Mandelstam e Isaac Babel, de Sor Juana Inés de la Cruz a Ana Ajmátova. La larga fila de los desterrados por la Alemania nazi, la Rusia soviética, la España franquista, las dictaduras latinoamericanas, el macartismo norteamericano.

La singularidad de Jesús es que la permanencia, fama o valor de su obra nace de la oscuridad y el anonimato. De no ser rescatado por los Apóstoles y propagandizado por San Pablo, es probable que el humilde predicador de Galilea se hubiese perdido, uno más entre los centenares de hombres santos que recorrieron las rutas del mundo antiguo. Pero nada, ni los Evangelios, ni San Pablo, ni la mismísima Iglesia cristiana, puede arrebatarle a Jesús su condición de hombre humilde, desprovisto de poder, desnudo de lujos, que gracias a su humildad y pobreza, se convierte en el más poderoso símbolo de la salvación humana.

¿Se debe ese poder a que, en efecto, Jesús es Dios Hijo, parejo sin embargo en poder y virtud al Dios Padre, y al otro, alado miembro de la Trinidad, el Espíritu Santo? La Iglesia ha condenado como herejías las seductoras y muy literarias teorías acerca de la relación entre Dios Padre —Yavé— y Dios Hijo —Jesús—. El gnosticismo sirio de Saturnilio mantuvo que sólo hubo un Padre, totalmente Desconocido, quien al venir al mundo como Salvador, es un salvador increado, incorpóreo e informe. Sólo su apariencia (Jesús de Nazaret) es humana. ¿Por qué? Para que los demás humanos puedan reconocerle. Basílides y los gnósticos egipcíacos propusieron que el Padre jamás había nacido y nunca tuvo nombre. Cristo sólo fue una partícula de la mente del Padre. El patripasianismo monarquianista deriva su fascinante nombre de la creencia en que Dios es uno e indivisible. El Padre se introdujo en el cuerpo de María, nació de ella y sufrió y murió en la cruz. Los hombres, de este modo, en realidad crucificaron a Dios Padre. Los sabelianos juraron que Padre, Hijo y Espíritu Santo son el mismo Ser: un Dios único con tres manifestaciones temporales diferentes. Los apolinarios dualistas defendieron la existencia de dos Hijos, uno procreado por Dios el Padre y el otro por María la Mujer. El nestorianismo llevó aún más lejos esta teoría de la doble personalidad. Jesucristo es realmente dos personas, uno, el Hombre, y otro el Verbo. Debemos distinguir entre las acciones del Hombre Jesús y las palabras del Dios Cristo. Finalmente, los más influyentes de todos los herejes, los arrianos, consideraban al Hijo como mera afluencia, proyección o co-increación del Padre, derivada de la sustancia de éste.

De todas las herejías en torno a la personalidad de Cristo, la que más me atrae es la que, respetando todas las ficciones en torno a su naturaleza, se fija en el hombre que vivió entre los hombres y aquí, en la tierra, dio las pruebas más serias y perdurables de lo que significa ser humano entre los humanos. Jesús como núcleo vivo de las posibilidades y contradicciones humanas es para mí el más entrañable y constante de los Cristos. El hombre que predica simultáneamente la inocencia y la bondad, pero también la furia activa contra los fariseos y los mercaderes del templo. El Jesús que nos pide «dar la otra mejilla» y el que dice traer la guerra y no la paz. El Jesús que pide «dejad que los niños vengan a mí» y el que nos urge abandonar padre y madre para actuar en el mundo.

Ésta es la fuerza incomparable de Jesús. Desde la pobreza, la humildad y el anonimato, predica algo más que la salvación del mundo. Predica y practica la salvación *en* el mundo. Nos ofrece un mundo como oportunidad de salvación, no como tierra condenada fatalmente al mal. La vida eterna, así concebida, es en realidad una dimensión espiritual del deseo humano. La pérdida ultraterrena de Jesús se desvanece frente al poder de su ejemplo terreno. Éste es un hombre que lleva a su más alto estadio la aspiración humana como manera de vivir juntos, prestarnos atención unos a otros, no transigir con la hipocresía, el fariseísmo y el simonismo que al cabo mancharon a la Iglesia creada en su nombre.

La contingencia de Jesús es su grandeza. Su vida secreta y oscura es la condición de su eternidad. Su contacto personal es con los más indignos y los más incrédulos. No le predica a los convencidos. No dogmatiza. Sus contradicciones mismas se lo impiden. Y eso que no conocemos la adolescencia y juventud de Cristo. ¿A quiénes trató, fue hetero u homosexual, se abstuvo del sexo? ¿Fue, como los santos Agustín y Francisco, un pecador saciado y redimido? Porque actúa en el tiempo, Jesús nos empuja a creer en el tiempo. Hay en sus palabras una extraordinaria fe temporal, pues aun cuando la eternidad aparezca como horizonte de sus palabras, es el futuro humano la meta de la fe de Cristo. La fe de Jesús es una exigencia para que trabajemos en el mundo. El cielo de Jesús es la solidaridad con el prójimo, no un empíreo celeste. El infierno de Jesús es la injusticia en la tierra, no un averno profundo en llamas. Lo que Jesús extiende a la vida eterna son los valores de la vida en el mundo. «Porque tuve hambre y me disteis de comer; tuve sed, y me disteis de beber, peregriné, y me acogisteis; estaba desnudo, y me vestisteis; enfermo, y me visitasteis; preso, y vinisteis a verme.» «¿Cuándo te dimos todo esto?», le preguntan quienes lo escuchan. Y Jesús contesta: «En verdad os digo que cuantas veces hicisteis eso a uno de estos mis hermanos menores a mí me lo hicisteis.»

La metáfora misma de la resurrección es la manera de decirnos que estamos obligados a completar la vida, no sólo a continuarla, y que la continuidad de la vida a pesar de la muerte es la realidad de la vida eterna. La salvación está en el mundo. El infierno está en el mundo. Y el mundo se ha encargado de darle la razón a Jesús. Jesús no resucitó a los muertos. Resucitó a los vivos.

La relación entre Dios Padre y Dios Hijo, que tanto desveló a herejes y a padres de la Iglesia, no puede obviar el hecho de que nadie conoce al Padre, y el Hijo, en cambio, se dejó ver. Podemos urdir ficciones. Quizás el Padre no tolera al Hijo aunque Jesús se canse de decirle: Mira, hago lo imposible por darte a conocer. Pero el Padre puede resentir que el Hijo no sea visto como su delegado, sino como el Dios verdadero, puesto que es el Dios que encarnó. Para colmo, Jesús no sólo redime al hombre. Redime al mismísimo Dios Padre, salva de su fama cruel y vengativa al Dios de Israel. Le da, como se diría en las crisis del Comunismo, «rostro humano a Dios». ¿Lo resiente el Padre? ¿El desenlace del Calvario es el castigo de Yavé contra la humanidad insurrecta de Jesús? «Padre, ¿por qué me has abandonado?» Cuánto dolor encierran estas palabras, qué fatal es el desenlace, qué problemática se nos vuelve la muerte y resurrección de Jesús. Abandonado de Dios, ¿qué oportunidad le queda a su leyenda sino la Resurrección, que viene siendo la compensación por el abandono del Padre, la promesa de un retorno a su vera —confundido con Él, en trinitaria y perfecta simbiosis, o para siempre castigado por el Padre, reducido al silencio, a la existencia menor, al silencio mismo?

Inútil sería, de existir, la contienda del Padre contra el Hijo. El Hijo ya triunfó para siempre en la Tierra, diga lo que diga, piense lo que piense, exista o no, el Dios Padre. Por eso hay, en la gran intuición de William Blake, una «rabia en el cielo», *a rage in heaven*. Jesús es El Hijo Desobediente. Dios Padre está encabronado.

Digo que sin los Apóstoles, pero sobre todo sin Pablo de Tarso, Jesús pudo ser ignorado por la posteridad. San Pablo se encargó de que, más allá de los testimonios del Evangelio, Cristo reinase en una institución que es la Iglesia. Lo que asegura que Jesús siga en la historia es, sin embargo, lo mismo que le impide hacerse presente en la historia: la Iglesia cristiana, sujeta a los vaivenes de la vida política, de los compromisos y las excepciones, de las traiciones a Cristo, de la seducción de lo mismo que Cristo fustigó: simonía, fariseísmo, fe de mentirillas, hambre de poder terreno... La Iglesia se convierte en la industria de Cristo, una industria que nos aleja de Cristo. La Iglesia es la venganza de Dios padre contra un

Cristo intolerable. San Agustín, brillante sofista, prevé lo que vendrá. El sacerdote, como la Iglesia, puede ser débil o malo. Pero el sacerdocio lo dignifica. La Iglesia coloca a sus ministros por encima de su propia condición. Lo que el santo de Hipona no dice es que es la Iglesia la que se perdona a sí misma, colocándose, en nombre de Cristo, por encima de su propia condición. Orígenes fue condenado porque consideró que, siendo infinita, la misericordia de Dios acabaría por perdonar al Diablo. Debió añadir que perdonaría también a la Iglesia. No me voy a Lutero y la revolución protestante. Me quedo en mi tiempo y mi vida para rechazar a la Iglesia de Pío XII, Pacelli, y su colusión con Franco y los nazis. Y, a partir del triunfo aliado, con la CIA, las mafias y el corrupto partido de la DC italiana. El honor de la Iglesia es rescatado, es cierto, por un papa como Juan XXIII, por obispos como Óscar Romero en El Salvador, pero la vergüenza vuelve a caer sobre la Iglesia argentina que bendijo a dictaduras de criminales, asesinos y torturadores...

Lo extraordinario es que dos mil años de traiciones no han logrado matar a Jesús. Qué poco duraron los imperios del mal, el Reich destinado a un milenio según Hitler, el futuro comunista prometido por la burocracia soviética... ¿Cuántas divisiones tiene el Papa?, preguntó con sorna Stalin. Pues muchas más que el Kremlin. Pero esos ejércitos de la fe cristiana existen a pesar de, no gracias a, la institución vaticana. Ésta aprovecha, administra, pero no alcanza a apropiarse de la figura de Jesús, que constantemente rebasa a la Iglesia creada en su nombre. Jesús es el perpetuo reproche a la Iglesia. Pero la Iglesia tiene que tolerar a Jesús para seguir siendo. Jesús se le escapa a la Iglesia porque se convierte en un problema para los que están fuera de la Iglesia. A la caza de herejes e incrédulos, la Iglesia no ha podido, actualmente, reservarse a Jesús porque Jesús extiende los valores de la vida eterna a los valores de la vida en el mundo y allí se vuelve algo más que un frágil Dios que se hizo humano. Se convierte en el Dios cuya fuerza es su humanidad. Y es la humanidad de Cristo lo que lo mantiene vivo como problema para una modernidad que puede tener temperamento religioso sin fe religiosa. El católico relapso Luis Buñuel; el protestante fuera de la Iglesia, Ingmar Bergman; el religioso social y civil Albert Camus. Pero también los hombres de fe capaces de ponerla a prueba en el mundo, François Mauriac, Georges Bernanos, Graham Greene. Y sobre todo la mujer de la fe, Simone Weil, que se pregunta, ¿Se puede amar a Dios sin conocerlo?, y contesta: Sí. Es la respuesta terrible a la terrible pregunta de Dostoyevsky: ¿Se puede conocer a Dios sin amarlo? Stavroguin, Iván Karamazov, contestan: Sí. Éste es el dilema y sólo Jesús lo resuelve. Una persona no es Dios, pero Dios puede ser una persona. De allí que millones de hombres y mujeres crean en Jesús y sean su fuerza, más allá de las Iglesias y las clerecías. Jesús no resucita a los muertos. Resucita a los vivos. Jesús es el corrector de pruebas de la vida humana.

KAFKA

«¿Has leído a Kafka?», me pregunta Milan Kundera. «Por supuesto —le contesto—. Creo que es el escritor indispensable del siglo XX.» Kundera sonríe socarronamente: «¿Lo has leído en alemán?» «No.» «Entonces no has leído a Kafka.»

La reflexión de Milan Kundera sobre la excelencia intraducible de la lengua alemana empleada por Kafka admite ya, en castellano, una notable y muy honrosa excepción. La traducción de Miguel Sáenz (Franz Kafka, *Obras completas*, Galaxia Gutenberg-Círculo de Lectores, Barcelona) es de tal manera espléndida que dudo mucho la afecte la ironía de mi amigo Milan.

Kafka, el escritor indispensable del terrible siglo XX. Sin él, no entenderíamos nuestro tiempo.

Pietro Citati, con valor intelectual y moral, se atreve a pensar lo impensable: que en *El proceso* de Kafka, Josef K. sea culpable. Que la aparente víctima sea el posible culpable.

No obvia Citati los niveles biográficos de Kafka y su relación con el padre, el judaísmo, la vida burguesa y profesional y su ciudad, Praga, la madrecita con garras.

Gregorio Samsa, después de todo, prefiere ser, nos dice Citati, un hijo sacrificado que un insecto libre. Es un Isaac cuyo sacrificio, en *La metamorfosis*, no lo interrumpe el Ángel de Dios.

Y el escritor mexicano Sealtiel Alatriste, en su novela *El daño*, nos ofrece a un Kafka en íntima relación con su madre, que sacrifica su propia vocación musical al genio literario del hijo.

Pero la propuesta de Citati, que puede parecer escandalosa —la víctima es culpable— se vuelve luminosamente rigurosa cuando nos hace entender que el poder es virtual y la víctima del poder actualiza una fuerza que, de otra manera, sería inexistente.

Nosotros vestimos al Emperador desnudo.

Nosotros convertimos al fantasma del poder en el cuerpo del poder.

Kafka lo único que hace es indicarnos la desproporción que existe entre el poder real y el relato del poder. De donde se deriva la cuestión: si el poder hace eficaz su propia ficción, ¿cómo puede la cultura hacer eficaz su propia realidad? ¿Basta la subjetividad?

Los *Diarios* de Kafka, indica el filósofo chileno Martin Hopenhayn, le dan a sus novelas la resonancia subjetiva de la cual éstas carecen. No hay ninguna interioridad en la ficción de Kafka. Los *Diarios*, en cambio, son el reclamo interior de pasiones externas. Ésta es una complementariedad angustiosa, toda vez que los protagonistas de las novelas son héroes de la razón. Sufren por estar marginados de la razón. Pero no entienden las «razones» que los marginan. Su «racionalidad», entonces, consiste en disolverse en un sistema indiferenciado y verse a sí mismos fuera de los procesos de formalización de la vida social.

De allí la extraordinaria escenificación kafkiana de la relación entre el individuo y el poder —sin duda, la más lúcida, la más inquietante y la más actual que se haya escrito en los últimos cien años.

El individuo en Kafka es un parásito, escribe Hopenhayn, que quisiera dejar de serlo pero que, a pesar suyo, revela el mundo de parásitos que el sistema requiere para ejercer el poder. El «héroe» kafkiano sólo quiere ser acogido por el poder. Pero al someterse al poder, rasga sin quererlo la máscara del poder. El «héroe» kafkiano, gracias a su torpeza, no a su inteligencia, revela el fondo arbitrario del poder. En Kafka, el Emperador no es desvestido por un crítico del Emperador. La desnudez del poder es revelada en la imposibilidad que tienen sus sujetos de descifrar los designios del poder.

El poder literario de Kafka deriva de un hecho: sus ficciones describen a un poder que hace eficaz su propia ficción. En *El proceso*, como en *El castillo*, Kafka describe un vacío de poder que se presenta como algo plenamente colmado. Conocemos la mentira que usurpa el poder pero, aun sabiéndola mentira, asistimos estupefactos ante la representación que la disimula. El poder en Kafka ejerce su dominio por pura virtualidad. Las autoridades del Castillo se mantienen siempre intactas porque son sólo potenciales. En consecuencia, la víctima del poder (Josef K, el Agrimensor) imagina un poder proporcional a la fuerza de su ausencia. La regla de la regla del poder es la incertidumbre respecto a su aplicación.

Al morir en 1924, Franz Kafka no podía predecir, con puntualidad de historiador cronológico, que diez años más tarde su infernal imaginación del poder se volvería la realidad histórica del poder. Pero al arribar de noche a arrestar sin razón ni disculpa a sus víctimas, la Gestapo o la NKVD estaban arrestando a Franz Kafka. ¿Hay algo más kafkiano que el arribo a Minsk, en 1937, del Camarada Comisario I. V. Kovalev para asumir sus funciones y encontrarse unas oficinas absolutamente vacías porque su predecesor y la totalidad de los funcionarios habían sido ejecutados como traidores a Stalin? Kovalev, fatalmente, tomó el escritorio de la siguiente víctima, él mismo. Mijail Koltsov, el corresponsal de *Izvestia* durante la guerra de España, declaró, kafkianamente, que si Stalin lo declaraba a él, Koltsov, un traidor, Koltsov lo creería, aunque no fuese cierto. Y en efecto, Koltsov fue encarcelado y ejecutado como parte de la cuota de detenciones que la policía secreta debía cumplir para satisfacer al dictador, a sabiendas de que ellos mismos, los verdugos, acabarían siendo las próximas víctimas de la paranoia estalinista.

Pero Kafka no es un politólogo. Es un escritor. Lo cual significa que, al contrario de lo que puede suceder en la historia política, en la historia personal y sobre todo en la imaginación personal, tiene lugar un drama de dudas, cegueras, ambivalencias y mudas heroicidades que se complementan, en el espacio de un dormitorio, de una oficina, de un lecho, con el ejercicio del poder.

Gregorio Samsa, en *La metamorfosis*, se convierte en escarabajo, no sólo para huir de su padre sino para huir del gerente, del comercio, de los burócratas, nos indican Félix Guattari y Gilles Deleuze en su estudio *Kafka: por una literatura menor*. Hopenhayn añade con perspicacia: Samsa el escarabajo no es totalmente escarabajo. Sigue pensando. La conciencia usa al cuerpo como pantalla a la vez que lo encarcela. Si en ello hay ironía, se debe a que lo propio de la ironía es sacarnos de contexto y abrir un abismo entre el mundo y el yo. El vacío se convierte en el nexo entre el mundo y yo. Quiere decir que la ironía (concluye brillantemente Hopenhayn) es ella misma metamorfosis. La ley está loca pero es la ley. Y una representación inagotable del deber impide a Samsa, a Josef K, al Agrimensor, cumplir con el deber. Serán, por ello, castigados.

Si Franz Kafka le dio un rostro a los horrores del poder en el siglo XX, es posible que también sea el profeta del poder en el siglo XXI. Aquél se hizo visible, demasiado visible, en los Auschwitz de Hitler y en el Gulag de Stalin. Hoy, el poder ha aprendido las maneras de hacerse invisible, contando, más que nunca, con que la propia víctima le otorgue poder al poder.

LECTURA

Don Quijote es un lector. Más bien dicho: su lectura es su locura. Poseído de la locura de la lectura, Don Quijote quisiera convertir en realidad lo que ha leído: los libros de caballería. El mundo real, mundo de cabreros y asaltantes, de venteros, maritornes y cuerdas de presos, rehúsa la ilusión de Don Quijote, zarandea al hidalgo, lo mantea, lo apalea.

A pesar de todas las golpizas de la realidad, Don Quijote persiste en ver gigantes donde sólo hay molinos. Los ve, porque así le dicen sus libros que debe ver.

Pero hay un momento extraordinario en que Don Quijote, el voraz lector, descubre que él, el lector, también es leído.

Es el momento en que un personaje literario, Don Quijote, por primera vez en la historia de la literatura, entra a una imprenta en, *where else*?, Barcelona. Ha llegado hasta allí para denunciar la versión apócrifa de sus aventuras publicadas por un tal Avellaneda y decirle al mundo que él, el auténtico Don Quijote, no es el falso Don Quijote de la versión de Avellaneda.

En Barcelona, Don Quijote, paseándose por la ciudad condal, ve un letrero que dice «Aquí se imprimen libros», entra y observa el trabajo de la imprenta, «viendo tirar en una parte, corregir en otra, componer en ésta, enmendar en aquélla», hasta darse cuenta de que lo que allí se está imprimiendo es su propia novela, *El ingenioso hidalgo Don Quijote de la Mancha*, un libro donde, para asombro de Sancho, se cuentan cosas que sólo él y su amo se dijeron, secretos que ahora la impresión y la lectura hacen públicos, sujetando a los protagonistas de la historia al conocimiento y al examen críticos, democráticos. Ha muerto la escolástica. Ha nacido el libre examen.

No hay momento que mejor revele el carácter liberador de la edición, publicación y lectura de un libro, que éste. Desde entonces la literatura y, por extensión, el libro, han sido los depositarios de una verdad revelada no por Dios o el poder, sino por la imaginación, es decir, por la facultad humana de mediar entre la sensación y la percepción y de fundar, sobre dicha mediación, una nueva realidad que no existiría más sin la experiencia verbal del *Quijote* de Cervantes, o del *Canto General* de Neruda, o del *Rojo y negro* de Stendhal.

¿Es esta mediación íntima pero compartible, secreta pero pública, entre el lector y el libro, entre el espectador y la obra de arte, lo que se está perdiendo en la llamada posmodernidad? ¿Asistimos en verdad al fin de la era de Gutenberg y Cervantes, los cinco siglos de primacía cultural del libro y la lectura, a favor de la era de Ted Turner y Bill Gates, en la que sólo lo que vemos directamente en la pantalla de televisión o en la computadora es digno de crédito?

Yo crecí en la era de la radio, cuando para confirmar la gran faena del torero Manolete dicha por el locutor de la cadena de radio XEW, había que acudir a los periódicos a fin de cerciorarse de la verdad: sí, era cierto, el Monstruo de Córdoba cortó oreja y rabo. Era cierto porque estaba escrito. Hoy, el bombardeo de Bagdad ocurre al mismo tiempo que es visto en la pantalla de televisión. No hay que confirmarlo por escrito. Es más: ni siquiera hay que entenderlo políticamente. Hemos visto, gracias a la ubicuidad e instantaneidad de la imagen, un espectáculo deslumbrante a colores. A los muertos, ni los vimos ni los oímos.

El dilema del destino del libro y la lectura en nuestro tiempo: dos ilustraciones extremas.

Basta internarse en el mundo indígena de México para conocer, con asombro, la capacidad de los hombres y mujeres de los pueblos aborígenes para contar historias y rememorar mitos. Pobres e iletrados, los indios de México no son seres culturalmente desprovistos. Tarahumaras y huicholes, mazatecos y tzotziles, poseen un extraordinario talento para recordar e imaginar sueños y pesadillas, catástrofes cósmicas y deslumbrantes renacimientos, así como los detalles minuciosos de la vida cotidiana.

Con razón dijo Fernando Benítez, el gran escritor mexicano que los documentó exhaustivamente: cada vez que muere un indio, mueren con él o ella toda una biblioteca.

En el otro extremo se encuentra una fantasía terriblemente actualizable, el libro *Fahrenheit 451* de Ray Bradbury, en el que una dictadura, ésta sí, perfecta, prohíbe las bibliotecas, quema los libros y sin embargo no puede impedir que una tribu final de hombres y mujeres memorice la literatura del mundo, hasta que él o ella se convierten, realmente, en la *Odisea*, *La isla del tesoro*, o *Las mil y una noches*.

Lo que ambas bibliotecas —una en la cabeza de un indígena de cultura puramente oral, otra en la memoria de un suprayupi posmoderno, poscomunista, poscapitalista, postodo— poseen en común es la posibilidad universal de escoger entre el silencio y la voz, la memoria y el olvido, el movimiento y la inmovilidad, la vida y la muerte. El puente entre estos opuestos es la palabra, dicha o no dicha, desdichada o feliz, escrita o para siempre en blanco, visible o invisible, decidiendo, en cada sílaba, si la vida ha de continuar, o si habrá de terminar para siempre.

Pero, ¿no podríamos decir lo mismo de la imagen visual? ¿No cumplen análogas funciones vitales un cuadro de Goya, la escultura de la Coyolxauqui, una película de Buñuel o un edificio de Oscar Niemeyer? La pintura, dijo Leonardo, es cosa mental. ¿Lo es también la supercarretera de mil canales de televisión? ¿Lo son los llamados medios modernos de comunicación visual que, supuestamente, le están robando lectores al libro, sepultando la era de Gutenberg y Cervantes, y saturando la comunicación visual con tanta información que todos nos sentimos supremamente bien informados, sin preguntarnos si lo que se informa importa y lo que importa es lo que *no* se informa?

No estoy arguyendo a favor del libro y la biblioteca como elementos supletorios de las posibles —de las evidentes— deficiencias de la comunicación audiovisual en este final de siglo y de milenio.

Todo lo contrario: quisiera explorar ese territorio en el cual los medios de comunicación modernos auxilian, en vez de dañarla, la cultura del libro y la lectura. Es cierto: basta visitar cualquier hogar donde la antena de televisión se ha convertido en la cruz de la parroquia, para confirmar el fenómeno universal del *couch potato*, el espectador que mira televisión de manera puramente pasiva, en efecto como una papa yacente, adormilado, violado casi por la sucesión de imágenes de manera supina, sin respuesta crítica, creativa. Todo lo contrario de lo que nos exige un buen libro, un buen cuadro o una buena película.

Pero basta visitar un centro de estudios como el Instituto Tecnológico de Monterrey, para darse cuenta, también, del extraordinario auxiliar que es la información audiovisual para ampliar el radio de conocimiento de los estudiantes, enriquecer la interacción de maestros y alumnos y contrarrestar los aspectos más negativos de la recepción pasiva de imágenes en el hogar.

Debemos ahondar y abundar en las posibilidades de apoyo que la cultura audiovisual puede prestarle a la cultura del libro, y viceversa.

En primer término, aunque hayan aumentado gigantescamente los espectadores de audiovisual en el mundo, la disminución de lectores de libros no es consecuencia fatal ni absoluta de este hecho. No es fatal porque, nuevamente, es el uso de los medios lo que los califica, no su mera existencia. Los editores de la biblioteca de clásicos norteamericanos, *The Library of America*, hacen notar que las nuevas tecnologías pueden emplearse no sólo para preservar sino para ampliar una herencia literaria, promoviendo la apreciación de los grandes escritores a masas que antes los desconocían, de la misma manera que, musicalmente, hoy más personas escuchan el *Don Giovanni* de Mozart en un solo día que durante toda la vida del compositor.

Asimismo, la biblioteca de clásicos norteamericanos, gracias al apoyo de los medios audiovisuales, ha vendido tres millones de ejemplares de sus primeros títulos, de Jefferson a Faulkner, en la última década.

José Vasconcelos, el primer secretario de Educación de la Revolución Mexicana, publicó una biblioteca de clásicos universales en preciosas ediciones, allá por 1923. ¿Para qué publicar a Cervantes en un país con 90 por ciento de analfabetos?, se le preguntó, y se le criticó, entonces. La respuesta, hoy, es evidente: para que los iletrados, cuando dejen de serlo, puedan leer el *Quijote* en vez de *Superman*.

Igualmente hoy, la edición debe apostar a que los medios creen lectores en vez de ahuyentarlos. Para ello, nuevamente, hay que insistir desde el inicio, desde el salón de clases y, si fuese posible, desde el hogar, en someter la imagen audiovisual a la misma crítica a la que siempre han estado sujetas la literatura y las artes plásticas. Hay que enseñarle al espectador a hacerse cargo críticamente de la imagen que recibe.

Los optimistas nos dicen que en una sociedad con abundancia de medios audiovisuales, habrá al cabo mayor especialización, menos masificación y, en consecuencia, la posibilidad de crear una nueva comunidad entre los editores de libros y el público audiovisual, así como entre lectores y espectadores que podrán escoger entre ofertas cada vez más diversificadas.

En otras palabras, los medios masivos pueden contribuir a crear mayor y no menor número de lectores, gracias a posibilidades de promoción, venta y selección de libros incalculablemente superiores a las del pasado. Si a la dinámica audiovisual se le añade la dimensión crítica que arriba mencioné, es posible, incluso, que promoción masiva y alta calidad literaria no estén, forzosamente, reñidas.

Pero no nos ceguemos ante los peligros, no el peligro al cabo menor de la masificación como promotora de moda y mal gusto, cosa que siempre ha existido, sino el aprovechamiento de las nuevas tecnologías para darle certeza a los inciertos. En el mundo de la necesidad y del azar que siempre ha sido el de los seres humanos, un texto es necesario para hacer inteligible lo que sin él carecería de sentido. De esta necesidad puede surgir la Biblia —pero también el *Mein Kampf*—. Es en sociedades sin rumbo, en las que la satisfacción material deja insatisfecho al espíritu, y en el que los insatisfechos se cansan de esperar, donde los textos más dogmáticos se han apoderado de la imaginación de las mayorías. Imaginemos lo que Hitler hubiese hecho con una pantalla de televisión.

Éste es el peligro. Vivimos en la aldea global de comunicaciones masivas, adelantos técnicos e interdependencia económica, pero podemos fácilmente alimentar los temores e incluso la rebelión de la aldea local que no se ve reflejada en dichos medios, y que, como Tántalo, en vano trata de alcanzar los frutos que la tentación publicitaria ofrece en todas las pantallas del mundo.

Un capitalismo autoritario, ya sin enemigo comunista totalitario enfrente, se cierne como posibilidad desgraciada en algunos horizontes del mundo. Su amenaza no sólo a la lectura y al libro, sino al empleo libre y creativo de los propios medios audiovisuales, sólo puede ser contrarrestada por un orden democrático pleno, por una vigilancia política pluralista sobre el uso de los medios y sobre todo, por una decisión, política también y también social, de mantener en su grado más alto de abundancia, calidad y eficacia, los programas de educación pública, de bibliotecas públicas, de libros de texto gratuitos y de plena libertad para la creación escrita.

Hemos sido testigos y actores, durante el último medio siglo, de la creación de un gran círculo en cada país latinoamericano, un círculo que va del escritor al editor al distribuidor al librero al público y de regreso al autor.

Al contrario de lo que sucede en países de mayor desarrollo mercantil pero de menor atención intelectual, en México y la América Latina hay libros que nunca desaparecen de los anaqueles. Neruda y Borges, Cortázar y García Márquez, Vallejo y Paz, siempre están presentes en nuestras librerías.

Lo están porque sus lectores se renuevan constantemente pero jamás se agotan. Son lectores jóvenes, entre los quince y los veinticinco años. Son hombres y mujeres de la clase trabajadora, de la clase media o del tránsito entre ambas, portadores de los cambios y de las esperanzas de nuestro continente.

Hoy, las sucesivas crisis económicas sufridas por Latinoamérica desde los años ochenta amenazan esa continuidad de la lectura, reflejo de la continuidad de la sociedad. Varias generaciones de latinoamericanos jóvenes han descubierto su identidad leyendo a Gabriela Mistral, Juan Carlos Onetti o Jorge Amado. La ruptura del círculo de la lectura significaría una pérdida del ser para muchos jóvenes. No los condenemos a salir de las librerías y de las bibliotecas para perderse en los subterráneos de la miseria, el crimen y el abandono.

Que no se extinga un solo joven lector potencial en el desamparo de la ciudad perdida, la villa miseria, la población callampa o la favela.

En el panorama que voy describiendo, la biblioteca

es una institución preciosa porque nos permite acercarnos a la riqueza verbal de la humanidad dentro de un espacio civilizado y bajo un techo protector.

Sin embargo, aun allí, rodeados por la belleza, la paz, la hospitalidad y hasta el maravilloso olor de una biblioteca, no debemos nunca perder de vista los peligros que la censura, la persecución y la intolerancia pueden desatar contra la palabra escrita. La *fatwa* contra Salman Rushdie lo demuestra.

En 1920, el 90 por ciento de los mexicanos eran iletrados. El primer ministro de Educación de los gobiernos revolucionarios, el filósofo José Vasconcelos, lanzó entonces una campaña alfabetizadora que hubo de enfrentarse a la feroz resistencia de la oligarquía latifundista. Los hacendados no querían peones que supieran leer y escribir, sino peones sumisos, ignorantes y confiables. Muchos de los maestros enviados al campo por Vasconcelos fueron colgados de los árboles. Otros regresaron mutilados.

La heroica campaña vasconcelista por el alfabeto iba acompañada, sin contradicción alguna, por el impulso a la alta cultura. Como rector de la Universidad Nacional de México, Vasconcelos mandó imprimir, en 1920, una colección de clásicos en preciosas ediciones de Homero y Virgilio, de Platón y Plotino, de Goethe y Dante, joyas bibliográficas y artísticas, ¿para un pueblo de analfabetos, de pobres, de marginados? Exactamente: la publicación de clásicos de la universidad era un acto de esperanza. Era una manera de decirle a la mayoría de los mexicanos: un día, ustedes serán parte del centro, no del margen; un día, ustedes tendrán recursos para comprar un libro; un día, ustedes podrán leer y entenderán lo que hoy entendemos todos los mexicanos.

Que un libro, aunque esté en el comercio, trasciende el comercio.

Que un libro, aunque compita en el mundo actual con la abundancia y facilidad de las tecnologías de la información, es algo más que una fuente de información.

Que un libro nos enseña lo que le falta a la pura información: un libro nos enseña a extender simultáneamente el entendimiento de nuestra propia persona, el entendimiento del mundo objetivo fuera de nosotros y el entendimiento del mundo social donde se reúnen la ciudad —la polis— y el ser humano —la persona.

El libro nos dice lo que ninguna otra forma de comunicación puede, quiere o alcanza a decir: La integración completa de nuestras facultades de conocernos a nosotros mismos para realizarnos en el mundo, en nuestro yo y en los demás.

El libro nos dice que nuestra vida es un repertorio de posibilidades que transforman el deseo en experiencia y la experiencia en destino.

El libro nos dice que existe el otro, que existen los demás, que nuestra personalidad no se agota en sí misma sino que se vuelca en la obligación moral de prestarle atención a los demás —que nunca son lo de más.

El libro es la educación de los sentidos a través del lenguaje.

El libro es la amistad tangible, olfativa, táctil, visual, que nos abre las puertas de la casa al amor que nos hermana con el mundo, porque compartimos el verbo del mundo.

El libro es la intimidad de un país, la inalienable idea que nos hacemos de nosotros mismos, de nuestros tiempos, de nuestro pasado y de nuestro porvenir recordado, vividos todos los tiempos como deseo y memoria verbales aquí y hoy.

Hoy más que nunca, un escritor, un libro y una biblioteca nombran al mundo y le dan voz al ser humano.

Hoy más que nunca, un escritor, un libro y una biblioteca nos dicen: Si nosotros no nombramos, nadie nos dará un nombre. Si nosotros no hablamos, el silencio impondrá su oscura soberanía.

LIBERTAD

Consideremos la libertad como absoluto albedrío, o circunscrita por herencia, naturaleza, fatalidad o azar, pronunciar su nombre es ya un acto de esperanza. Quienes carecen de ella, saben, mejor que nadie, valorarla. Quienes la dan por descontada, corren el riesgo de perderla. Quienes luchan por ella, han de tener conciencia de los peligros que encierra la lucha misma por la libertad. De las contiendas por la libertad revolucionaria decía Saint-Just en medio de la Revolución Francesa: la lucha por la libertad contra la tiranía es épica; la lucha de los revolucionarios entre sí es trágica. Del combate por la libertad han nacido formas extremas de opresión que, sin embargo, llegan a legitimarse invocando su origen revolucionario. Las revoluciones legitiman. Pero una vez alcanzada la libertad, nómbrese revolución, nómbrese independencia, ¿cómo conservarla, cómo prolongarla, cómo enriquecerla? Quizás no existe fórmula más pragmática y precisa que la dada por Madison en *El Federalista*:

> Si los hombres fuesen ángeles, el gobierno no sería necesario. Si los ángeles gobernasen a los hombres, no serían necesarios los controles, externos o internos, so-

> bre el gobierno. [Pero] cuando se establece un gobierno en el cual los hombres serán administrados por los hombres... lo primero es permitirle al gobierno que controle a los gobernados pero, acto seguido, se debe obligar al gobierno a que se controle a sí mismo.

Elecciones, revocaciones, *impeachments*, juicios administrativos, pesos y contrapesos, división de poderes, fiscalización del ejecutivo. Los sistemas democráticos han establecido múltiples maneras de ir más allá de la fórmula de Madison para asegurar que sean los ciudadanos y las instituciones las que obliguen a los gobiernos a controlarse a sí mismos a fin, entre otras cosas, de no perder el control de la población.

La libertad política conoce estos impulsos y reconoce estos límites. Pero la libertad no es sólo asunto público, sino privado. Es más, se estima a sí misma como una institución en primera persona del singular. Preservar el valor personal intrínseco es una forma de la libertad que cae bajo el rubro del yo. Pero apenas se asoma fuera del yo, la libertad se da cuenta de que nadie es libre por su propia cuenta. La libertad se da primero en la primera persona del singular, pero sólo se mantiene en las tres personas del plural. Mi libertad soy «yo» más «nosotros» más «vosotros» y más «ellos». Las tensiones que así se establecen entre mi libre yo y el mundo de los otros pueden ser conflictivas pero siempre son creativas, en el sentido de que, siendo la libertad ante todo posibilidad mía, sólo es realmente libre cuando es posibilidad, también, de los otros.

Subrayo la palabra *posibilidad* porque los escollos que encuentra la libertad son demasiados y demasiado fuertes como para asegurarnos que «ser libres» es algo inmediatamente asequible. Se puede actuar libremente en contra de los propios intereses, por masoquismo, pero sobre todo por ignorancia o juicio equivocado. La libertad puede serlo para el mal. La necesidad la impele pero también la limita y la frustra. La naturaleza la convoca pero también la expulsa. El azar es su advertencia envolvente. Y el resumen de estos obstáculos y contradicciones puede conducirnos, no sin buenas razones, a considerar la libertad sólo como un hecho moral o como sólo un deber. Lo dijo muy bien Manuel Azaña: Quizás la libertad no haga felices a los hombres, pero al menos, los hará hombres.

El Pangloss de Voltaire nos dice que vivimos en el mejor de los mundos posibles. La Winnie de Beckett, que vivimos en el peor de los mundos posibles.

Entre estas dos visiones, Sócrates nos propone vivir la vida de la ciudad, buscar la libertad en la ciudad y en el diálogo, aunque la ciudad nos prive al cabo del diálogo y al cabo, también, como a Sócrates, de la vida. La sabiduría crítica consiste en superar la ruptura entre la vida interna creativa y la vida exterior mundana tanto a través del conocimiento personal —conócete a ti mismo— como a través del conocimiento de la ciudad —conoce a los demás—, pues el hiato entre la libertad interior y la exterior es real, es tangible, aunque a veces se presente como precipicio, como vacío. Albert O. Hirschman, en un precioso libro, ve con claridad este proceso de entradas y salidas, *entrances and exits*.

Entramos y salimos, constantemente, de la libertad. El dilema extremo es no quedarnos en la libertad individual, que puede convertirse en encierro solipsista que a su vez convierte el mundo exterior en mera ilusión; ni en la ausencia extrema de libertad que significa vivir bajo una dictadura. La libertad, en cambio, lo es para transitar, no sin conflictos pero con un sentido creativo, entre la persona y el mundo, entre el individuo y la sociedad, entre el yo y los demás. La libertad colma incesantemente el hiato entre la acción interior y la exterior, el abismo entre realidad interior y exterior, el vacío entre determinismo y albedrío.

Tarea sin fin, no el Sísifo de Camus, sino el hombre inacabado de Milton, ¿puede el hombre no acabarse, sino continuarse, hacerse con libertad? San Agustín, en su célebre disputa con Pelagio, niega una libertad que no pase por la Iglesia, es decir por la Institución. Pelagio, adelantándose un milenio a Lutero, otorga al individuo la libertad de salvarse a sí mismo fuera de las instituciones eclesiásticas. Pero esa libertad lo es, también, la de actuar creativamente dentro de las instituciones, no por fatalidad, no por obligación, sino por libre determinación. Que ésta incluya, como una especie de DNA en mutación serpentina, partes de herencia, biología, educación, cultura, lengua, religión, política y moral, no hace más que darle a la libertad un rostro más humano por más complejo. No hay libertad simple.

¿Cómo medir la libertad? ¿Por el margen de albedrío que le dejan a cada cual las instituciones? O, al revés, ¿por el margen de autoridad que nuestro albedrío le otorga a las instituciones? En todo caso, la libertad consiste en creer en ella, luchar por ella. Libertad es búsqueda de libertad. Nunca la alcanzaremos completamente. La muerte nos advertirá que hay límites a toda libertad personal. La historia, que perecen y se transforman las instituciones que en un momento dado definen la libertad. Pero entre la vida y la muerte, entre la belleza y el horror del mundo, la búsqueda de la libertad nos hace, en toda circunstancia, libres.

MÉXICO

> Y otro día por la mañana llegamos a la calzada ancha... [que] iba a México, nos quedamos admirados, y decíamos que parecía a las cosas de encantamiento que cuentan en el libro de Amadís... y aun algunos de nuestros soldados decían que si aquello que veían si era entre sueños...
>
> (Bernal Díaz del Castillo, *Historia verdadera de la conquista de la Nueva España.*)

El sueño del conquistador —su asombro— pronto se convirtió en la pesadilla del mundo indígena. De esa cosa de encantamiento que era Tenochtitlan no quedó piedra sobre piedra. El soñador se convirtió en el destructor. Pero en medio, no olvidemos, también fue el deseador: complejo deseo de fama y de oro, de espacio y de energía, de imaginación y de fe.

No hay deseo inocente porque no sólo queremos poseer, sino transformar, el objeto de nuestro deseo. El Descubrimiento desemboca en la conquista: queremos al mundo para cambiarlo. La melancolía de Bernal

Díaz es la de un peregrino que encuentra la visión del paraíso y en seguida debe destruirla. El asombro se convierte en dolor y Bernal Díaz sólo puede salvar a ambos mediante la memoria. Es nuestro primer escritor: inaugura la narrativa en lengua española del Nuevo Mundo.

Inmenso país, cinco veces más grande que Francia, México quiere y se quiere, sin embargo, a través de lo pequeño. Y no es que los mexicanos sepamos vestir pulgas, sino que compensamos la inmensidad de la tierra y los paisajes con el decoro sensible, la ternura minuciosa de las tareas de la vida, desde una cocina que requiere una preparación de horas y a veces días —*slow food*— hasta el prolongado almuerzo de tres, cuatro, seis horas para darle palabras, memorias, fraternidad, humanidad gozosa y entrañable a los actos de la vida en común. País de contrastes, de acuerdo con el lugar común que es eso, comunidad de espacio, lugar de reunión. Las canciones más tristes y las más alegres. Los hombres más humildes y los más soberbios. La cortesía más natural y perfecta junto con la grosería más insoportable. Extremos de invisibilidad dolorosa y presencia aplastante.

—¿Quién anda ahí?

—Nadie, señor.

—¿Quién anda ahí?

—Su mero padre, hijo de la chingada.

—Para servir a usted.

—Váyanse mucho al carajo.

—Mi casa es su casa.

—Un paso más y me lo trueno.

—No soy quién.

—Usted no sabe con quién está hablando, muerto de hambre.

—En mi hambre mando yo.

—Mi dinero me lo gané yo, y no tengo por qué compartirlo con nadie.

—Lo que sea su voluntad, señor.

—Güey, aquí sólo se hace lo que yo diga.

—Qué voy a ser, si yo soy el abandonado.

—Jalisco nunca pierde y cuando pierde arrebata.

—Si ayer maravilla fui, ahora ni sombra soy.

—A mí me hacen los mandados.

—Mujer, mujer divina, tienes el veneno que fascina...

—Usted es la culpable de todas mis angustias, de todos mis pesares...

—Esto es un desmadre.

—Qué va, esto está muy padre.

—Qué bonitos ojos tienes debajo de esas dos cejas...

—¿Qué me miras, pinche ojete?

La verbalidad mexicana, rica, mutable, serpentina, esconde tanto como revela. Si escojo extremos de la expresión hablada, de la humildad auténtica al insufrible orgullo, no excluyo ese término medio de cortesía, inteligencia, capacidad de decir y de oír, que son la zona templada entre los trópicos bullangueros y las serranías silenciosas. El mexicano medio habla con voz más bien mesurada, tendiendo, es cierto, a la voz baja. La energía verbal de los españoles nos escandaliza.

—¿Por qué habla usted tan fuerte? —le preguntó un día, en el café, un intelectual mexicano al poeta español León Felipe, quien además tenía un imponente aspecto de Júpiter tonante.

—Coño —contestó con su vozarrón el poeta—. Porque fuimos los primeros en gritar *¡Tierra!*

(Nadie más gritón, advierto, que un grupo de gringos cuando se reúnen en público y tienen que demostrar que la están pasando bien a carcajadas ofensivas. Su dinero les costó.)

Pero como no gritamos, sino que nos gritaron *¡Tierra!*, sufrimos, no tanto del complejo de pueblo conquistado, sino del complejo de pueblo desubicado frente a la «modernidad». Siempre llegamos tarde al banquete de la civilización, dijo Alfonso Reyes. Y es, en cierto modo, cierto. Fernando Benítez decía que no habíamos sido capaces de inventar un solo objeto servible para el mundo moderno. Somos, sin embargo, grandes improvisadores: componemos cosas rotas, conectamos cables y secuestramos luces, resucitamos gallos en los palenques y sabemos cocinar cuanto la naturaleza ofrece: somos los *chefs de cuisine* de la pobreza. Pero apenas se nos da la oportunidad, en un pozo petrolero, en una maquila fronteriza, en una fábrica moderna del centro de la república, en una empresa dinámica del Norte, en un set cinematográfico, nos revelamos como los seres trabajadores que más rápido aprendemos, que más facilitamos la premura técnica.

Nos damos cuenta, en nuestros mejores momentos, que mientras más auténtica es nuestra experiencia, más se hunde en las raíces de nuestro origen y más se abre a otra fórmula excelente de Alfonso Reyes: ser generosamente universales para ser provechosamente nacionales. Admitamos que esta lección no está bien aprendida. Hay en México demasiados «sospechosistas», como los llamaba Daniel Cosío Villegas. México sería la víctima eterna de una vasta conspiración extranjera para explotarnos, ridiculizarnos, humillarnos. Hay muchas pruebas de que así es o ha sido. Mi libro de historia infantil en una escuela de los Estados Unidos decía textualmente: «El retraso de México se debe a la insuperable indolencia de una raza inferior...»

Pero depender del «qué dirán» extranjero es una forma de colonialismo mental, como lo es rechazar toda forma de apertura, o de importación, como peligro mortal a la esencia nacional. ¿Qué es, sin embargo, la supuesta «esencia» nacional sino un mestizaje de encuentros entre lo indígena, lo europeo, lo africano? Fijar estatuariamente la identidad nacional es convertirla en mausoleo. La modernidad es fatal pero también puede ser libertad, si la tomamos como oportunidad. Lo que no podemos es condenar toda novedad o todo lo que proviene de fuera, como enfermedad, desdicha o naufragio. México tiene muchas modernidades. Para el indígena, tzotzil, chamula o tarahumara, su cultura es su modernidad. Merecen respeto y hasta protección. Pero no adulación que perpetúe su miseria, su ignorancia y su injusticia. ¿Seremos, en el siglo XXI, un país abierto que no le tiene miedo ni a su antigüedad aborigen ni a su modernidad mestiza? Como, demográficamente, no habrá al cabo ni un México puramente indígena ni un México puramente blanco, más nos vale valorizar dos cosas.

La primera es una identidad probada. Sabemos lo que es ser mexicanos, cuánto nos une y también cuánto nos separa. No nos confundimos con nadie. Pero no nos separamos de nadie. La búsqueda de la identidad nacional —la nación-narración— nos desveló durante siglos. Creer que no tenemos identidad es una forma precopernicana de vivir el universo. Es darnos un pretexto para no pasar de la identidad adquirida a la diversidad por conquistar. Allí es donde la identidad nacional y la identidad personal se convierten en desafío creativo. Conquistemos la diversidad política, religiosa, sexual, cultural. Pasemos de la identidad a la diversidad por la vía del respeto. Renunciemos al culto, como advierte Héctor Aguilar Camín, de «la epopeya de los vencidos» como reserva de nuestra admiración.

Siempre, sin embargo, hay que pagar el diezmo del riesgo para alcanzar el valor. Riesgo mexicano es la facilidad con que pasamos de la desesperanza al optimismo sólo para caer de vuelta en la desesperanza —o agarrarnos al siguiente salvavidas de la fe. El PRI nos dominó porque fue nuestro espejo. Revolucionario, agrarista, obrerista, socialista, nacionalista, sectorial, corporativista, desarrollista, estabilizador, autoritario, aperturista, populista, neoliberal. Sucesión de reacciones a insuficiencias o fracasos anteriores, sufrimos el peligro de desechar todo lo logrado para entregarnos sólo a lo deseable. O, más trágicamente, obligarnos a amar sólo lo que nace de la pérdida y de la desesperanza. Como si tuviésemos un rosario de utopías perdidas a las cuales añadir nuestra propia cuenta nostálgica. Juárez y Cárdenas fueron grandes porque fueron de su tiempo, pero con memoria histórica. No podemos, asustados por el mundo actual (que tiene mucho de espantable) refugiarnos en la nostalgia de heroicidades irrepetibles. Optemos, mejor, por aprender lecciones y evitar errores.

He expresado en mis libros la fe mexicanófila más extrema de ciertos compatriotas: rayana en el «Como México no hay dos». «México no se explica. En México se cree, con furia, con pasión...», dice Manuel Zamacona en *La región más transparente*.

Porque he dado voz, también, a la desilusión de muchos mexicanos: «No te dejes arrastrar por el entusiasmo, en México la desilusión castiga muy pronto al que tiene fe y la lleva a la calle.» *(Los años con Laura Díaz.)*

Regreso entonces al reino de las pequeñas cosas de México porque son las más grandes. La modestia de un artesano y el orgullo de una cocinera. La melancolía de un cantante y el grito de un rebelde. La discreción de los amantes. La belleza, sin excepciones, de todos los niños de México. La cortesía innata de los buenos mexicanos. La duradera, inmarchitable belleza de las más hermosas mexicanas. La paciencia cuando es sabia reflexión. La impaciencia cuando es meditada rebeldía. Los triunfos aislados del paisaje en medio de una naturaleza abrupta, impaciente, demasiado frondosa a veces, demasiado estéril otras, inalcanzable en su altura solar, indeseable en sus profundidades de infierno... (sólo en las mitologías mexicanas Mictlan, el inframundo, es cielo e infierno: un averno florido). México es estar en la contienda entre lo bello y duradero, arte, escultura, ciudades y templos hechos para la eternidad, y la progresión perniciosa de la fealdad, la basura, el desorden urbano, la desolación del campo...

> Mi visión de México está siempre capturada entre el enigma de la aurora y el acertijo del crepúsculo, y en verdad no sé cuál es cual, pues ¿no contiene cada noche el día que la precedió, y cada mañana a la memoria de la noche que le dio origen?... Por eso las victorias de lo humano son mayores en México. Por extrema que sea nuestra realidad, no negamos ninguna faceta de la misma. Intentamos, más bien, integrarlas todas en el arte, la mirada, el gusto, el sueño, la música, la palabra... México es el retrato de una creación que nunca reposa porque aún no concluye su tarea. *(Los cinco soles de México.)*

País inconcluso, México, paciente y sereno, esconde sin embargo la rabia de una esperanza demasiadas veces frustrada. Éste es un país que ha esperado durante siglos, soñado, el tiempo de su historia. Su mueca y su sonrisa se han vuelto inseparables. México es tierna fortaleza, cruel compasión, amistad mortal, vida instantánea. Todos sus tiempos son uno, el pasado ahorita, y el futuro ahorita, el presente ahorita. Ni nostalgia, ni desidia, ni ilusión, ni fatalidad. Pueblo de todas las historias, México sólo reclama con fuerza, con ternura, con crueldad, con compasión, con fraternidad, con vida y con muerte, que todo suceda, de una santa vez, hoy, ya, ese *ya* que es a la vez suspiro, exclamación, lápida y convocación: Ya me vine. Ya estuvo suave. Ya se murió. Ya nos juntamos. Mi historia, ni ayer ni mañana, quiero que hoy sea mi eterno tiempo, hoy quiero el amor, el paraíso y el infierno, la vida y la muerte, hoy, ni un solo disfraz más, acéptenme como soy, inseparable nuestra herida de nuestra cicatriz, tu llanto de tu risa, mi flor de mi cuchillo. Nadie ha esperado tanto, nadie ha combatido tanto contra la fatalidad, la pasividad, la ignorancia que otros han invocado para condenarle, como este pueblo de sobrevivientes, pues hace tiempo debió haber muerto de las causas naturales de la injusticia, la mentira y el desprecio que sus opresores han acumulado sobre el cuerpo llagado de México. Tantos milenios de lucha y sufrimiento y rechazo de la opresión, tantos siglos de invencible derrota, México surgido una y otra vez de sus propias cenizas. ¿Hasta cuándo? ¿Cuál será el plazo de nuestra siguiente esperanza, cuál la intensidad de nuestro próximo deseo?

MUERTE

Cuando se trata de acompañar a la muerte, ¿cuál es el tiempo válido para la vida? Freud nos advierte que lo que no tiene vida existió con anterioridad a lo vivo. El fin de toda vida es la muerte, una reina todopoderosa que nos precedió y seguirá aquí cuando desaparezcamos. ¿Nos anunció antes de ser? ¿Nos recordará después de haber sido? O más bien, la nada que nos precedió y que nos seguirá, ¿sólo se vuelve consciente en tanto naturaleza, no en tanto nada, gracias a nuestro paso por la vida? La muerte espera al más valiente, al más rico, al más bello. Pero los iguala al más cobarde, al más pobre, al más feo, no en el simple hecho de morir, ni siquiera en la conciencia de la muerte, sino en la ignorancia de la muerte. Sabemos que un día vendrá, pero nunca sabemos lo que es. La esperamos con grados diferentes de aceptación, de furia, de tristeza, de cuestionamiento, de arrepentimiento, de eso que Xavier Villaurrutia llamaba *nostalgia de la muerte*. Hacemos el balance de nuestra vida, pero sabemos que el verdadero fiscal es la muerte y que su veredicto lo conocemos de antemano. Compañera final e inevitable. Pero, ¿amiga o enemiga?

Enemiga y, más que enemiga, rival, cuando nos arrebata a un ser amado. Qué injusta, qué maldita, qué cabrona es la muerte que no nos mata a nosotros, sino a los que amamos. Sin embargo, esa muerte enemiga es la que podemos vencer. A veces, en mis caminatas diarias por el Viejo Cementerio de Brompton en Londres, paso frente a un vasto terreno de cruces blancas. Contrastan con la elaboración suntuaria de la mayoría de los túmulos funerarios del camposanto. Son las sencillas cruces blancas de muchachos muertos en la Primera Guerra Mundial. Leo sobrecogido las fechas de nacimiento y muerte. No he encontrado allí a un solo joven que haya rebasado los treinta años de edad. La muerte de un joven es la injusticia misma. En rebelión contra semejante crueldad, aprendemos por lo menos tres cosas. La primera es que al morir un joven, ya nada nos separa de la muerte. La segunda es saber que hay jóvenes que mueren para ser amados más. Y la tercera, que el muerto joven al que amamos está vivo porque el amor que nos unió sigue vivo en mi vida.

¿Son éstas, apenas, consolaciones? ¿Son triunfos sobre la muerte? ¿O, por el contrario, engrandecen su poder? La muerte nos dice: Te engañas, lo que fue ya no es. Le respondemos: Te engañamos, lo que fue no sólo sigue siendo, sino que *es* más que nunca. La muerte se ríe de nosotros. Nos desafía a pensar, no en la muerte del otro, sino en la propia desaparición. Nos reta a creer que la memoria de los que sobreviven será nuestra única vida más allá de la muerte. Y aunque así sea, no lo sabremos nunca. Lo cierto es que los guardianes de la memoria irán desapareciendo también, con la falsa esperanza de que siempre habrá un testigo vivo que los recuerde. La muerte se burla de nosotros: ¿Recordamos a nuestros muertos más allá de la cuarta o quinta generación que nos precede? ¿Hay suficientes leyendas de familia, retratos de los ancestros, hechos memorables, que salven del olvido mortal a la inmensa legión de los antepasados? Después de todo, hay treinta fantasmas detrás de cada individuo.

Si muy pocos pueden rememorar en su genealogía a un héroe o a un genio, todos podemos acercarnos al gran acervo verbal de la muerte por vía de la palabra poética.

Nadie, para mí, se acerca más a mi propio sentimiento mortal que uno de los dos más grandes poetas del Siglo de Oro español (el otro es Góngora), Francisco de Quevedo. Evidencia de la muerte: «¡Cómo de entre mis manos te resbalas! ¡Oh, cómo te deslizas, edad mía!... ¡Oh condición mortal, oh dura suerte! / ¡Que no puedo querer vivir mañana / sin la pensión de procurar mi muerte!» Pero evidencia, también, del amor constante más allá de la muerte: «Alma a quien todo un dios prisión ha sido... / su cuerpo dejará, no su cuidado; / serán ceniza, mas tendrá sentido; / polvo serán, mas polvo enamorado.»

John Donne le da otro giro a la muerte temprana. La joven mujer tenía quince años, dice la *Elegía*, y el destino no le abrió las puertas del porvenir. Se llevó la libertad de su propia muerte, pero convirtió a cada sobreviviente en su delegado a fin de cumplir el destino que pudo ser el de ella. Victoria, así, sobre la muerte: «*For since death will proceed to triumph still, / He can find nothing, after her, to kill.*»

Ésta es la muerte que nos pertenece a todos. La muerte compartida de la palabra que vence a la muerte.

Permanece, sin embargo, el hecho de que, precedidos o sucedidos, olvidados o recordados, morimos solos y, radicalmente, morimos para nosotros solos. Quizás no morimos del todo para el pasado, pero ciertamente, morimos para el futuro. Quizás seamos recordados, pero nosotros mismos ya no recordaremos. Quizás muramos sabiendo todas las cosas del mundo, pero de ahora en adelante, nosotros mismos seremos cosa. Vimos y fuimos vistos por el mundo. Ahora el mundo seguirá siendo visto, pero nosotros nos habremos vuelto invisibles. Puntuales o impuntuales, vivimos de acuerdo con los horarios de la vida. Pero la muerte es el tiempo sin horas. ¿Tendré más gloria que la de imaginar que mi muerte es singular, sólo para mí, butaca preferente en el gran teatro de la eternidad?

Hay quienes esperan que la muerte los libere de su propia memoria. Muchos suicidas. Hay quienes lamentarán toda la vida (la que les resta) no haber prestado atención, no haber tendido la mano o escuchado a la persona que se fue para siempre. Hay el silencio del amor viril que debe esperar hasta la muerte para manifestarse, diciéndole al muerto lo que jamás, por pudor, le dijimos al vivo. Tejido de pesares y arrepentimientos que son como la segunda mortaja del muerto. Y éste, ¿habrá ejercido el derecho de llevarse un secreto a la tumba? ¿No es éste uno de los grandes derechos de la vida: saber que sabemos algo que jamás diremos?

No queremos, por más negaciones y fatalidades que se acumulen sobre nuestras cabezas, por más testimonios y certezas de lo imposible que nos presente la fiscalía de la muerte, renunciar a la convicción de que la muerte no es la nada, es algo, es valiosa, aunque ella misma nos diga lo contrario. Creemos que la muerte de hoy dará presencia a la vida de ayer. Con Pascal repetimos:

«Nunca digas "lo he perdido". Mejor di: "lo he devuelto".» Piensa que es cierto. Hay quienes mueren para ser amados más. Piensa que el muerto amado vive porque el amor que nos unió está vivo en mi vida. Piensa que sólo lo que no quiere sobrevivir a todo precio tiene la oportunidad de vivir realmente. Querer sobrevivir a todo precio es la maldición del vampiro que nos habita.

Es, también, la oportunidad erótica. En *Cumbres borrascosas*, Cathy y Heathcliff están unidos por una pasión que se reconoce destinada a la muerte. La sombría grandeza de Heathcliff está en que sabe que todos sus actos sociales, la venganza, el dinero, la humillación de quienes lo humillaron, el tiempo de la infancia compartido con Cathy, no regresarán. Cathy también lo sabe y por ello, porque «yo soy Heathcliff», se adelanta a la única semejanza con la tierra perdida del amor original: la tierra de la muerte. Cathy muere para decirle a Heathcliff, la muerte es nuestro hogar verdadero, reúnete aquí conmigo. La muerte es el reino verdadero de Eros, donde la imaginación erótica suple las ausencias físicas, sobre toda la separación radical que es la muerte.

La muerte, dice Georges Bataille en su maravilloso ensayo sobre *Cumbres borrascosas*, es el origen disfrazado. Puesto que el regreso al tiempo original del amor es imposible, la pasión de los amantes sólo puede consumarse en el tiempo eterno e inmóvil de la muerte. La muerte es un instante sin fin. ¿Por qué? Porque la muerte, radicalmente, ha renunciado al cálculo del interés. Nadie, muerto, puede decir «esto me conviene o no me conviene», «gano o pierdo», «subo o bajo». Éste es, en *Pedro Páramo* de Juan Rulfo, el triunfo final del novelista sobre su propio personaje cruel, calculador y, a diferencia de Heathcliff, anclado en la inmortalidad de un amor no correspondido hacia Susana San Juan. A cambio de esta derrota, Rulfo nos introduce, junto con todo un pueblo —Comala—, a nuestra propia muerte. Gracias al novelista, hemos estado presentes en nuestra muerte. Estamos mejor preparados para entender que no existe la dualidad vida y muerte o la opción vida o muerte, sino que la muerte es parte de la vida, todo es vida. Imaginemos entonces que cada niño que nace cada minuto reencarna a cada una de las personas que mueren cada minuto. No es posible saber a quién reencarnamos porque nunca hay testigos actuales que reconozcan al ser reencarnado. Pero si hubiese un solo testigo capaz de reconocerme como el otro que fui, ¿entonces, qué? Me detiene en una calle... antes de descender de un auto o de entrar a un restorán... me toma del brazo... me obliga a participar de una vida pasada que fue la mía. Es un sobreviviente: el único capaz de saber que yo soy una reencarnación. El único capaz de decirme: —Una vida no basta. Se necesitan múltiples existencias para integrar una personalidad.

Pero si no basta una vida para cumplir todas las promesas de nuestra personalidad truncada por la muerte, ¿corremos el peligro de irnos al extremo opuesto y creer que todo es espíritu y nada materia? Eterno aquél, perecedera ésta. ¿O es que nada muere por completo, ni el espíritu ni la materia? ¿Son similares sus desarrollos? Sabemos que los pensamientos se transmiten, más allá de la muerte. ¿Pueden transmitirse, también, los cuerpos?

Las ideas nunca se realizan por completo. A veces se retraen, invernan como algunas bestias, esperan el momento oportuno para reaparecer. El pensamiento no muere. Sólo mide su tiempo. La idea que parecía muerta en un tiempo reaparece en otro. El espíritu no muere. Se traslada. Se duplica. A veces suple, e incluso, suplica. Desaparece, se le cree muerto. Reaparece. En verdad, el espíritu se está anunciando en cada palabra que pronunciamos. No hay palabra que no esté cargada de olvidos y memorias, teñida de ilusiones y fracasos. Y sin embargo, no hay palabra que no venza a la muerte porque no hay palabra que no sea portadora de una inminente renovación. La palabra lucha contra la muerte porque es inseparable de la muerte, la hurta, la anuncia, la hereda... No hay palabra que no sea portadora de una inminente resurrección. Cada palabra que decimos anuncia, simultáneamente, otra palabra que desconocemos porque la olvidamos y una palabra que desconocemos porque la deseamos. Lo mismo sucede con los cuerpos, que son materia. Toda materia contiene el aura de lo que antes fue y el aura de lo que será cuando desaparezca. Vivimos por eso una época que es la nuestra, pero somos espectro de otra época pasada y el anuncio de una época por venir. No nos desprendamos de estas promesas de la muerte.

MUJERES

Creo en mujeres. Con sexo. Con nombre. Con biografía. Con experiencia. Con destino. La filósofa judeoalemana Edith Stein (1891-1942), discípula de Edmund Husserl, en 1933 entró en el Carmelo, se convirtió en Sor Benedicta de la Cruz y nunca renunció, sin embargo, a sus raíces hebreas. Alegó que el antisemitismo era un cristicidio y cuando en 1933 el Papa Pío XI dijo textualmente, «La Iglesia ora por el pueblo judío, portador de la Revelación hasta la llegada de Cristo», Edith Stein se siente con derecho a pedirle a su sucesor, Pío XII —Eugenio Pacelli— una encíclica para proteger a los judíos. «Espiritualmente, todos somos judíos», le dice la monja hebrea al pontífice progermano. No obtiene respuesta. Pío XII no protegerá a los judíos y Edith Stein será arrebatada a la protección de la Iglesia y deportada por los nazis, a pesar de ser monja, al primer campo de concentración, Dachau. ¿Quién puede ignorar estos hechos y hablar del destino de las mujeres en la historia, nuestra historia? Edith Stein murió en Auschwitz en 1942. Antes, había dicho: «La razón nos divide. La fe nos une», en su libro *La ciencia de la cruz*. Yo supe de Edith Stein y la leí muy joven, a los diecinueve años, gracias al malogrado filósofo mexicano Jorge Portilla, un devoto de esta mujer y pensadora mártir. Pero «mártir» quiere decir, etimológicamente, «testigo».

Anna Ajmátova (1889-1966) fue, con la sola posible excepción de Osip Mandelstam, el/la poeta rusa más grande del siglo XX. Los hombres la amaron pero no la comprendieron. Todos lo admitían: Anna era más orgullosa y más inteligente que ellos. Detrás de su fragilidad aparente había una férrea voluntad. Fragilidad y voluntad le dieron alas a su maravillosa poesía, acaso condensada en un poema que funde en un solo reconocimiento terreno y eterno al escritor y al lector: «Nuestro tiempo en la tierra es pasajero. / La ronda prevista es restrictiva. / Pero el lector —el amigo constante del poeta / Es devoto y duradero.» Esta inmensa fe en la poesía fue la grandeza pero también la cadena de Anna Ajmátova. Resuelta a seguir su camino libre fuera de las restricciones de Zhdanov y el «realismo socialista», fue calumniada y perseguida por Stalin. El sagaz dictador vio en Ajmátova una fuerza doble, peligrosa, intolerable; ser mujer y ser poeta. Disputarle una parcela de gloria al poder: «Yo tomo de la derecha y de la izquierda... Y todo del silencio de la noche», escribió, advirtiendo, para que el tirano no se engañase, que el coro de la poesía siempre está «en la otra orilla del infierno». En 1935, su poesía es prohibida por el régimen, se le tilda de «puta» y «contrarrevolucionaria». Sus poemas sólo permanecen en la memoria de quienes los leyeron a tiempo. Pero la guerra le devuelve popularidad y honores: su voz resuena con los tonos más profundos de la tradición literaria rusa y de la resistencia de su pueblo. Es consagrada. Demasiado consagrada. Sus poemas y conferencias en defensa de la ciudad sitiada, Leningrado, le otorgan popularidad, ovaciones, premios. Pero ella sabe que «como un vampiro, el verdugo siempre encontrará una víctima, sin la cual no puede vivir». El verdugo espera en la sombra. Al terminar la guerra, Stalin se pregunta si esta mujer independiente y genial no merece, cuanto antes, perder la ilusión de que, por haber contribuido a la victoria, ha ganado su libertad. Ordena que se le despoje de libertad y gloria. Pierde su apartamento, sus ingresos como escritora. Vive en la miseria, el frío, el hambre. Subsiste gracias a la caridad de sus amigos. Y para acabar de una vez por todas con cualquier pretensión de que la libertad creativa no tiene un altísimo precio, su hijo es enviado a un campo de concentración. Liberado en 1956, el hijo y la madre ya no se reconocen. No tienen nada que decirse. El hijo traslada a la madre el rencor de su propio sufrimiento. «Mis contemporáneos y yo podemos contaros —dice Ajmátova en su gran *Poema sin héroe*— cómo vivimos en miedo inconsciente. Cómo criamos hijos para el verdugo, hijos para la prisión y la cámara de torturas...» Con razón dice que «rara vez visito a la memoria y cuando lo hago me siento siempre sorprendida». Es mejor pegar el oído a la hiedra y convencerse de que «algo pequeño ha decidido vivir». Cuando murió Ajmátova, la fila de dolientes afuera de la Casa del Escritor en Moscú se extendió a lo largo de varias cuadras. Éste es su testamento: «Ni siquiera hoy conocemos bien el mágico coro de poetas que son nuestros, ni siquiera hoy entendemos que la lengua rusa es joven y flexible, ni siquiera hoy sabemos que apenas hemos empezado a escribir poesía, que la amamos y creemos en ella...» Dicen que siempre caminó con paso firme y sereno. Dicen que jamás se dejó vencer por los intentos de humillarla.

La filósofa judeofrancesa Simone Weil (1909-1943) fue discípula de Alain y su mandato de re-pensarlo todo a partir de la lectura, cada año, de un filósofo y un poeta, v.g., Platón y Homero. Alain decía no ser ni comunista ni socialista. «Pertenezco a la eterna izquierda, la que nunca ejerce el poder que por esencia se inclina al abuso.»

Pero Simone Weil no sólo lo re-pensó todo. Quiso convertir su pensamiento en acción, ponerlo a prueba en la calle, en la fábrica, en el campo de batalla. Como estudiante, es conocida como La Virgen Roja y su manera de ser de izquierda es entrar a trabajar a una fábrica, luego luchar contra el fascismo en España, luego rechazar el «patriotismo de la Iglesia» y las voces católicas de Francia que dicen: «Mejor Hitler que el Frente Popular.» Pero Simone Weil también rechaza el comunismo soviético después de conocer las purgas de Stalin. Ésta es su convicción: «Dentro de poco, se reconocerá a los revolucionarios auténticos porque serán los únicos que no hablarán de revolución. Nada en el presente merece ese nombre.» Mientras más echa raíces en la tierra del trabajo y la política, más atraída se siente —entre la gravedad y la gracia— por Dios. Será, sin embargo, una cristiana fuera de la Iglesia, a la que ve como una estructura dogmática y burocrática. Ella quiere estar con Dios y actuar libremente. Y estará con Dios porque está convencida de que «lo único que creó Dios fue el amor y los medios para el amor». Dios existe —dice Simone Weil— porque mi amor no es ilusorio. Por ello se siente dueña de su libre arbitrio. De su libertad depende su aceptación o rechazo de Dios. El 15 de abril de 1943,

Simone Weil muere de inanición en un hospital inglés. Se le prohibió unirse a la Resistencia en Francia. Entonces ella se negó a comer más que la ración diaria de un prisionero en un campo, a pesar de que la minaba la tuberculosis. He creído toda mi vida en Simone Weil, desde que leí su maravilloso ensayo *La «Ilíada», poema del poder* y me aprendí de memoria las lecciones que Simone deriva de Homero: «Nada está a salvo del destino. Nunca admires al poder, ni odies al enemigo, ni desprecies al que sufre.»

NOVELA

¿Qué puede decir la novela que no pueda decirse de ninguna otra manera? Ésta es la pregunta radical de Hermann Broch. La contesta, concretamente, una constelación de novelistas tan extensa y tan diversa que le da un nuevo, más amplio y aún más literal sentido al sueño de una *weltliteratur* imaginada por Goethe: una literatura mundial. Si el siglo XIX en su primera mitad le perteneció, según Roger Caillois, a la literatura europea y la segunda a la rusa, la primera mitad del siglo XX a la norteamericana y la segunda a la latinoamericana, al iniciarse el siglo XXI podemos hablar de una novela universal que abarca desde Günter Grass, Juan Goytisolo y José Saramago en Europa hasta Susan Sontag, William Styron y Philip Roth en Norteamérica hasta Gabriel García Márquez, Nélida Piñón y Mario Vargas Llosa en Latinoamérica, a Kenzaburo Oé en Japón, a Anita Desai en India, a Naguib Mahfuz y Tahar Ben-Jelum en el norte de África, a Nadine Gordimer, J. M. Coetzee y Athol Fuggard en Sudáfrica. Tan sólo Nigeria, desde el «corazón de las tinieblas» de las ciegas concepciones eurocentristas, tiene hoy tres grandes narradores: Wole Soyinka, Chinua Achebee y Ben Okri.

¿Qué une a estos grandes novelistas, más allá de sus nacionalidades? Dos cosas indispensables a la novela... y a la sociedad. La imaginación y el lenguaje. Ellos dan respuesta a la interrogante que distingue a la novela de la información periodística, científica, política, económica y aun filosófica. Le dan realidad verbal a la parte no escrita del mundo. Y participan del urgente temor del autor de literatura: Si no escribo esta palabra, no la escribirá nadie. Si no digo esta palabra, el mundo se hundirá en el silencio (o en el rumor y la furia). Y una palabra no escrita o no dicha nos condena a morir mudos e infelices. Sólo lo dicho es dichoso y sólo lo no dicho es desdichado. Al decir —dichosa—, la novela hace visible la parte invisible de la realidad. Y lo hace de una manera imprevista por los cánones realistas o psicológicos del pasado. A la manera plena (plenipotenciaria) de Bajtin, el novelista emplea la ficción como una arena donde no sólo se dan cita los personajes, sino también los lenguajes, los códigos de conducta, las eras históricas más remotas y los múltiples géneros, derrumbando barreras artificiales y ensanchando, constantemente, el territorio de la presencia humana en la historia. La novela acaba por re-apropiar lo mismo que ella no es: ciencia, periodismo, filosofía...

Es por ello que la novela no sólo refleja realidad, sino que crea una realidad nueva, una realidad que antes no estaba allí (Don Quijote, Madame Bovary, Stephen Dedalus) pero sin la cual ya no podríamos concebir la realidad misma. Así, la novela crea un nuevo tiempo para los lectores. El pasado es rescatado de los museos; el futuro, de convertirse en una inalcanzable promesa ideológica. La novela convierte el pasado, en memoria, y el futuro, en deseo. Pero ambos ocurren hoy, en el presente del lector que, leyendo, recuerda y desea. Hoy, Don Quijote sale a combatir molinos que son gigantes. Hoy, Emma Bovary entra a la botica del farmacéutico Homais. Hoy, Leopold Bloom vive un solo día de junio en Dublín. William Faulkner lo dijo mejor que nadie: «Todo es presente, ¿entiendes? Hoy sólo terminará mañana y mañana empezó hace diez mil años.»

De esta manera, el reflejo del pasado aparece como la profecía de la narrativa del futuro. El novelista, con más puntualidad que el historiador, nos dice siempre que el pasado no ha concluido, que el pasado ha de ser inventado a cada hora para que el presente no se nos muera entre las manos. La novela dice lo que la historia no dijo, olvidó o dejó de imaginar. Doy un ejemplo latinoamericano, el de la Argentina, el país nuestro con menos pasado pero con mejores escritores. Un viejo chiste dice que los mexicanos descendemos de los aztecas y los argentinos descienden de los barcos. País nuevo, de inmigración reciente, por eso mismo la Argentina ha debido inventarse una historia más allá de la historia, una historia verbal que dé respuesta al solitario y desesperado grito de las culturas: por favor, *verbalízame.*

Borges, desde luego, es el ejemplo mayor de esta otra historicidad que compensa la falta de ruinas mayas y belvederes incásicos. De cara al doble horizonte argentino —la Pampa y el Atlántico—, Borges responde con el espacio total del *Aleph*, el tiempo total de *El jardín de los senderos que se bifurcan* y el libro total de *La biblioteca de Babel* —para no recordar la incómoda mnemotecnia total de *Funes el memorioso.*

La historia como ausencia. Nada suscita tanto miedo. Pero nada, también, provoca respuesta más intensa que la imaginación creativa. El escritor argentino Héctor Libertella nos da la respuesta irónica a semejante dilema. Arroja una botella al mar. Dentro de ella, va la única prueba de que Magallanes circunnavegó la tierra: el diario de Pigafetta. La historia es una botella arrojada al mar. La novela es el manuscrito encontrado en la botella. El pasado remoto se reúne con el más inmediato presente cuando, avasallada por una atroz dictadura, toda una nación desaparece y sólo es preservada en las novelas argentinas de Luisa Valenzuela o en las chilenas de Ariel Dorfman. ¿Dónde ocurren, entonces, las maravillosas invenciones históricas de Tomás Eloy Martínez —*La novela de Perón* y *Santa Evita*—? ¿En el pasado necrófilo de la política argentina, o en un futuro inmediato donde el humor del autor hace presente —y presentable— el pasado, haciéndolo sobre todo, legible?

Quiero creer que esta manera de ficcionalizar llena una urgente necesidad del mundo moderno o posmoderno, como gustéis. Después de todo, la modernidad es un proyecto sin fin, perpetuamente inacabado. Lo que ha cambiado, acaso, es la percepción expresada por Jean Baudrillard de que «el futuro ha llegado, todo ha llegado, todo está aquí...». A esto me refiero cuando hablo de una nueva geografía de la novela, gracias a la cual no se puede entender el presente estado de la literatura, digamos, en Inglaterra, sin referencia a las novelas en inglés escritas por autores de la antigua periferia del Imperio Británico —*The empire Strikes Back*— con rostros multirraciales y multiculturales.

V. S. Naipaul, hindú de Trinidad; Breyten Breitenbach, boer holandés de Sudáfrica; Margaret Atwood del Canadá angloparlante; pero también Marie-Claire Blais del Canadá francoparlante y, del Canadá también, Michael Ondatjee por vía de Sri Lanka. El archipiélago británico incluye a otras islas internas y externas: la Escocia de Alisdair Gray, el País de Gales de Bruce Chatwin, la Irlanda de Edna O'Brien y hasta el Japón de Katzuo Ishiguro. No habría novela norteamericana para ampliar la diversificación cultural, racial y de género, sin la afroamericana Toni Morrison, sin la cubano-americana Cristina García, sin la méxico-americana Sandra Cisneros, sin la indoamericana Louise Erdrich o sin la sinoamericana Amy Tan: Cherezadas modernas todas ellas, que al contar un cuento cada noche, aplazan nuestra muerte cada día...

Jean François Lyotard nos dice que la tradición occidental ha agotado lo que él llama «la metanarrativa de la liberación». Sin embargo, el fin de dichas «metanarrativas» de la modernidad ilustrada, ¿no anuncia la multiplicación de las «multinarrativas» provenientes de un universo policultural y multirracial que trasciende el dominio exclusivo de la modernidad occidental?

La «incredulidad hacia las metanarrativas» de la modernidad occidental quizás está siendo desplazada por la credibilidad hacia las polinarrativas que hablan en nombre de múltiples proyectos de liberación humana, nuevos deseos, nuevas exigencias morales, nuevos territorios de la presencia humana en el mundo.

Esta «activación de las diferencias», como las llama Lyotard, es sólo una manera de decir que en nuestro mundo de la posguerra fría (y si Bush Jr. se sale con la suya, de la paz caliente) no es un mundo, a pesar de las realidades globalizantes, que se esté moviendo hacia una unidad ilusoria y acaso dañina, sino hacia una diferenciación mayor y más sana, aunque a menudo, también, conflictiva. Lo digo como latinoamericano. La preocupación nacionalista de la identidad que tanto nos absorbió a lo largo de nuestra vida independiente, de Sarmiento a Martínez Estrada en la Argentina, de González Prada a Mariátegui en Perú, de Hostos en Puerto Rico a Rodó en Uruguay, de Fernando Ortiz a Lezama Lima en Cuba, de Henríquez Ureña en Santo Domingo a Picón Salas en Venezuela, de Reyes a Paz en México, Montalvo en Ecuador y Cardoza y Aragón en Guatemala, contribuyó a dotarnos, precisamente, de una identidad. Ni mexicano duda que es mexicano, ni un brasileño, brasileño, ni un argentino, argentino. Pero el premio acarrea una nueva demanda: transitar de la identidad a la diversidad. Diversidad moral, política, religiosa, sexual. Sin el respeto a la diversidad fundada en la identidad, no tendremos, en Latinoamérica, libertad.

Doy el ejemplo que me es más próximo —la América indo-afro-latina— para reforzar el argumento de la novela como factor de diversificación y multiplicidad culturales en el siglo XX. Entramos al mundo que Max Weber anunció como un «politeísmo de valores». Todo, las comunicaciones, la economía, la ciencia y la tecnología, pero también las demandas étnicas, los nacionalismos redivivos, el retorno de las tribus con sus ídolos, la coexistencia de un progreso vertiginoso con la resurrección de cuanto creíamos muerto. La variedad y no la monotonía, la diversidad más que la unidad, el conflicto más que la tranquilidad, definirán la cultura de nuestro siglo.

La novela es una re-introducción del ser humano en la historia. En una gran novela, el sujeto es presentado de nuevo a su destino y su destino es la suma de su experiencia: fatal y libre. Pero en nuestro tiempo, la novela también es una carta de presentación de las culturas que, lejos de haber sido ahogadas por las mareas de la globalidad, se han atrevido a afirmarse con más vigor que nunca. Negativa en los sentidos que todos conocemos (xenofobias, nacionalismos agresivos, primitivismos crueles, perversión de derechos humanos en nombre de la tradición o la opresión del padre, del macho, del clan), la particularidad es positiva cuando afirma valores en peligro de ser olvidados o eliminados y que, en sí mismos, son valladares contra los peores impulsos del tribalismo.

No hay novela sin historia. Pero la novela, introduciéndonos en la historia, también nos permite buscar el camino fuera de la historia a fin de ver claramente a la historia y ser, auténticamente, históricos. Estar inmersos en la historia, perdidos en sus laberintos sin reconocer las salidas es, simplemente, ser víctimas de la historia.

Introducción del ser histórico en la historia. Introducción de una civilización en otras. Ello requerirá una aguda conciencia de nuestra propia tradición a fin de darle la mano a las tradiciones de los otros. ¿Qué une a toda tradición sino ser requisito para construir, sobre ella, una nueva creación?

Tal es el problema que resuelven, con brillo, nuevos novelistas mexicanos como Jorge Volpi, Ignacio Padilla y Pedro Ángel Palou.

Toda novela, como toda obra de arte, se compone simultáneamente de instantes aislados y de instantes continuos. El instante es la epifanía que, con suerte, cada novela encierra y libera. Los instantes más delicados y fugitivos, como los describe Joyce en el *Retrato del artista adolescente*, «una súbita manifestación espiritual surgida en medio de los discursos y los gestos más ordinarios».

Surgida también, sin embargo, en medio de un evento histórico continuo, tanto que no admite ni principio ni fin, ni origen teológico ni *happy ending* ni final apocalíptico, sino una declaración de la interminable multiplicación del sentido y en contra de la consoladora unidad de una sola lectura, ortodoxa, del mundo. «La historia y la felicidad rara vez coinciden», escribió Nietzsche. La novela es prueba de ello, y en Latinoamérica ganamos la novela de la advertencia cuando perdimos el discurso de la esperanza.

Nueva novela: hablo de un paso incierto aún, pero necesario quizás, de la identidad a la alteridad; de la reducción a la ampliación; de la expulsión a la inclusión; de la parálisis al movimiento; de la unidad a la diferencia; de la no contradicción a la contradicción permanente; del olvido a la memoria; del pasado inerte al pasado vivo; y de la fe en el progreso a la crítica del porvenir.

Son éstos los ritmos, los sentidos, de la novedad en la narrativa... quizás. Pero sólo que, con ellos, con todas las obras que los liberan, alcancemos la magnífica potencialidad para crear imágenes que José Lezama Lima le otorga a las «eras imaginarias». Pues si una cultura no logra crear una imaginación, resultará históricamente indescifrable, añade el autor de *Paradiso*.

La novedad de la novela nos dice que nuestra humanidad no vive en la helada abstracción de lo separado, sino en el pulso cálido de una variedad infernal que nos dice: No somos aún. Estamos siendo.

Esa voz nos cuestiona, nos llega desde muy lejos pero también desde muy adentro de nosotros mismos. Es la voz de nuestra propia humanidad revelada en las fronteras olvidadas de la conciencia. Proviene de tiempos múltiples y de espacios lejanos. Pero crea, con nosotros, para nosotros, el terreno donde podremos juntarnos y contarnos historias.

La imaginación y el lenguaje, la memoria y el deseo, son no sólo la materia viva de la novela, sino el sitio de encuentro de nuestra humanidad inacabada. La literatura nos enseña que los máximos valores son los valores compartidos. Los novelistas latinoamericanos compartimos las palabras de Italo Calvino cuando afirma que la literatura es un modelo de valores, capaz de proponer escenarios de lenguaje, visión, imaginación y correlación de eventos. Nos reconocemos en William Gass cuando nos hace comprender que el cuerpo y el alma de una novela son su lenguaje y su imaginación, no sus buenas intenciones: la conciencia que la novela altera, no la conciencia que conforta. Fraternizamos con nuestro gran amigo Milan Kundera cuando nos recuerda que la novela es una perpetua re-definición del ser humano como problema.

Todo ello implica que la novela se formule a sí misma como incesante conflicto de lo que aún no se ha revelado, recuerdo de cuanto ha sido olvidado, voz del silencio y alas para el deseo de cuanto ha sido rebajado por la injusticia, la indiferencia, el prejuicio, la ignorancia, el odio o el miedo.

Para lograrlo, debemos vernos y ver al mundo como proyectos inacabados, personalidades permanentemente incompletas y voces que no han dicho su última palabra. Para lograrlo, debemos articular sin fatiga una tradición y patrocinar las posibilidades de ser hombres y mujeres que no sólo estamos en la historia, sino que hacemos la historia. Un mundo en rápida transformación propone, como lo sugiere Kundera, redefinirnos constantemente como seres problemáticos, acaso enigmáticos, pero jamás como portadores de respuestas dogmáticas o de realidades concluidas. ¿No es esto lo que mejor define a la novela? La política puede ser dogmática. La novela sólo puede ser enigmática.

La novela gana el derecho de criticar al mundo demostrando, en primer lugar, su capacidad para criticarse a sí misma. Es la crítica de la novela por la novela misma lo que revela tanto la labor del arte como la dimensión social de la obra. James Joyce en *Ulises* y Julio Cortázar en *Rayuela* son ejemplos superiores de lo que quiero decir: la novela como crítica de sí misma y de sus procederes. Pero ésta es una herencia de Cervantes y de los novelistas de la Mancha.

La novela nos propone la posibilidad de una imaginación verbal como realidad no menos real que la historia misma. La novela constantemente anuncia un nuevo mundo: un mundo inminente. Porque el novelista sabe que después de la terrible violencia dogmática del siglo XX, la historia se ha convertido en una posibilidad, nunca más en una certeza. Creemos conocer al mundo. Ahora, debemos imaginarlo.

ODISEA

El lenguaje es creación del tiempo. El eterno presente es el tiempo del lenguaje mítico. Es el lenguaje de la aspiración a ser uno, completo, como en el origen: Antes del primer sacrificio, antes del primer asesinato, antes de la primera violación, antes del primer testimonio de la muerte. Todo, en las culturas del origen, es rememoración, representación del instante privilegiado anterior a la separación. Los mitos tratan de ilustrar, una y otra vez, el anhelo del retorno a la edad primera, «la edad de oro». El propósito del presente eterno —el mito— es re-ligarnos (re-ligión) con el mundo natural a punto de convertirse en el mundo humano.

De Vico a Lévi-Strauss, mito y lengua se identifican. La paradoja de que un sonido animal (el *muuuu* vacuno) dé origen tanto a la palabra que *es* (*mitos*, palabra) como a la que *no es* (*mutus*, mudo). Y es que los mitos son como el cristal entre las dos dimensiones de lenguaje. Decir o no decir. Regresar o no regresar. Pues si la nostalgia del lenguaje consiste en darnos una estructura reversible que nos devuelva a la unidad primaria del hombre, la fatalidad del lenguaje es depender de un medio sucesivo e irreversible, la palabra. En el origen mismo del lenguaje está el dilema del lenguaje: ¿Cómo emplear un medio fragmentado y secuencial para crear una impresión de presencia inmediata y completa? Dilema del primer chamán —María Sabina, que es todos los chamanes— y del último —James Joyce, que es todos los escritores.

La historia es el *locus* privilegiado del tiempo cronológico. De allí su fraternal paralelismo con el destino sucesivo del discurso. Cada paso adelante de la historia y de su servidora, la palabra (pues la historia es sólo lo que sobrevive, dicho o escrito, sobre la historia), es un paso que nos aleja de los orígenes. Las culturas llamadas «primitivas» (que no son primitivas, sino diferentes) rehúsan el acelerador de la historia. La vida y pasión de Cristo sucede, para la cultura de Occidente, entre dos fechas históricas: los reinados de Augusto y de Tiberio. Traspuesta a la cultura de los indios coras de Nayarit en México, la Semana Santa no celebra el sacrificio de un dios histórico, Jesús, sino el del dios del origen que, en el amanecer de los tiempos, vierte su sangre para que crezca el maíz. El precio de la unidad comunitaria de los mundos míticos es el aislamiento. El precio de la traducción individual del mito se llama libertad, y libertad significa falibilidad.

Como todas las culturas, la de Grecia se manifestó originalmente en el mito: memoria del alba, espacio del hogar, llama de las genealogías. Pero Grecia es la primera civilización que viaja. Y al des-plazarse (salir de la plaza) debe enfrentarse a lo ajeno. En el desplazamiento, en la *peripecia*, en el trasplante, la cultura griega desplaza (cambia de sitio) al mito y le da dos oportunidades de crecer y transformar la vida humana. Una es la epopeya. Otra es la tragedia.

En la *Odisea*, son los héroes los que viajan y son los dioses quienes les siguen. La ética nace de una identidad normativa entre la sociedad y su manifestación o canto literarios. Los muertos son abandonados en las tumbas del hogar helénico. Son objeto de una memoria angustiada; son los guardianes de una cultura que está corriendo el riesgo de viajar hacia ciudadelas lejanas, reinos ajenos e islas de sirenas tentadoras.

Los dioses acompañan a los héroes y nace la epopeya. Pero el héroe es falible y nace la tragedia. Entre estos tres hitos —mito, épica y tragedia—, la libertad aparece como un valor inevitable. Porque si el héroe puede abandonar el mundo original del mito, no puede separarse del cosmos que lo envuelve, es parte del mundo natural pero se ve a sí mismo como un ser parte de la naturaleza, puesto que su misión es mantener un orden social y político que *diferencia* al hombre de la naturaleza. Cuando el héroe es capaz de soportar este peso, es un héroe épico: Aquiles. Cuando no lo soporta o lo transgrede, es un héroe trágico: Edipo.

¿Por qué transgrede el héroe trágico? Porque es libre. ¿Por qué es libre? Porque es parte de la naturaleza pero se aparta de la naturaleza. ¿Cómo sabe esto el héroe? Mediante la conciencia de sí. ¿Y cómo se conoce a sí mismo? Mediante la acción. Aristóteles advirtió que la tragedia es la imitación de la acción. Y la acción humana no sólo afirma valores. Los perturba y a veces los destruye. Hay que pagar la falta.

Edipo libera a Tebas de la esfinge. Se condena a sí mismo. Orestes asesina a su madre. Re-establece el orden de la ciudad. Prometeo libera a los hombres entregándoles el divino fuego de la inteligencia. Al hacerlo, se condena a sí mismo y propone el dilema trágico a su más alto nivel: ¿Hubiera sido más libre Prometeo si no usa su libertad, aunque al usarla la pierda? La filósofa andaluza María Zambrano, enamorada de su hermana moral Antígona, nos da la clave del alumbramiento trágico. Sin Antígona, sin su tragedia, el proceso de la ciudad no habría podido proseguir.

Y es que la tragedia, al fin y al cabo, propone un conflicto de valores, no de virtudes. Acostumbrados a vivir en un mundo melodramático donde el bueno y el malo se enfrentan, hemos perdido la sabiduría y la generosidad del mundo trágico, donde las partes en conflicto tienen, cada una, razón: Antígona, al defender el valor de la familia; Creonte, al defender el valor de la ciudad. Otorgarle la solución del conflicto a la comunidad que contiene al individuo y a la sociedad, a la familia y a la ciudad, es la misión del teatro trágico. Los valores no se destruyen entre sí. Pero deben *esperar la representación* que les permite re-unirse, resolverse el uno en el otro y restaurar la vida individual y colectiva. Medea, madre y amante; Antígona, hija y ciudadana; Prometeo, dios y hombre, mediante la catarsis trágica, reconstruyen la vida de la comunidad. El teatro trágico, en la catarsis, permite que la catástrofe se transmute en conocimiento.

La pérdida de la tragedia, eliminada por un optimismo sobrenatural (la promesa cristiana de la felicidad eterna) y otro demasiado natural (la promesa progresista de la felicidad en la tierra), nos dio, en su lugar, el crimen. No creer en el Demonio es darle todas las oportunidades de sorprendernos, dijo André Gide. Beatíficamente confiados en que nuestro destino era el ascenso inevitable hacia la felicidad perfecta mediante el progreso irreversible, llegamos ciegos a la tierra del crimen: el

Holocausto nazi, el Gulag soviético. Nunca más seremos los de antes. El mito ha huido de nuestro alcance. Estamos demasiado dañados, en las palabras de Adorno. No hay épica posible cuando las guerras desde el aire dejan indemnes a los soldados y sólo matan a los civiles. No hay tragedia cuando el melodrama maniqueo inunda sin resquicios nuestra vida entera, nuestros discursos, nuestras pantallas y nuestros sentimientos. Sabemos, de antemano, quiénes son los «buenos» y quiénes, los «malos».

Y sin embargo, encuentro un eco conmovedor y un perfil de la esperanza entre dos sentencias. Una es de Franz Kafka, el más grande escritor trágico de la modernidad. Otra es de Simone Weil, la mayor testigo judeocristiana de la validez concreta de la épica clásica. «Habrá mucha esperanza, pero no para nosotros», escribe Kafka. Y Weil, releyendo la *Odisea*, concluye que la lección contemporánea del poema clásico es que «quienes soñaron que el progreso había desterrado para siempre a la violencia, pueden mirarse aquí en el testimonio vivo de la fuerza».

POLÍTICA

La política fue como mi segundo líquido amniótico: crecí nadando en ella, pues entre 1930 y 1960 —mis primeros treinta años— lo mejor y lo peor de la *polis* desfilaron ante mi mirada. Lo mejor fue tener desde muy pronto un concepto constructivo y aristotélico del quehacer político: la política como costumbre virtuosa, receptiva de los datos de la cultura, la tradición, el respeto del individuo y el vigor de la colectividad. Claro, no lo pensaba así de niño y adolescente. Lo *sentía* así porque tuve la fortuna de crecer en dos sociedades políticas paralelas: los Estados Unidos del presidente Franklin D. Roosevelt y el México del presidente Lázaro Cárdenas, el New Deal y el punto culminante de la Revolución Mexicana. Roosevelt sacó a su patria de la peor depresión de su historia mediante actos de confianza en el capital humano de los Estados Unidos. Inspiró la fe y hasta el entusiasmo ciudadanos. Pero le dio al Estado un papel activo para atender el desempleo, la reconstrucción financiera, la creación de infraestructuras modernas, la educación y la cultura. Salvó al capitalismo norteamericano y el capitalismo norteamericano ni se dio cuenta ni se lo agradeció. Roosevelt el aristócrata de Hyde Park era un renegado, un baldado y quizás hasta un judío. En México, Cárdenas le dio su impulso definitivo a la revolución. La reforma agraria liberó a cientos de miles de campesinos secularmente atados a la tierra y si los efectos del agrarismo fueron y son debatibles, lo cierto es que el campesino liberado pudo marcharse a la ciudad y convertirse en mano de obra barata para el proceso —a la postre también debatible— de la industrialización. La nacionalización del petróleo le dio a la naciente industria mexicana combustible barato. Cárdenas sentó las bases del desarrollo capitalista en México. La burguesía mexicana ni se lo reconoció ni se lo agradeció. Y es que con Cárdenas, el crecimiento fue acompañado de la justicia distributiva. Nunca en la historia de México ha sido más equitativa la repartición de la riqueza que durante el cardenismo. Los sindicatos obreros y agrarios cumplieron entonces su función de defensa del trabajo. Traían en su seno, empero, la serpiente del corporativismo excluyente y antidemocrático.

Las políticas de Roosevelt prepararon a los Estados Unidos para participar en la Segunda Guerra Mundial. Las de Cárdenas, para demostrar que ese combate era también una lucha ética. Su política exterior de principios fue asimismo una política práctica de generosidad. Cárdenas le abrió las puertas de México a la España peregrina, la emigración republicana que fortaleció e ilustró superiormente la vida cultural de México.

Pero si éstas eran las luces de la política, las sombras amenazaban, en esos años, con extinguirlas. La guerra de España fue el primer signo de una política diseñada sin tapujos para el Mal. Franco la disfrazó de cruzada nacionalista, sus obispos la bendijeron y sus aliados nazis y fascistas la armaron. España fue el aviso de lo que venía. Jamás en la historia el Mal se había proclamado a sí mismo Mal, abiertamente, sin justificaciones estéticas de ninguna especie. El genocidio, la tiranía total, el racismo, el exterminio, el Holocausto, la Solución Final. Todo estaba predicho. Adolf Hitler decidió que el Diablo, finalmente, debía encarnar. Si Dios lo hizo con su hijo Jesús, Satanás lo hizo con su clon Adolf. Jaspers nos advirtió a tiempo que la fuerza de Hitler residía en su inexistencia: Hitler era el jefe vacío de las muchedumbres desarraigadas.

La derrota de los socialistas y los comunistas alemanes en 1932 se explica porque la izquierda miraba al mundo en los túneles de las infraestructuras económicas, tal y como lo dictaba la Biblia marxista. Hitler secuestró las superestructuras culturales, miró a lo alto del Valhala, apeló a los mitos wagnerianos, a los sueños y espejismos del *volk* alemán. Al daño y la humillación de la paz de Versalles también, al sentimiento de superioridad intelectual y étnica, a la necesidad física del espacio vital, el *lebensraum*. Su Mal y los recursos de su Mal siempre fueron transparentes. Quizás sea más grave el engaño del estalinismo. Aquí se trataba de llevar a la práctica una filosofía humanista, liberadora. La perversión del sueño socialista por Stalin —las purgas, el Gulag, la abolición de las libertades más elementales, la paranoia del líder y la sevicia de sus suplicios— fue peor que la actualización de la pesadilla hitleriana. Hitler nunca engañó. Stalin se puso la máscara del humanismo marxista y burló a cientos de miles de comunistas honrados, de buena fe, también, ilusos. Si Gide perdió la fe en 1936, Aragon la mantuvo hasta la invasión de Checoslovaquia y Neruda hasta el informe de Jruschov al Vigésimo Congreso del PCUS.

La Segunda Guerra Mundial se justificó. Ha sido llamada la única guerra buena y necesaria. Nuestra solidaridad juvenil se asoció con entusiasmo al combate contra el fascismo. Pasé los años de la guerra en Chile y Argentina. Chile, el primer país latinoamericano que creó, evolutivamente, un sistema democrático —de la democracia para la aristocracia a la democracia para los partidos, la prensa y las organizaciones sociales—, era gobernado en 1941 por el Frente Popular y su presidente, Pedro Aguirre Cerda. Se respiraba un aire de reforma social, avalado por una creación literaria que soldaba palabra y libertad, poesía y política. Mi formación chilena tenía que contrastar brutalmente, en mi ánimo, con la Argentina que viví en 1944. Un régimen militar fascista, precursor sombrío de la dictadura populista de Perón, deformaba la educación (el antisemita Hugo Wast era el ministro del ramo) y mantenía a Argentina como un reducto político del fascismo —reducto y más tarde refugio de los nazis en fuga.

La política podía ser el águila que vuela más alto y ve el panorama más ancho desde «el alto arrecife de la aurora humana» que dice Neruda en su *Canto General* o podía ser la bestia que se arrastra hacia Belén, el monstruo del Apocalipsis de Yeats. La guerra fría trató de enjaular al águila y encantar a la serpiente sustituyéndolas por un híbrido de camello y cuervo, soñoliento animal del desierto, resistente a la sed, y ávida ave, dispuesta a sacarnos los ojos. Los Estados Unidos, con McCarthy, sucumbieron a una paranoia anticomunista que condujo a los inquisidores a emular lo mismo que combatían: la intolerancia y crueldad del estalinismo. La resistencia de las instituciones democráticas norteamericanas privó e incluso, como una prolongación de la lucha social, originó el movimiento de los derechos civiles y las leyes contra la discriminación racial. Hubo un McCarthy. Hubo un Martin Luther King. Pero si dentro de su patria, los norteamericanos pueden ser a menudo el benévolo Dr. Jekyll, fuera de ella se convierten, con facilidad, en el monstruoso Mr. Hyde. La política de Buena Vecindad y coexistencia con la izquierda de México y Chile, el corporativismo de Brasil, o las dictaduras del Caribe y Centroamérica («Somoza es un hijo de puta pero es nuestro hijo de puta»: FDR), se transformaron, a partir de Eisenhower y Dulles, en una campaña anticomunista que confundió con las políticas del Kremlin, y las combatió, las políticas reformistas de Arbenz en Guatemala y Goulart en Brasil, la revolución seducible y comprensible de Castro en Cuba y la limpia democracia electoral de Allende en Chile.

Todo ello retrasó fatalmente las necesarias reformas sociales, económicas y políticas de la América Latina, precipitó a Cuba en una imitación extralógica del «socialismo real» tan perniciosa como la imitación extralógica de los modelos del capitalismo autoritario en el resto de Latinoamérica, que se tradujeron en brutales dictaduras militares en Chile, Argentina y Uruguay. Por cuanto llevo dicho, política es un sinónimo de reconstrucción pero sobre todo de construcción, en Latinoamérica. Chile, Uruguay y hasta cierto punto Argentina pueden *restaurar* una democracia. Centroamérica y el Caribe la tienen que *construir*, México tiene que transformar la «dictadura perfecta» del poder único presidente-PRI en una democracia *imperfecta* de partidos, división de poderes, fiscalización del Ejecutivo, activación del capital humano y mejor distribución del ingreso.

¿Cómo responder a estos desafíos que son los de la

democracia? El entorno mundial ha cambiado radicalmente. Salimos del zoológico, dijo el checo Milos Forman, y entramos a la selva. Sin contrincante comunista al frente, el capitalismo se globalizó. La globalización es el nombre de un sistema de poder. Pero a diferencia de los sistemas de poder anteriores, la globalidad carece de un marco legal bueno o malo, o, dicho de manera más suave, existe un gran déficit político en la mundialización.

A partir de la guerra fría, que creaba una suerte de jurisdicción compartida entre los Estados Unidos y la Unión Soviética y se basaba en el equilibrio del terror nuclear, hemos atestiguado la debilidad y, a veces, la desaparición, de las instancias tradicionales de aglutinación social y solución de problemas.

Nación e Imperio, Estado y Comunidad Internacional, sector público, sector privado y sociedad civil. Todas estas apelaciones tradicionales están hoy, de una manera obvia, a veces paradójica, a veces disfrazada, en crisis o, por lo menos, en mutación.

¿Por qué sucede esto?

Porque no hemos sido capaces de crear una nueva legalidad para una nueva realidad.

El occidente moderno —es decir, a partir del Renacimiento— se estructuró en torno a ideas de escasa relevancia en la Edad Media: La Nación, el Estado, el derecho internacional, la economía mercantil-capitalista y la sociedad civil.

¿Qué relevancia —es más, qué realidad— tienen estas instancias en el mundo actual de la globalidad y la posguerra fría? Como la América Latina está situada dentro de ambas premisas, se pueden aventurar algunas ideas compartidas.

Nación y nacionalismo, por ejemplo, son términos de la modernidad que aparecen para legitimar ideas de unidad territorial, política y cultural, necesarias para la integración de los nuevos estados surgidos de la ruptura de la comunidad medieval cristiana.

Pero, ¿qué es lo que provoca la aparición misma de la ideología nacionalista?

Emile Durkheim habla de la pérdida de viejos centros de identificación y de adhesión.

La Nación los suple.

Isaiah Berlin añade que todo nacionalismo es respuesta a una herida infligida a la sociedad.

La Nación la cicatriza.

Y nosotros, hoy, repetimos con ellos:

Si la ideología nacionalista y la nación misma están en crisis, ¿qué nueva ideología, qué nuevas formas sustentarán a la sociedad?, ¿cuál es hoy nuestra herida social, y qué suturas la podrán cerrar?, ¿cómo se llamará este proceso, aún anónimo, que nos permitirá crear una nueva legalidad para una nueva realidad?

¿Cómo serán suplidos los centros de identificación nacionales, y colectivos?

En respuesta, nos gustaría creer que a medida que se diluyen las instancias nacionalistas, se configuran las instancias internacionalistas.

No es así.

El caso de Kosovo demuestra los peligros y las dudas que embargan al nuevo orden internacional.

La intervención armada contra un Estado delincuente está prevista en la Carta de las Naciones Unidas. Lo que no está previsto es que una organización regional, la OTAN, se arrogue el derecho a la intervención pasando por encima del orden jurídico internacional, sembrando la confusión y la inseguridad y promoviendo un derecho de facto a la injerencia.

No habrá un nuevo orden internacional si se permite a los más fuertes intervenir según su capricho —sólo para encontrarse con dilemas que dañan al derecho, a la seguridad y a las propias potencias injerentes.

Esto no significa que no haya remedio.

Todo lo contrario. La crisis de los Balcanes nos aboca a todos a introducir reformas en un sistema internacional creado para y por medio centenar de naciones vencedoras al terminar la Segunda Guerra Mundial, a fin de darle, hoy, mayor representatividad y mayor agilidad a las instituciones internacionales.

Conversando un día en Roma con el entonces primer ministro italiano, Massimo D'Alema, convencido de que la OTAN debió actuar en Kosovo, confesó que él había procedido con la convicción de estar en lo justo, pero con angustia también y, sobre todo, consciente de que la tragedia pudo evitarse actuando desde hace una década para impedirla con medios diplomáticos y jurídicos. «No ha sido éste el caso», dijo D'Alema, pero a fin de que Kosovo no se repita, lo que corresponde es reformar el sistema internacional creando —cito al Premier italiano— «instrumentos de prevención de las crisis, basándose no sólo en medios militares, sino también en recursos políticos y económicos».

En otras palabras: nueva legalidad para una nueva realidad.

Nos encontramos ante una situación en que la jurisdicción internacional se diluye, pero también las soberanías nacionales, némesis anterior del derecho de gentes, palidecen y se debilitan ante un asalto imprevisto hace medio siglo.

Ese movimiento se llama la globalización y en ella ponen hoy sus esperanzas —pero también en ella ven reflejados sus temores— muchísimos hombres y mujeres en el umbral del siglo XXI.

La globalización somete y hasta descarta la ideología del nacionalismo en la que se fundó el mundo moderno, pero también propone interrogantes críticos, dentro de cada comunidad nacional, al sector público, al sector privado y al tercer sector; a la empresa, a la cultura, a la democracia y al Estado.

Las respuestas políticas a esta transición del Estado-Nación al Mundo Global tardan en llegar, como tardaron en perfilarse el propio Estado-Nación, y las instancias de soberanía, en el movimiento de la Edad Media al Renacimiento. Vale la pena recordar que el propio Medioevo no creó un sistema vertical e inapelable para la comunidad cristiana, sino que se gestó —y gestó a lo que habría de sucederle— mediante un conflicto entre el poder temporal y el poder religioso. Las pugnas entre Gregorio VII y Enrique IV, entre Gregorio IX y Federico Barbarroja y entre Bonifacio VIII y Felipe IV de Francia, crearon una tensión entre la Iglesia y el Estado ausente de la Rusia bizantina y su identificación entre el Zar y la Iglesia —el césaro-papismo vigente hasta la simbiosis Estado-Partido bajo Lenin y Stalin. De la tensión medieval de Occidente nació la democracia, a medida que la esfera temporal se independizó de la esfera espiritual y ambas debieron aceptar y respetar la configuración de poderes locales, políticos (justicias, tribunales, municipios) y sociales (corporaciones) que crearon la posibilidad de un Estado nacional soberano y una nueva serie de debates en torno a esta novedad. La política, para Maquiavelo, es autónoma y amoral. Para Bodino política es inseparable de soberanía y ésta excluye toda participación pluralista. Hobbes invoca un absolutismo naturalista y sólo a partir de la Ilustración, y antes, del parlamentarismo inglés, las clases sociales, las corporaciones y al cabo los individuos, se convierten en actores de la vida política.

¿Asistimos hoy a un movimiento comparable de las marejadas políticas? ¿Lograremos establecer un orden internacional que se imponga a las jurisdicciones sin ley del mercado, del narcotráfico, de las migraciones? ¿Habrá instancias internacionales capaces de regular estos procesos —mercados sujetos a normas de beneficio social y desarrollo de los países más pobres; despenalización global del tráfico de drogas, privando a los cárteles de sus ganancias fabulosas e ilícitas; migraciones protegidas y reguladas por la ley de protección al trabajador y reconocimiento de su indispensable aportación a la sociedad que los recibe? Algunos signos apuntan en esta dirección. La consagración universal de los derechos humanos, el carácter imprescriptible de los crímenes de lesa humanidad, el tribunal internacional de derechos humanos, privan de impunidad a los grandes violadores y crean una cultura de legalidad internacional que podría extenderse a las actividades de los mercados, sujetándolos a normas de beneficio social y de responsabilidad política. La creación del Tribunal Penal Internacional (el Estatuto de Roma) coronará este esfuerzo por dotar de legalidad a la política y castigar la violación de ambas.

Todo ello fortalecerá políticamente al Estado nacional, como lo están demostrando los hechos al iniciarse el siglo XXI. No hay economía fuerte sin Estado fuerte, no grande, sino regulador. Y no hay Estado fuerte sin sociedad fuerte que lo sujete a mandatos políticos, normas de transparencia y fiscalización y no sólo a celebrar elecciones periódicas sino, como dice Pierre Schori, llenar los vacíos entre elección y elección, revocar mandatos, realizar referendos, exigir la responsabilidad parlamentaria de los ministros, contar con un ministerio público independiente y sujetar a juicio los abusos del poder.

La política es algo más que un episodio electoral. Se necesita elevar la participación política, ampliar el acceso a las comunicaciones y asegurar que la gente conozca y reivindique sus derechos. La política tiene que ser un ejercicio diario de derechos y de vigilancias. Más que nunca —y aunque no esté de moda citar a Hegel— la política tiene una tesis: el derecho, una antítesis: la ética, y una síntesis: legalidad y moralidad. Y para compensar a Hegel, quizás nadie mejor que Burke nos recuerda que la política es una asociación, no sólo económica, sino «en todo arte, en toda virtud, en toda perfección».

La suma de mis esperanzas políticas no me ciega ante los peligros de la proliferación de jurisdicciones criminales fuera de todo control; de que una sola superpotencia ponga en jaque la voluntad mundial de crear instancias de justicia, desarrollo y protección del medio ambiente; que en nombre de un supuesto «choque de civilizaciones» se satanice a culturas enteras.

Gracias a Israel, gracias al Islam, Europa volvió a saber, el Occidente volvió a ver y nosotros, sus descendientes, no podemos suscribir la noción de un conflicto de civilizaciones que niega la mitad de nuestro ser. La historia sube y baja, la historia tiene ciclos y si la modernidad occidental no existiría sin los aportes islámicos, hoy el déficit técnico en el Islam sólo puede superarse mediante el pago generoso de una deuda universal hacia las comunidades con fe en Mahoma.

Islam e Israel nos han dado muchísimo a todos. ¿No

podemos devolverles, en primer lugar, una voluntad de paz mediante negociaciones generosas? Y en segundo lugar, un reconocimiento del humanismo mayoritario e intrínseco de los pueblos árabes, rehusándonos a encarcelarlos tras los intolerables barrotes de una sinonimia con el terror y aun, ni más ni menos, con el mal.

De allí mis preocupaciones políticas para el nuevo siglo:

Me preocupa la salvaje explotación de los recursos limitados del planeta y nuestro asalto contra el aire, el agua y la tierra.

Me preocupa que seamos seis mil millones de hombres y mujeres en 2001: el salto demográfico más grande de la historia.

Me preocupa que el prejuicio y la explotación, disfrazados de orden social, le sigan negando a las mujeres —más de la mitad de la población del mundo— derechos elementales de trabajo, representación y libertad corporal.

Me preocupa que la libertad del mercado se imponga, negándola, a la libertad del trabajo.

Me preocupa que la economía global aliente el libre movimiento de las cosas y prohíba el libre movimiento de los trabajadores.

Me preocupa un orden capitalista autoritario en el que, sin enemigo comunista totalitario al frente, se le imponga al mundo un modelo único y dogmático de mercado.

Me preocupa el regreso de los peores signos del fascismo: la xenofobia, la discriminación racial, el fundamentalismo político y religioso, la persecución del trabajador migratorio.

Me preocupa que el imperio de la droga cree su

propia jurisdicción impune, por encima de las jurisdicciones nacionales e internacionales.

Me preocupa el deterioro de la civilización urbana en todo el mundo, de Boston a Birmingham a Bogotá a Brazzaville a Bangkok: gente sin hogar, mendicidad, abandono de la tercera edad, pandemias incontrolables, inseguridad, criminalidad, declive de los servicios de salud y educación...

Me preocupa la reanudación de absurdas carreras armamentistas entre vecinos pobres para beneficio de vecinos ricos.

Me preocupa que por primera vez en la historia el ser humano tenga la espantosa capacidad de suicidarse matando al mismo tiempo a la naturaleza que, antes de la era nuclear, sobrevivía siempre a nuestras trágicas locuras.

Me preocupa un mundo sin testigos.

Me preocupa todo lo que atente contra la continuidad de la vida.

Todo ello es parte de la política, de la vida en comunidad, de la ciudadanía en la *polis*.

QUIJOTE

Michel Foucault ve en la figura de Don Quijote el signo del divorcio moderno entre las palabras y las cosas. Emisario del pasado, Don Quijote busca desesperadamente la coincidencia de unas y otras, como en el orden medieval. El peregrinar quijotesco es una búsqueda de similitudes: las analogías más débiles, observa Foucault, son reclutadas, y rápidamente, por Don Quijote; para él todo es signo latente que debe ser despertado para hablar y demostrar la identidad de las palabras y las cosas: labriegas son princesas, molinos son gigantes, ventas son castillos porque tal es la identidad que las palabras le otorgan a las cosas *en* los libros *de* Don Quijote.

Pero como en la realidad los rebaños son rebaños y no ejércitos de jayanes, Don Quijote, huérfano en el universo donde las palabras y las cosas *ya* no se asemejan, se desplaza solitariamente, encarnando el dilema permanente de la novela moderna que él funda: ¿cómo rescatar la unidad sin sacrificar la diversidad?, ¿cómo mantener al mismo tiempo la analogía vulnerada por la impertinente curiosidad humanista y la diferencia amenazada por el hambre de unidad restaurada? ¿Cómo colmar el abismo abierto entre las palabras y las cosas por el divorcio entre analogía y diferencia?

Don Quijote contiene su propia pregunta y su propia respuesta: el divorcio entre las cosas y las palabras que *antes* coincidieron no puede ser reparado por un nuevo emplazamiento sino por un desplazamiento. Emplazado por el mundo estatuario de la caballería andante, Don Quijote quiere destruir la paradoja de una aventura inmóvil, encerrada en los viejos libros de su biblioteca en una inmóvil aldea de La Mancha, y desplazarse, entrar en movimiento. Así se separaron, en la antigüedad, los hombres de los dioses: desplazándose. Don Quijote cree que viaja para restablecer la unidad del hombre y la fe que es su certeza; en realidad, viaja para encontrarse a sí mismo en una nueva región donde todo se ha convertido en problema, empezando por la novela que Don Quijote vive.

Perpetua invitación a salir de sí y verse a sí mismo y al Mundo como problema inacabado, la novela moderna implica un desplazamiento similar al de Don Quijote, aunque acaso, ni siquiera en sus momentos más experimentales, ninguna otra novela haya podido proponer desplazamientos más radicales que los de Cervantes: radical desplazamiento de la pureza a la impureza y a la disolución de los géneros, de la autoridad narrativa clásica a la manifestación de puntos de vista múltiples, del residuo oral y tabernario de la narración a la plena conciencia cervantina de que la novela es leída por un lector y estampada en una imprenta, *Don Quijote* es una novela, para usar las palabras de Claudio Guillén, en *diálogo activo* consigo misma. Su desplazamiento de los géneros, las autoridades y los destinatarios del hecho verbal impone a la novela un destino abierto, perpetuamente inconcluso, incesantemente *re*definido: la novela es el arte de los desplazamientos.

Don Quijote es la primera novela moderna y su paradoja histórica es que surja de la España de la Contrarreforma, la Inquisición, los dogmas de la pureza de sangre y la ortodoxia católica. La España que al expulsar a los judíos en 1492 y a los moros en el 1603, exilió la mitad de sí misma. Don Quijote es una paradoja de la paradoja. Es un lector de libros de caballería que quisiera restaurar los valores medievales del honor, la justicia y el coraje y para hacerlo sale de su casa a los campos de Castilla, montado en un caballo derrengado y acompañado de un escudero pequeñín y regordete sobre un burro.

Don Quijote es un lector. Pero a pesar de su nostalgia por la Edad Media, es un lector moderno que lee sus libros en impresiones debidas al genio del editor alemán Gutenberg. Loco por los libros, Don Quijote convierte su lectura en su locura y poseído por ambas, quisiera convertir lo que lee en realidad. Quisiera resucitar un mundo perdido, un mundo ideal. Pero al abandonar su aldea, se topa de narices con un mundo menos que ideal, un mundo de bandidos y cuerdas de presos, cabreros, pícaros, maritornes y venteros sin escrúpulos, dispuesto a burlarse de él, golpearlo, mantearlo...

Sin embargo, a pesar de los embates de la realidad, Don Quijote insiste en ver gigantes donde sólo hay molinos de viento y ejércitos de jayanes donde sólo hay rebaños de ovejas. Los ve, porque lo ha leído. Los ve, porque así le dicen sus lecturas que debe verlos. Su lectura es su locura.

El genio de Cervantes consiste en convertir esta fábula de la nostalgia caballeresca en una novela fundadora de la modernidad crítica. Porque si surge de un mundo dogmático de la certeza y la fe, Don Quijote es la constitución misma del mundo moderno de la incertidumbre.

Todo es incierto en el *Quijote.* Incierta la autoría. ¿Quién escribió el libro? ¿Cide Hamete Benengeli, el escriba árabe cuyos papeles fueron traducidos al español por un anónimo escritor morisco? ¿El autor de la versión apócrifa, Avellaneda, cuyas falsedades conducen a Don Quijote a una imprenta donde Quijote descubre que es personaje de un libro? ¿Un cierto Cervantes? ¿Un tal De Saavedra? ¿La adversidad de aquél? ¿O la libertad de éste?

Nombre incierto: «Don Quijote» es sólo uno de los muchos nombres de un tal Alonso Quijano (¿o será Quezada, o Quixada?) que se autonombra Quijote para efectos épicos, pero se convierte en Quijotiz para efectos pastorales, o en Azote para efectos micomicómicos en el Castillo de los Duques. Cambian constantemente los nombres. Rocinante fue «rocín antes». Dulcinea la damisela ideal es Aldonza, la campesina común. Cambian los nombres de los enemigos. El mago Mambrino se convierte en Malandrino, el malvado. Incluso los autores del libro, de por sí dudosos, cambian nombres. Benengeli, en la versión de Sancho, es Berenjena.

Lugares inciertos: En primer término, el espacio mismo de donde sale Don Quijote, «un lugar de la Mancha de cuyo nombre no quiero acordarme...». Y sin embargo, qué duda cabe, ésta es la España decadente de Felipe III, la España de vasta corrupción, capricho aristocrático, ciudades atascadas de pobres, la España de asaltos y pícaros. La España de Roque Guinart, el asaltante y contrabandista de la vida real que hace su aparición en la novela.

De allí, la incertidumbre del género. Cervantes inaugura la novela moderna rompiendo todos los géneros para darles cabida en un género de géneros, la novela. La épica de Quijote le da la mano a la picaresca de Sancho. Pero Cervantes también incluye el relato morisco, la novela de amor, la narrativa bizantina, la comedia y el drama, la filosofía y el carnaval, y las novelas dentro de la novela.

Su falta de respeto hacia la pureza del género es tan llamativa como la de su gran contemporáneo, Shakespeare (tan contemporáneos que ambos murieron en la misma fecha, el 23 de abril de 1616, si no en el mismo día, Cervantes en calendario gregoriano, Shakespeare en horarios julianos). Pues no era la pureza lo que concernía a Shakespeare y a Cervantes, sino la libertad poética más abarcante.

La moderna incertidumbre de *Don Quijote* no excluye, sin embargo, la persistencia de valores que la modernidad debe preservar o prolongar para no dispersarse moralmente. Uno es el amor y, en este punto, Don Quijote no se engaña. Idealiza a Dulcinea pero, en un sorprendente pasaje, admite que Dulcinea es Aldonza la garrida labriega. Pero, ¿no es ésta la cualidad del amor, capaz de transformar a la amada en algo incomparable, situado por encima de toda consideración de riqueza o pobreza, vulgaridad o nobleza? «Y así —dice Don Quijote—, bástame a mí pensar y creer que la buena de Aldonza Lorenzo es hermosa y honesta, y en lo del linaje, importa poco... Píntola en mi imaginación como la deseo... Y diga cada uno lo que quisiere.»

El otro es el honor, la integridad personal, y en este punto, la llegada de Don Quijote al castillo de los Duques es el episodio más revelador. Hasta ese momento, el Caballero de la Triste Figura creía que las posadas eran castillos y las camareras princesas. Ahora, cuando los Duques le ofrecen un castillo de verdad y princesas auténticas (más una ínsula para que la gobierne Sancho), la ilusión quijotesca se desploma. La realidad le roba su imaginación. El amor se vuelve cruel: las farsas de Clavileño y de la Dueña Adolorida. Cuando los sueños de Quijote se vuelven realidad, Quijote ya no puede imaginar.

Regresa a su aldea. Pierde su locura sólo para morir. «En los nidos de antaño no hay pájaros hogaño.» Con razón dijo Dostoyevsky que Don Quijote es «el libro más triste que se ha escrito, pues es la historia de una ilusión perdida».

Ilusiones perdidas titulará Balzac la gran serie novelesca de Lucien de Rubempré, prueba de que Don Quijote funda el mundo moderno y lo dota de novelas de llanto y tristeza, ilusión y desilusión, la lógica de la locura, la locura de la razón, la incertidumbre de todas las cosas y la certeza de que toda realidad duradera se funda en la imaginación.

REVOLUCIÓN

El *New York Times* me preguntó, como parte de una encuesta para iniciar el siglo XXI: —¿Cuál considera usted que ha sido la mejor revolución del milenio?

La dificultad en contestar comienza por la ambigüedad o polivalencia del término mismo, «revolución». Hay en él un elemento así de ruptura como de retorno. La revolución de un planeta significa el regreso del astro a su punto de origen. Pero la revolución de una sociedad es todo lo contrario. Significa la ruptura del orden establecido y el movimiento hacia un futuro, esperanzadamente, mejor.

La asociación de los términos «revolución» y «progreso» fortalece la visión futurizable. Sin embargo, el elemento utópico presente en toda revolución es mucho más ambivalente. Al tiempo que aspira a una sociedad mejor, la revolución no sólo piensa en el futuro. También sueña, así sea inconscientemente, en el pasado, «la edad de oro», el tiempo original. De esta manera, la revolución sería, también, la restauración de un pasado impoluto. Tal fue, notablemente, la fe de Emiliano Zapata y su sueño de una Arcadia campesina en México.

Sin embargo, la asociación entre «modernidad» y «revolución» ha sido la fuerza motriz de la rebelión en Rusia, China o Cuba. El velo arrojado sobre el pasado le ha dado al pasado la maravillosa oportunidad de reaparecer disfrazado. La revolución, en Petrogrado, Pekín o La Habana, terminó por reforzar los más antiguos diseños de poder. En Rusia, el césaro-papismo, la unidad del poder temporal y el poder espiritual, reaparecieron en la simbiosis del Partido y el Estado. En China, la «burocracia celeste» del antiguo Imperio de En Medio reapareció bajo la túnica autoritaria del maoísmo y, en Cuba, Castro es heredero de las más añejas tradiciones del caudillismo hispano-árabe.

Acaso las dos revoluciones más coherentemente «modernas» han sido las de Francia y los Estados Unidos. Sin embargo, cuando el *New York Times* me pregunta cuál ha sido «la mejor revolución del milenio», me siento poderosamente tentado de salirme del reino de la política y pensar en Copérnico, Einstein, Shakespeare, Cervantes, Joyce, Piero della Francesca, Brunelleschi, Picasso, Beethoven o Stravinsky, acaso revolucionarios más grandes que Washington o Mirabeau.

Pero sitiado dentro del terreno de la política, sí estoy convencido de que la Revolución Francesa fue «la mejor revolución del milenio», sin dejar de calificarla con la famosa advertencia de Winston Churchill acerca de la democracia: «Es la peor forma de gobierno con excepción de todas las demás formas de gobierno que han sido intentadas de tiempo en tiempo.»

La Revolución Norteamericana fue una rebelión colonial contra una potencia colonial. La Revolución Francesa fue una rebelión social, política y económica contra el Antiguo Régimen. No tuvo que expulsar a una potencia colonial. Tuvo que destruir un poder interno sustentado, durante siglos, por la tradición, la legitimidad y el paradójico matrimonio del absolutismo monárquico y el privilegio feudal. La Revolución Francesa tuvo que destruir violentamente las instituciones del *Ancien Régime* y reemplazarlas con formas nuevas y acaso improbables de autodeterminación y asociación civil.

Ambas fueron revoluciones violentas. El «Terror» francés mandó a la guillotina a dieciséis mil individuos —asunto de escasa monta, dice Jules Michelet en su *Historia de la Revolución Francesa*, si lo comparamos con las ejecuciones ordenadas por la monarquía a lo largo de seiscientos años. La violencia tampoco estuvo ausente de la Revolución Norteamericana, pródiga en ejecuciones sumarias de los «leales» a la Corona Británica. Tampoco se libró la revolución de Franklin y Jefferson de su propio «terror». Los Comités de Salud Pública de la Revolución Francesa tienen su antecedente en los «Comités de Seguridad e Inspección» puestos en marcha para delatar y castigar a los enemigos de la Revolución Norteamericana. Tal fue, por ejemplo, el Comité para Detectar Conspiraciones, establecido por el Congreso Provincial de Nueva York.

¿«Terror»? Quizás las poblaciones indígenas de Norteamérica sufrieron más que la aristocracia francesa.

Ambas revoluciones, la Norteamericana y la Francesa, fueron confiscatorias de la propiedad privada. «Conspiradores notorios», «ausentistas», «refugiados» y «evasores» fueron todos objeto de expropiación en Norteamérica. Hoy, serían favorecidos por una disposición británica comparable a la Ley Helms-Burton.

Ambas revoluciones obligaron a un gran número de personas a emigrar. Hubo muchos más «emigrados» de los Estados Unidos, comparativamente, que de Francia. Los «balseros» que huían de la revolución en Norteamérica por mar hacia la Terranova británica perecieron, en grandes números, en el océano.

Y ambas revoluciones fueron maculadas por el sello infamante de la desigualdad. Proclamaron los derechos universales del hombre, pero excluyeron de ellos a la mujer, incapacitada para votar, y limitaron el sufragio a los propietarios. Pero, en tanto que Norteamérica había desarrollado una clase media creciente de pequeños propietarios, la Revolución Francesa hubo de ser mucho más radical en la ruptura de los privilegios de la propiedad, la creación de una nueva clase de propietarios y la implantación de las medidas jurídicas y políticas que semejante revolución requería.

El hecho extraordinario, verdaderamente extraordinario en el país galo, como lo hizo notar Michelet en su *Historia*, es que, en toda Francia, el pueblo actuó espontáneamente, adelantándose a las leyes revolucionarias. El historiador la llama «la organización espontánea de Francia», un acontecimiento único, en tan grande escala, en la historia de la humanidad. (La organización espontánea de las comunidades rurales de Morelos por los zapatistas en 1915, descrita por John Womack, sería otro, aunque más modesto, ejemplo.)

En 1789, a pesar de las limitaciones señaladas, casi cinco millones de franceses se volvieron, por primera vez, electores, y actuando por su cuenta, formaron comités municipales cuyo primer encargo fue sustituir las impenetrables leyes de la monarquía con una legislación revolucionaria transparente. En 1791, el pueblo de Francia, avanzando más y más rápidamente que las autoridades revolucionarias en París, había creado, a lo largo y ancho de la nación, mil doscientos nuevos funcionarios municipales y cien mil magistrados para la impartición de justicia de tal suerte que, en la primavera de 1792, Francia contaba con un sistema político y judicial totalmente renovado a través de la elección directa.

Gracias a esta revolución a fondo, Francia estableció un nuevo sistema de propiedad que se convirtió en la base del capitalismo moderno. La Iglesia, la aristocracia, los remanentes del sistema feudal, hubieron de sujetarse a la novedad del mercado a medida que las barreras al libre comercio y los privilegios fueron abolidos. También lo fueron los gremios. La libertad del mercado abrió el horizonte económico europeo en un grado jamás alcanzado antes. Pero suprimir la libertad de asociación gremial (la Ley Le Chapelier del 14 de junio de 1791) privó a la clase obrera de poder colectivo y protección, entregándola a la explotación inmisericorde de la revolución industrial.

El capitalismo y la democracia fueron los poderosos vástagos de la Revolución Francesa, más allá de los episodios del terror revolucionario y la paradoja del intermedio bonapartista. Napoleón marchó por toda Europa en el nombre de la revolución pero con una corona de utilería en la cabeza. Fue derrotado en Rusia y en España por patriotas que preferían sus cadenas nacionalistas a las libertades revolucionarias francesas. Sin embargo, Napoleón, dándole a Europa su moderna legislación civil y mercantil, garantizó el futuro de la burguesía que el Gran Corso representó a escala heroica e insostenible. Y en Alemania, disolvió los guetos y liberó a los judíos.

La Revolución Norteamericana no abolió la esclavitud. Fue su peor mácula. Fue necesaria una segunda revolución, encabezada por Lincoln, para liberar al esclavo, y una tercera, el Movimiento de Derechos Civiles, para completarla en nuestro propio tiempo. Norteamérica no tuvo un Napoleón. En vez, tuvo un «Destino Manifiesto» para expandirse, a costillas de México, del Atlántico al Pacífico. En Norteamérica, una aristocracia colonial ilustrada se manifestó mediante documentos tan admirables como la Constitución de Filadelfia, la Declaración de Derechos y los Papeles Federalistas. En Francia, una masa enérgica, colérica, intuitiva y fraternal se levantó y, paradójicamente, le dio su más grande impulso y sus más seguras leyes, al desarrollo liberal y capitalista moderno. Pero ésta es una fría definición del entusiasmo con que William Wordsworth recibió las noticias de Francia en 1789: «¡Qué maravilloso es el mundo cuando la alegría de uno es la felicidad de millones!»

Acaso el carácter laico de una revolución es garantía de su salud. Rusia no pudo abandonar la herencia religiosa bizantina con el comunismo y se la impuso a naciones occidentales totalmente ajenas a la tradición césaro-papista: toda la Europa Central. La Revolución China jamás pudo sacudirse la rigidez legitimista y burocrática del antiguo Imperio de En Medio, y la Revolución Cubana, dejar atrás, desde la izquierda, la trampa mortal de la derecha latinoamericana: el culto al líder máximo, al jefe providencial.

La Revolución Mexicana contiene numerosas paradojas. Nació como un movimiento político democrático —sufragio electivo, no reelección— encabezado por un hombre bueno e ingenuo, Francisco Madero. Acaso su mayor hazaña fue la de mover con un libro, *La sucesión presidencial en 1910*, a un país de analfabetos. Pero una vez en el poder, Madero cometió el error de dejar en su lugar a los pilares de la dictadura —el ejército federal, los privilegios de los grandes hacendados— y hubo de soportar las injurias, obstrucciones y hasta las traiciones de una prensa y un Congreso que carecían de experiencia política democrática. El asesinato de Madero por el general Victoriano Huerta y el embajador de los Estados Unidos, Henry Lane Wilson, precipitó la verdadera Revolución Mexicana: la revolución económica y social. De la noche de México surgen los jefes revolucionarios. Emergen de las rancherías y de los pueblos, de la clase media de provincia y de las serranías indígenas, de las haciendas en llamas y de las ciudades sitiadas. Y representan dos claras tendencias. La popular y la burguesa. Emiliano Zapata, hombre de silencio y misterio, parece un fantasma al que se le concedió la gracia de encarnar por poco tiempo para exigir Tierra y Libertad. Francisco Villa, una cabeza de cobre oxidado que antes había estado en Mongolia y Andalucía y el Rif, entre las tribus errantes del norte americano y ahora vino a posarse sobre los hombros y bajo el sombrero bordado de oro, manchado de polvo y sangre, de un hombre de Chihuahua «angostando la mirada contra los embates de la luz, con vastas reservas de intuición y ferocidad y generosidad» *(Gringo viejo)*. Uno y otro representan la voluntad tumultuosa de justicia, vieja como los siglos, pero a diferencia de éstos, incumplida. La facción burguesa la encabeza Venustiano Carranza, un antiguo Senador de la dictadura disfrazado de sí mismo: luenga barba blanca, ojos velados por antiparras violetas, porte paternal alto, protector, lejano, asumido. Jamás se sentará donde el sol le dé en la cara. Ése es el lugar del contrincante cegado o del partidario que aprende cuál es su sitio. Nunca se sentará dando la espalda a puerta o ventana. Por allí entran los asesinos. «El rey viejo», lo llamó Fernando Benítez en una excepcional novela que relata cómo, a pesar de todo, el viejo león fue asesinado por sus cachorros impacientes, Álvaro Obregón, joven agricultor en Huatabampo y Plutarco Elías Calles, joven maestro de escuela en Sonora. Los ojos de Obregón sonríen, es ingenioso, dicharachero, simpático. Los ojos de Calles penetran, es un tigre acechante, sin sonrisa.

Triunfa en México la revolución burguesa de Carranza, Obregón y Calles sobre la revolución popular de Zapata y Villa. Pero la Constitución de 1917 hace concesiones a los movimientos populares. Eleva a categoría constitucional el derecho al trabajo y la partición de la tierra, lado a lado con las garantías individuales, incluyendo el derecho de propiedad. La sociedad y sus leyes se construyen sobre los cadáveres de la revolución: Saturno devora a sus propios hijos hasta que un presidente extraordinario, Lázaro Cárdenas, reúne en haz las políticas de la revolución —educación pública, infraestructura, comunicaciones, reforma agraria— liberando al peón del latifundio y dándole posibilidad de emigrar a las ciudades y convertirse en mano de obra barata para un proceso de industrialización que contará, gracias a la nacionalización cardenista del petróleo, con combustible barato.

Todo esto va acompañado de un pacto implícito. Los «gobiernos emanados de la revolución» le dan al pueblo educación, trabajo, y estabilidad, pero no le dan democracia. Mientras el pacto se mantiene, México, entre 1938 y 1968, es modelo latinoamericano de estabilidad. El ejército se queda en los cuarteles y apoya al presidente que, cada seis años, pasa de ser «El Tapado» al

Nuevo Ungido por el Gran Dedo del presidente en turno. El pacto se rompe cuando, en 1968, una juventud educada en las escuelas de la revolución y en los ideales de justicia y libertad, los exige en la calle y recibe, en cambio, la muerte durante la Noche de Tlatelolco, el 2 de octubre de 1968. Esa noche terminó la revolución institucional en México y adquirió plena fuerza algo que nunca estuvo muerto: El movimiento social de los obreros, los campesinos, los estudiantes, la clase media... Tardó todavía tres décadas llegar a la transición que supone el triunfo de la oposición en la elección de presidente. Sucedió el 2 de julio de 2000 y no costó ni sangre ni rencillas ni dudas. Ganamos todos, he escrito. Ernesto Zedillo, porque aseguró, ni más ni menos, que se cumpliese estrictamente la ley. Vicente Fox, porque su apuesta tesonera y combativa llevó a la oposición al poder. Y el pueblo de México entero porque al fin la lucha social y la lucha política se dieron la mano y la Revolución Mexicana, traicionada, deturpada, corrupta, constructiva, liberadora, contradictoria, logró lo que no lograron otras revoluciones del tercer mundo. La revolución, a veces, es la fidelidad a lo imposible.

Y es no sólo el triunfo contra la injusticia, sino contra la fatalidad —combate, a veces, más arduo. Stalin juntó la injusticia y la fatalidad como una broma perversa: Para él, todos los comunistas eran traidores salvo uno y ése, curiosamente, era el que detentaba el poder: Josip Stalin. No hace falta repetir los nombres que hacen eco a tan macabra política. Sí hará falta, siempre, revocar, por magníficas que sean, las pretensiones totalizantes, poéticas o políticas (Rimbaud: Hay que cambiar la vida; Marx: Hay que transformar el mundo) por la revolución que relativiza las cosas, pluraliza al mundo y renuncia a la ilusión de la totalidad, tan similar a la palabra totalitario. La revolución del siglo XXI consistirá en darle valor a la diferencia: étnica, política, religiosa, sexual, cultural...

Y entonces la palabra «revolución» aparecerá con el fulgurante significado que le dio María Zambrano: Revolución es Anunciación.

SEXO

Y luego hay las otras, nunca las demás, las damas de más, las demás damas. Las damas de antaño que François Villon evocó con una añorante belleza y una precisión que renunciaba para siempre al nuevo encuentro con la mujer que amamos y que *pasó*: las demás damas, nunca las damas de más, que se quedaron para siempre, consumado el sexo, como inquietos fantasmas coincidentes de lo que fue y de lo que pudo ser. «*Dites moi où, n'en quel pays / est Flora la belle romaine...?*»

El eros primero son las niñas, dos compañeras de escuela en Washington con las que, poco a poco, me fui descubriendo en una maravillosa oscuridad propiciada por ellas, una, la de los anticuados bucles a la Mary Pickford y la otra pecosa audaz como lo sería hoy Periquita o Mafalda. Fueron las primeras, en la penumbra de los apartamentos cuando los padres estaban ausentes, que me revelaron y se revelaron, como una inocencia impúdica, cuando teníamos nueve años. ¿Por qué se sintieron obligadas a develar nuestro delicioso secreto? Nadie nos sorprendió nunca. Ellas tuvieron que confesarse, inermes, casi como si deseasen el castigo. Que para mí fue no volverlas a ver. En cambio, en Santiago de Chile, a los doce años, tuve la desgracia de enamorarme de una vecina de fleco nítido y ojos salvajes y ser descubiertos por su padre, un alto mando de la fuerza aérea chilena, que no sólo acabó con nuestro amor cachorro sino que obligó a mi familia a mudarse de casa. Al fin, en Buenos Aires, a los quince años, negándome a ir a las escuelas fascistas del ministro Hugo Wast, me encontré con que en nuestro edificio de apartamentos de Callao y Quintana sólo quedábamos, a las once de la mañana, yo y mi vecina de arriba, una actriz bellísima, con cabellera y ojos de plata. Mi primera estrategia sexual consistió en subir con mi ejemplar de la revista radial *Sintonía*, tocar a la puerta de la belleza y preguntarle: —¿Qué papel interpreta hoy Eva Duarte en su serie de «Mujeres Célebres de la Historia»? ¿Juana de Arco o Madame Dubarry? No olvido los ojos entrecerrados de mi ilusoria diosa de plata cuando me contestó: —Madame Dubarry, que es menos santa pero mucho más entretenida. Pasa, por favor.

El México de los cuarentas era un páramo sexual para el adolescente. Las noviecitas santas otorgaban sus manos sudorosas de torta compuesta en el cine, y poco más. Pero los burdeles mexicanos eran excitantes, extravagantes, melancólicos y de variada pelambre. La mayoría de las pupilas eran muchachas humildes llegadas a la capital o reclutadas en los barrios pobres, pero educadas para decir, invariablemente, «Soy de Guadalajara», como si provenir de la capital de Jalisco diese un particular *cachet* a la profesión más vieja del mundo. No se dejaban besar en la boca. Cubrían piadosamente su fatal imagen de la Virgen de Guadalupe al practicar el coito. Rara vez se encontraba uno a Belle de Jour, la mujer de treinta o cuarenta años incapaz de esconder dos cosas: su respetabilidad innata y su sexualidad insaciable. Nos daban trato maternal y se esmeraban en educarnos. «Casa de La Bandida», catedral prostibularia regentada por una compositora de corridos revolucionarios y sedicente amante de Pancho Villa. «Insurgentes», lupanar de teatro especializado en «shows» lésbicos. «Darwin», refugio de damas decentes ansiosas de amor. «Centenario», parada de mujeres exóticas bajando por escaleras de mármol bajo lampadarios *fin-de-siècle.* Y «Meave», con sus ventanas abiertas al mercado de pescados y su confusión de aromas, sus camas de linóleo en canceles de oficina, su tentación del crimen latente... Con qué disciplina austera limpiaban las amanuenses los sofás de linóleo sin sábanas.

Graduarse sexualmente era encontrar una amante casada y sin problemas mayores que la discreción y la sombra. Y las novias se volvían más independientes y bellas. A veces, la hipocresía religiosa las frenaba y lanzaba a otros, más convencionales matrimonios. A veces, la distancia marchitaba amores con alguna mujer inolvidable que surgió de una laguna tropical con la mirada de atardecer y aurora. Claro, se parecía a Venus, la estrella de las dos horas. Luego vino una larga lista que no quisiera asociar al catálogo de Don Juan porque siento que nunca abusé, siempre acompañé, siempre experimenté, pero siempre en pareja, con derechos y obligaciones parejos, también, con igual intensidad, igual certeza de que participábamos, ella y yo, en la búsqueda de sentimientos permanentes aunque nuestras uniones fueran pasajeras. Recordadas una por una, hay casos de pasividad, sí, incluso de sumisión erótica, incluso de abyección de una y otra parte pero también de complicidad. Hubo exasperaciones repentinas y gratitudes permanentes. A veces, la estimulación provocaba angustia. A veces, un sentimiento de la plenitud irrenunciable. Después de todo, conocer el sexo es conocer el anuncio de las palabras del amor y desconocer lo que sigue porque el anuncio se basta e interrumpe lo mismo que promete.

Fui, muchas veces, un pasajero del sexo, actor privilegiado pero fugaz de un círculo de mujeres bellísimas, actrices acostumbradas a tomar un compañero presentable durante la breve época de una filmación. Me dieron más de lo que les di. Las recuerdo como grandes obsequios de la vida, apasionadas gracias a la ley misma de la transitoriedad, diosas de una temporada, hechiceras a veces crueles, siempre magníficas y magnánimas, a veces vulnerables hasta el extremo de la muerte. La novia muerta. Recuerdo a una, particularmente bella, requerida, galanteada pero siempre insatisfecha, dueña de una ausencia dolorosa que nadie podía llenar y ella misma no supo explicar antes de suicidarse. Recuerdo a otra, engañosa y divertida por los ardides mismos de sus trampas transparentes o expuestas como testimonio de su independencia. Sabía explotar su juego sexual: dos pelotas en el aire y una sola excitación verdadera. Compartir y excitar. Lo contrario de la mujer maravillosamente desvalida, tierna, no sumisa pero ansiosa de complacer y ser complacida, sabedora del abandono inminente y engrandecida por su manera de aceptar la experiencia y hacerme sentir que yo no daba tanto como lo que de ella recibía en las madrugadas de Roma.

Hay relaciones sexuales que recuerdo con una sonrisa. Las falsas suicidas. Las ideólogas que confunden el lecho con el púlpito. Las superficiales para quienes el sexo es un juego social. Pero también las inteligentes e intelectuales que le exigen tanto a la cabeza como al sexo. Las burlonas que escriben cartas falsarias y las muestran a sus amigas. Las que comparten, suplen, anticipan el lugar de esposa, madre, hija, novia... Las busqué como amantes. Las recuerdo como fantasmas.

Pero hay las que encarnaron con tal potencia que acabaron por conformar, a pesar de ellas mismas, un deseo que iba más allá de ellas y que se convertía en la búsqueda de una sola mujer que las contuviese a todas, pero que fuera singularmente ella. La encontré y he vivido con ella un cuarto de siglo. Con las demás tuve que terminar. Cada una evocaba todo lo que nunca me pertenecería porque cada mujer echa a andar por el mundo demasiadas cosas que reclaman su propia ley, más allá de la relación de pareja sexual. Es el momento de marcharse.

Y de convertir el sexo en literatura. Un cuerpo de palabras clamando por el acercamiento a otro cuerpo de palabras. ¿Son reales esas palabras, son una mentira? Corremos el riesgo de amar a una mujer (o a un hombre) que, como la Odette de Swann, no sean «nuestro tipo», no sean para nosotros, sólo sean prolongación espectral de nuestra libido... A todas hay que darles las gracias. Cada una representa no sólo un momento sino unas palabras. Éstas, de Lope de Vega: «Mas si del tiempo que perdí me ofendo / tal prisa me daré, que una hora amando / venza los años que pasé fingiendo.» Esta hora de pasajera y mortal plenitud se agradece siempre, por fugaz que haya sido y aunque, para seguir con el poeta de *La Dorotea*, las dilaciones, frustraciones y engaños de las relaciones sexuales nos lleven a veces a maldecir el sexo y pensar que los cuervos que revolotean sobre los «lechos de batalla, campo blando», les sacarán los ojos a las ingratas, cuando en realidad, no hay más ojos que picotear que los nuestros. *More bestiarum*, a la manera de los animales, decía San Agustín del sexo, del cual tanto gozó en su juventud. Acaso sea mejor cambiar el tema, no sólo en virtud de la discreción que un hombre se impone en materia de relaciones sexuales, sino acaso, también, por una secreta ironía que los ingleses han transformado, prácticamente, en proverbio: «El placer es breve, el costo altísimo y la posición ridícula.» Mas, ¿quién está dispuesto a renunciar, a pesar de brevedad, costo y postura, a ese centro irradiante del mundo que es el lecho sexual? ¿Y quién no quisiera, al abandonar con sigilo el lecho de la amante, dejar escritas sobre la almohada las líneas de Góngora, «Aun a pesar de las tinieblas, bella / Aun a pesar de las estrellas, clara»?

SHAKESPEARE

«Adiós, adiós, recuérdame.» La frase con que el fantasma del padre de Hamlet aparece y des-aparece, casi simultáneamente, es el gatillo de la tragedia. Hamlet duda porque recuerda. Actúa porque recuerda. Y representa porque recuerda. Hamlet es el memorioso. Donde todos olvidan o quisieran olvidar, él se encarga de recordar y de recordarles a todos el deber de ser o no ser. Su ubicación es anómala. Hamlet es un príncipe y habita un palacio lleno de recuerdos dinásticos, Elsinore. Una monarquía vive de la tradición rememorada porque en ello reside su legitimación. Hamlet se subleva, precisamente, contra la suplantación de la legitimidad por el rey Claudio, hermano asesino del padre de Hamlet. Memoria, sucesión, legitimidad, son el verdadero, «desnudo puñal» que Hamlet emplea al precio de la «quietud» de la muerte.

Don Quijote, en cambio, surge de una oscura aldea en una oscura provincia española. Tan oscura, en verdad, que el aún más oscuro autor de la novela no quiere (o no puede) recordar el nombre del lugar. No quiere o no puede: el lugar oscurece, esconde, ennegrece. Es «la mancha». Allí mismo, con el olvido de Cervantes, empieza la novela moderna, trazando un vasto círculo que culmina con la obsesión del narrador de Proust, en busca del tiempo perdido, o de los narradores de Faulkner, que están allí para que no se olvide el peso de la historia, la raza, el crimen de los Sartoris, los Snopes, el Sur...

Hamlet le hace al fantasma de su padre la promesa de desalojar de «la mesa de mi memoria» todo lo que no sea recuerdo del padre. Vivimos en un mundo de distracciones, afirma el Príncipe de Dinamarca, pero mientras la Memoria tenga sitio en la Mesa, toda «banal constancia» será barrida de ella. La memoria es «guardián de la mente» y así desea mantenerla Hamlet, al rojo vivo. Macbeth, en cambio, quisiera olvidar, convirtiendo a la memoria en «humo». Hamlet quiere recordar un crimen. Macbeth quiere olvidarlo, arrancar de la memoria «una enraizada desgracia», arrasar los pesares escritos en la mente, encontrar el antídoto dulce que limpie al pecho de esa «peligrosa materia», la memoria, pesar del corazón... Qué contraste con Hamlet y su fervoroso deseo de que la memoria sea «siempre verde», es decir, planta perenne del ser.

Semejante tensión entre el recuerdo y el olvido, semejante «puesta en abismo» de la memoria, revela la modernidad auroral de Shakespeare y Cervantes. Hamlet, Macbeth, Quijote, son protagonistas de una memoria difícil, selectiva. Hamlet quiere recordar un crimen. Macbeth quiere olvidarlo. Quijote sólo quiere recordar, en plural, sus libros y acaba recordando, en singular, su libro. Para la épica antigua, este tipo de dilema es ajeno. Lo propio de la épica, nos dice Eric Auerbach, es su omniinclusividad. Todo cabe, todo debe caber en la épica.

Homero y Virgilio no olvidan nada. En cambio, el coronel Chabert de Balzac ha sido olvidado por su esposa, sus amigos, su sociedad. Todos creen que Chabert murió en el campo de batalla de Eylau. En cambio, Penélope teje y desteje convencida de que Odiseo no ha muerto ni será olvidado. Los personajes de la antigüedad poseen nombres y atributos inolvidables, fijos, eternos: Ulises es el prudente, Néstor el domador, el ligero (y colérico) es Aquiles. En cambio, entre dos escalones, la sirvienta de la casa se olvida del nombre que Walter Shandy quiere darle a su hijo recién nacido, Trismegisto, y gracias al olvido de una criada, el «héroe» de la novela se ve endilgado, para siempre, con un nombre indeseable, Tristram.

Gogol le da un soberbio giro a la relación entre memoria e identidad. Su pícaro, Jlestajov, es recordado por todos, pero recordado no como lo que es, sino como lo que no es: el temido Inspector General. Con Kafka, regresamos a la tradición cervantina: nadie recuerda al agrimensor K. Milan Kundera le da a esta tradición su vuelta final en *El libro de la risa y el olvido*, donde aquellos que recuerdan, olvidan. Kundera, escribiendo desde una sociedad represiva y disfrazada, donde nada es lo que dice o parece ser, nos dice que el olvido es la única memoria de quienes no pueden o no quieren identificarse a sí mismos o a los demás.

En un magnífico cuento, «Instrucciones para Richard Howells», Julio Cortázar nos da otra clave de la memoria y el olvido. El personaje del cuento, el epónimo Richard Howells, asiste a una representación teatral. Hay una mirada de terror en la actriz principal, quien le susurra a Howells el espectador: «Sálvame. Me quieren matar.» ¿Qué ha sucedido? ¿Ha entrado Howells a la representación teatral, o ha ingresado la heroína al mundo cotidiano de Howells?

Lo que Cortázar propone es una circulación de géneros, blasfemia que la Ilustración —Voltaire notablemente— le reprochó a Shakespeare por ofrecer una vulgar ensalada de tragedia y comedia, personajes nobles y burlescos, lírica y regüeldo, todo en la misma obra. Cervantes también rompió géneros, mezclando épica y picaresca, novela pastoril y novela de amor, pero sobre todo, novelas dentro de la novela. Allí se reúnen Shakespeare y Cervantes: en la circulación de géneros, la «impureza» que ofendía a Voltaire, la mancha manchega de Quijote y las manos sucias de Macbeth.

Ambos, Shakespeare y Cervantes, acaban reuniéndose en esta circulación de géneros, verdadero bautizo de la libertad de creación moderna. La circulación adopta una clara y paralela forma en ambos autores: la de la novela dentro de la novela en Cervantes, que se convierte en teatro dentro del teatro en el retablo de Maese Pedro, dándole la mano al *play within the play* de Shakespeare, teatro dentro del teatro, a fin, dice Hamlet, de «capturar la conciencia del rey». Harry Levin, analizando ambos teatros dentro del teatro, sugiere que en *Hamlet* el rey Claudio interrumpe la representación porque el teatro empieza a parecerse demasiado a la realidad. En cambio, en *Don Quijote*, el Caballero de la Triste Figura interrumpe violentamente una representación que empieza a parecerse demasiado a la imaginación. Claudio quisiera que la realidad fuese una mentira oculta, la muerte del padre de Hamlet. Don Quijote quiere que la fantasía sea realidad, una princesa prisionera de los moros, salvada por el valor enfurecido de Don Quijote.

Claudio debe matar al teatro para matar a la realidad. Quijote debe matar al teatro para darle vida a la imaginación. Quijote es el embajador de la lectura. Hamlet es el embajador de la muerte. Para obligar al mundo a recordar, Hamlet el héroe del Norte impone la muerte para sí y para los demás, como la única medida de su energía histórica. Para obligar al mundo a imaginar, Quijote el héroe del Sur impone el arte, un arte absoluto que ocupa el lugar de una historia muerta. Hamlet es el héroe de la duda, y su loco escepticismo desencadena un torrente de energía mortal. Hamlet le ofrece, al cabo, un sacrificio a la razón, que es la hija triunfadora de su enfermedad. Don Quijote es el héroe de la fe. El Hidalgo cree en lo que lee y su sacrificio consiste en recobrar la razón. Debe, entonces, morir. Cuando Alonso Quijano se vuelve razonable, Don Quijote ya no puede imaginar.

Hay otra cosa en común entre Don Quijote y Hamlet. Ambos son figuras incipientes, inimaginables antes de ser puestas en marcha, desde la arcilla de la imaginación, por Cervantes y Shakespeare. Los héroes antiguos nacen armados, como Minerva de la cabeza de Zeus. Son de una pieza, enteros. Don Quijote y Hamlet son inimaginables antes de ser descritos. Ambos pasan de ser figuras inimaginables a ser arquetipos eternos mediante la circulación contaminante de géneros. Su impureza los configura. Claudio Guillén describe al *Quijote* como un intenso diálogo de géneros que se encuentran, dialogan entre sí, se burlan de sí mismos y desesperadamente exigen algo más allá de sí mismos. Y en *Hamlet*, la libertad de género shakespeariana, la magnífica mezcla de estilos, sublime y vulgar en la misma diástole, tan simultánea como la retórica del rey Enrique V y el eructo del cobarde Ancient Pistol, ¿no coinciden acaso con la confrontación de estilos cervantina?

Sancho Panza le da a esta *démarche* —paso, aproximación, demarcación— su más loco sentido cuando el escudero, el representante mismo del realismo terreno, se convierte en el ilusorio gobernador de la Ínsula Barataria, y debe, igual que su amo Don Quijote, aunque menos felizmente, actuar en otra ficción dentro de la ficción.

Shakespeare tiene su anti-Sancho, el pomposo Polonio, quien de la manera más gratificante deletrea su falta de respeto hacia el género (que Polonio, obviamente, respeta porque el género es respetable y Polonio es el guardián de la respetabilidad cortesana) cuando anuncia la excelencia de la compañía de actores llegada a Elsinore: «Los mejores actores del mundo, trátese de tragedia, comedia, historia, pastoral, pastoral-comedia, histórico-pastoral, trágico-histórico, tragicómico-histórico-pastoral: escena indivisible y poema sin límite.»

Los mundos limitados y divisibles de Shakespeare y Cervantes rehúsan la unidad de lo indivisible, la poesía de la eternidad. El hombre de la Mancha y el cisne del Avon son *aquí* y *ahora*, son hombres renacentistas. Uno más triste que el otro porque su historia española está cansada, agotada por la gesta imperial que circunnavegó el orbe y conquistó un nuevo mundo, y vaciada por la persecución y la intolerancia hacia las herencias árabe y hebrea, y por eso Cervantes adopta la máscara de la comedia. El otro más triste aún porque no cultiva ilusiones acerca de los actores que se pavonean una hora por el escenario rememorando su gloriosa gesta en Roma o Egipto, en Inglaterra o Escocia, y por eso, en la hora del triunfo isabelino, Shakespeare adopta la máscara de la tragedia.

Creo que ninguno de los dos cree en Dios pero no pueden decirlo y si el inglés cree en la tragedia de la voluntad y el español en la comedia de la imaginación, ambos saben lo difícil que es mantener imaginación a voluntad excepto mediante «palabras, palabras, palabras...».

Quijote el bueno y Macbeth el malo quieren olvidar. Hamlet el ambiguo quiere recordar. Pero Quijote es personaje de novela; Hamlet y Macbeth, de teatro. Quijote usa la máscara de la comedia; Hamlet y Macbeth, las de la tragedia. Quijote lee y es leído. Hamlet y Macbeth representan y son vistos. Borges se pregunta por qué motivo nos inquieta tanto que Don Quijote sea lector de *Don Quijote* y Hamlet espectador de *Hamlet*. Tales inversiones, sugiere Borges, sugieren a su vez que si los personajes de una obra de ficción pueden ser lectores o espectadores, nosotros, lectores y espectadores también, también podemos ser ficciones. Pero Shakespeare es teatro, es espectáculo, es espacio público.

Evocaba un día con Terenci Moix, en Barcelona, la gloria de los viejos estudios de cine Gainsborough de Londres, de donde salieron películas en las que Margaret Lockwood no cabía en sus escotes aunque, ubérrima, los disfrazaba para salir de noche vestida de hombre, a asaltar caminos en compañía de James Mason, y a recompensar, sin duda, a su amante con la desnudez de unos senos que casi eran anginas.

Hoy, los viejos estudios se van a convertir en condominios. Pero como un postrer homenaje artístico, uno de sus gigantescos foros fue transformado, durante cuatro meses, en escenario para un doble evento teatral. Ante salas a reventar, Ralph Fiennes interpretó, en noches alternadas, dos tragedias políticas de Shakespeare,

Ricardo II y *Coriolano*. El muy atractivo actor cinematográfico de *El paciente inglés*, *La lista de Schindler* y *El final de la aventura* es sobre todo un animal escénico. Su Hamlet en 1995 ganó el Tony (el Oscar teatral) en Broadway. Su Ricardo y su Coriolano son un premio que el actor se da a sí mismo.

Ambos se cuentan entre los papeles más difíciles del canon shakespeariano, porque son, por así decirlo, obras desnudas. En *Otelo*, *Romeo y Julieta* y el *Rey Lear*, los protagonistas ignoran su destino pero el público lo conoce y casi quisiera gritarle a Romeo, «No te suicides, Julieta vive», o a Otelo, «Iago te engaña, Desdémona te es fiel». En *Ricardo II* y *Coriolano*, los protagonistas poseen perfecta conciencia de quiénes son y el público, también, lo sabe. No hay, en este sentido, sorpresas. Lo que hay, a partir de esta decidida publicidad de ambas obras, es la más intensa reflexión dramática sobre la naturaleza de la política y el ejercicio del poder.

Ricardo II, obra escrita en 1595, se sitúa entre una pieza de principiante, *Tito Andrónico*, y el primer éxito grande del autor, *Romeo y Julieta*. *Ricardo II* es una obra sobre cómo se tiene y cómo se pierde el poder. Hay dos Ricardos. El de la primera parte, se siente ungido por Dios. Encarna el derecho divino de los reyes y lo ejerce caprichosamente. La ceremonia le da cuerpo al poder y Fiennes le da un movimiento ritualista, casi como un dandy sagrado, al personaje. Es un hombre con dos cuerpos, uno ungido, el otro físico. La imaginación del monarca, en el intento de conciliar al hombre y al rey, se encierra en sí misma. Su obsesión es ser rey a pesar de ser hombre o, dicho de otra manera, aniquilar el hombre para ser rey.

Semejante proyecto requiere un ejercicio inmenso

de la imaginación y Ricardo, imaginándose, se pierde en sí mismo y pierde el poder. La corona es para él una prenda decorativa. El poder para Ricardo acaba siendo hecho interior, poder de la imaginación, una «lírica metafísica». Víctima de la imaginación del poder, el rey pierde la noción del ejercicio del poder. Su frivolidad lo conduce a la arbitrariedad. La arbitrariedad provoca la enemistad de los dañados por el poder de Ricardo. Los agravios acumulados estallan en rebelión. Vencido, Ricardo descubre que su corona es hueca y que el nombre de su corte es la Muerte.

Ralph Fiennes transita maravillosamente del primer Ricardo, frívolo y autocrático, al segundo, derrotado y adolorido. El dolor no se le queda adentro. Lo vacía con una especie de ternura culpable. Su grandeza es su derrota: su dolor, su desgracia. La historia no le da otra oportunidad más que «sentarse en la tierra y contar tristes noticias sobre la muerte de los reyes». Al mundo le dice: podéis derrocar mi poder y mi gloria, pero no mi pena.

Es una gran interpretación de un papel poco socorrido en una obra que no carece de imperfecciones formales. Es todo un acierto emparejarla con la más perfecta de las tragedias políticas de Shakespeare, *Coriolano*, escrita en 1607, entre *Macbeth* y *Antonio y Cleopatra*, es decir, a finales de la carrera del escritor.

Si la modulación de Ralph Fiennes en *Ricardo II* es doble, en *Coriolano* es, por lo menos, cuádruple. Éste es un personaje en lucha con Roma, su patria, con los enemigos de Roma, con su madre y consigo mismo. Coriolano, paladín del patriciado romano y detestado por la plebe de la ciudad, regresa triunfador de la guerra con las tribus que amenazan a Roma. Elegido Cónsul, se echa encima a la plebe, se exilia de Roma para unirse a sus antiguos enemigos, se dispone a saquear e incendiar a Roma, su madre lo disuade pero la clemencia le cuesta la vida. Dicho brutalmente, Coriolano se las ingenia para quedar mal con todos. Salvo con su madre. Pero ésta es la felicidad que lo destruye. Pues para la madre, Volumnia, su hijo Coriolano no es un ser de carne y hueso. Es una figura del poder, una obra de la fantasía materna. No ama al hijo, ama al conquistador militar y político. No lo deja ser él. Quiere hacerle creer que «un hombre es autor de sí mismo y no conoce otro parentesco».

Lo que la madre —en una interpretación insuperable de la extraordinaria Barbara Jefford— desconoce es que Coriolano no puede ser un gran político porque desconoce, a su vez, las artes de la adaptabilidad camaleónica. Es un hombre de principios, sin vanidad, sin «aires de importancia», todos vicios que un patricio desdeña porque no tiene nada que aparentar o pretender. Es. Pero la integridad de Coriolano pone en peligro la vanidad y la venalidad de cuantos lo rodean. Su destino es fatal. Es incómodo para todos. Se quedará solo. Y lo sabe. Será derrotado si hace y si no hace también.

El genio de Shakespeare —y el de Fiennes— consiste en darle a este hombre fatal y consciente de su fatalidad un extraordinario resquicio humano. Sorprendente resquicio en un autor tan verbal, tan discursivo, a menudo tan retórico, como Shakespeare. Esa grieta —esa rajadura— es el silencio. El personaje de la esposa Virgilia convoca a Coriolano a un amor sin palabras. En esos instantes callados con la mujer amada, Coriolano demuestra que es consciente, también, de lo que pierde: el amor, víctima de la araña política que transforma «el maná del cielo en bilis».

Obra comprometida con el acto político, con los temas del Partido y el Estado, *Coriolano* se ha prestado a toda suerte de confusiones ideológicas. La derecha francesa, en 1933, la aclamó y la izquierda la prohibió. Los nazis la glorificaron y el ejército norteamericano de ocupación, en 1945, prohibió su montaje alemán durante ocho años. Brecht la convirtió en épica comunista de la lucha de clase: la plebe buena contra el patricio malo.

Sin ideologías congestionadas, *Coriolano*, obra superior del canon de William Shakespeare, es sólo la historia de un hombre abandonado por todos. Shakespeare le da un aura de inconclusión a la pieza, exactamente como el genio de Beethoven, en su propio *Coriolano*, termina en una inconclusa penumbra musical.

Hay, finalmente, otro Shakespeare y hay que verlo en la versión cinematográfica de *Tito Andrónico*, realizada por la famosa directora escénica de *El Rey León*, Julie Taymor. La Taymor no se anda por las ramas o, más bien, le pone ramas por manos a la hija de Tito mutilada, además, de lengua y de virgo. Shakespeare, en esta obra primeriza, decidió derrotar a Christopher Marlowe en el juego de horrores que, vistos de lejos en el teatro, son más soportables que en la cercanía de la cámara. Hombres enterrados en la arena hasta el cuello y hasta morir de hambre. Hombres que se dejan mutilar una mano a cambio de la vida de sus hijos, sólo para verla enfrascada junto a las cabezas cortadas de los infantes. Hombres colgados de los pies y degollados para que la sangre se derrame en cubetas. Los hijos de la proto-Lady Macbeth, Tamora (furiosa Jessica Lange), servidos a su padre como pasteles vengativos cocinados por Tito Andrónico (camaleónico Anthony Hopkins)...

La lista es interminable y nos recuerda que no hay

nada nuevo bajo el sol. *Tito Andrónico* le gana, en el capítulo del horror, a *American Psycho*, a *Crash*, o a Stephen King. Ello le permitió a Voltaire despacharse al Cisne de Avon como «el colmo de la ferocidad y el horror... un histrión bárbaro... cuyas obras merecerían mostrarse en las ferias de provincia de hace doscientos años...». El atentado de Shakespeare al «buen gusto» y a la «mesura» son, en realidad, admirables, y nos recuerdan la ferocidad con que Octavio Paz respondió a la clasificación de la literatura mexicana como «fina y sutil»: «Cógelas del rabo, chillen, putas.»

Shakespeare cogió del rabo a las palabras, las hizo chillar y demostró que la gama de la expresión literaria no puede ser limitada a cánones estreñidos o famélicos. La abundancia salvaje, lírica y trágica, de William Shakespeare, continúa siendo el mejor ejemplo de que en la literatura no hay reglas inconmovibles. Y, también, que la crítica puede equivocarse de maneras a veces risibles, a veces deplorables.

SILVIA

La primera y la última, dice el maravilloso poema de Gérard de Nerval a Artemisa... «*Et c'ést toujours la seule —ou c'ést le seul moment*»... Si todas las mujeres que he querido se resumen en una sola, la única mujer que he querido para siempre las resume a todas las demás. Ellas son las estrellas. Silvia es la galaxia misma. Ella lo contiene todo. La belleza. El placer erótico pero también el simple placer de estar juntos, sentarnos a comer, dormir y despertar, caminar, viajar juntos, compartir amigos, discutir dudas, hacer planes, entender defectos, aceptar errores, amarnos incluso por lo que podría irritarnos o disgustarnos en nuestras personalidades y conductas. La alegría de tener hijos. La pena de perderlos. La comunión de la memoria. El respeto de los tiempos. Los diferentes gustos. La complementariedad de profesiones, intelectos, emociones: somos distintos y cada cual le da al otro lo que ya no le falta porque lo mío fluye hacia ella como lo de ella fluye hacia mí. La urdimbre de genealogías, amistades, ciudades preferidas, la minucia esplendorosa de comidas, restoranes, nuestra común afición por el cine, el teatro, la ópera. Todo lo que nos une, incluso lo que podría separarnos, convertido en punto de encuentro, interrogación y al cabo alianza. Somos muy distintos físicamente. Ella es delicada, dueña chica, rubia y con unos ojos sensuales que cambian del azul al verde y al gris con las horas. Su aspecto es europeo, pero su piel es mate, con un bello fulgor oriental. Su gusto por la ropa es extremo y me deleita. La quiero porque yo soy el hombre más puntual de la tierra y ella, puntualmente, siempre llega tarde. Es parte de su encanto. Hacerse esperar. Los europeos del siglo XVII esperaban que la muerte les llegase de España, para que llegara tarde. No, a ella y a mí nos llegó temprano cuando perdimos a Carlos. Unidos desde siempre, llegó una muerte que nos unió más que nunca. Ella sabe mantener la presencia de Carlos a toda ahora. Yo, menos sensible o más cobarde, he aprendido a convocar a mi hijo, con una fuerza que a mí mismo me sorprende, a la hora de escribir. Es cuando él está a mi lado, sintiendo que en mi esfuerzo cotidiano de trabajo él cumple, de alguna manera, su destino trunco. Sucede así que todo se prolonga y vuelve a encarnar en la unión de una pareja. Dijo Apollinaire que hay quienes mueren para ser amados. En nuestro caso, mi hijo está vivo porque el amor que nos unió (a Silvia, a Carlos, a mí) está vivo en nuestras vidas. Pero es ella, la mujer, la que revela la especificidad e inclusividad del amor. Es ella, Silvia, la que corona mi intento vital de prestar *atención*, sexual, erótica, política, literaria, fraternalmente. Pon atención o no tendrás derecho a que yo te quiera y tú me quieras. Tomás Eloy Martínez, nuestro entrañable amigo argentino, perdió a su bella mujer Susana Rotcker y escribió un réquiem vivo y adolorido que termina diciendo: «Habría dado todo lo que soy y lo que tengo por estar en su lugar. Me habría gustado verla envejecer. Habría querido que ella me viera morir.»

Una pareja no sabe quién sobrevivirá al otro o si ambos morirán juntos. Pero el que sobrevive será siempre, no un doliente, sino un delegado de la muerte. El amor que se delega en la muerte se llama eros. Después de las noches, los días, los años de la carne contigua, su ausencia sólo se suple mediante la imaginación erótica. «El erotismo es la aprobación de la vida hasta en la muerte», dice Georges Bataille de la novela de Emily Brontë, *Cumbres borrascosas.* La sexualidad compromete a la muerte porque reproducirse significa desaparecer. Entender esto es entender la vida erótica después de la desaparición de la pareja. Entender esto es intensificar al máximo la relación sexual en el presente y desbordarla, eróticamente, a todas y cada una de las horas que, físicamente, no regresarán.

Pues, ¿no debe haber, aun en el amor más pleno, un anticipo de pérdida que intensifica la presencia actual? A veces, mirando dormir a Silvia, quisiera robarle el nombre, la apariencia, la experiencia y ser el dueño absoluto de su existencia, el guardián celoso de sus secretos. Sin ella, sólo concibo el amor ante un espejo azogado por la memoria. Vuelvo apresurado, inquieto y hambriento, a su proximidad. Trato su cuerpo como si fuese el mío. Aprendo con Silvia a ser, al mismo tiempo, apasionado y respetuoso del cuerpo femenino unido al mío. Sólo la alabo en nombre de la perfección que le otorgo, aunque no la tenga, y que ella me ofrece, aunque no la vea.

Todas las noches dejo una nota invisible sobre su almohada que dice «Me gustas».

Las mujeres son pasajeras del alba. Cada una es portadora de un destino diferente. Mi destino fue encontrar a Silvia y convertir el mío en el suyo.

SOCIEDAD CIVIL

Un Estado moderno, en cualquier parte del mundo, tiene que enfrentarse hoy a una economía global que pasa por alto leyes y fronteras nacionales.

¿Cómo corregir las desigualdades provocadas por la globalidad?

¿Cómo preparar a los individuos para la era de la nueva y acrecentada competencia en todos los órdenes de la vida?

¿Cómo re-estructurar los programas de bienestar a fin de que los ciudadanos más débiles no sucumban al darwinismo global?

El Estado latinoamericano, en particular, no debe abandonar la protección de la ineficiencia sólo para caer en la protección de la injusticia.

La gobernanza local tiene, en el mundo de la globalización, un papel fundamental para mantener el equilibrio social dentro de cada nación y esto no se consigue sin niveles de gasto público menores del 30 por ciento del Producto Interno Bruto. Ello, a su vez, exige promover el ahorro interno y salir del círculo vicioso que nos conduce a atraer capital externo con altas tasas de interés, en vez de alentar la entrada del capital productivo con altas tasas de ahorro. Para lograr todo esto, se requiere una relación complementaria, no un enfrentamiento hostil, entre el sector público y el sector privado.

Y es en este punto, donde la sociedad civil, el tercer sector, el sector social, cumple el papel fundamental de crear puentes entre el sector público y el privado, disolver antagonismos inútiles, afirmar compatibilidades de interés colectivo, y actuar por cuenta propia en territorios que los otros dos sectores no son capaces de ocupar, de describir y a menudo de imaginar.

A veces, donde la burocracia es ciega, la sociedad civil identifica con seguridad y velocidad mayores las necesidades del desarrollo: los problemas de la aldea olvidada, del barrio invisible, de la mujer que es trabajadora y madre.

Y otras veces, donde la empresa privada sólo observa la ausencia de lucro, el sector social descubre o inventa la mejor manera de emplear los recursos locales, poniendo en marcha actividades que le permiten a los pobres ayudarse a sí mismos: guarderías, cooperativas, sistemas de crédito, medicamentos y médicos compartidos, limpia y aseo personales y públicos, apoyo a la escuela y donde no la hay, alfabetización de casa en casa si es preciso.

Círculos de lectura el impulso del teatro popular. Cajas de ahorro, obras vecinales, sistemas de medicina familiar. Pequeñas, flexibles, originales, renovadoras, las organizaciones del tercer sector son las aves de buen agüero de iniciativas gubernamentales o empresariales.

Y cumplen una función política no por menos visible, menos indispensable. Contribuyen a establecer la agenda pública. Le devuelven poder a la gente.

Esto es particularmente cierto en Iberoamérica, donde seguimos siendo dos naciones. *The Two Nations*, como describió Disraeli a la Inglaterra escindida entre desarrollo industrial y retraso social en el siglo XIX. O como se llama a sí misma, con humor escéptico, Brasil, «Belindia», mitad Bélgica, mitad India. Somos dos naciones, coexisten en América Latina el Mercedes y el burro, el rascacielos y la villa miseria, el supermercado y el basurero, el barroco y el barrocanrol, pero la antena de televisión es la nueva cruz de la parroquia.

Creo que el desafío primero del tercer sector en América Latina es crear puentes entre las dos naciones, confiar en que a partir del desarrollo humano se consolide el desarrollo económico, entender que los problemas globales no se resolverán si no se resuelven los problemas locales, rescatar del olvido a la aldea, la comunidad aislada, la migración interna, la aparcería, los oficios, los caminos vecinales, la escuela rural, la formación vocacional, las artesanías.

No habrá salud global si no hay salud local.

Las novedosas democracias latinoamericanas serán puestas a prueba por la capacidad o incapacidad de asociar la idea misma de la libertad política a la idea misma del bienestar social.

La sociedad civil tiene por función socializar tanto el sector público como al sector privado —iría más lejos: los debe colonizar—; pero debe saber —la sociedad civil— que ella misma es constantemente colonizada por el Estado y por la Empresa.

No se trata, pues, de compartimentos estancos. En cierto modo, la sociedad civil es como los partidos políticos, que tienen un pie en la sociedad y otro en las instituciones.

No basta, por ello, la muy difundida versión de la sociedad civil como lo no controlado por el poder público o por la empresa privada. La sociedad civil no sólo critica a las instituciones públicas y privadas: las enriquece, las contamina, ofrece soluciones alternativas para una prosperidad real.

Se trata de abrir horizontes en un mundo mutante a fin de crear nuevas estructuras y dotarlas de nuevas instituciones adaptables al cambio con justicia.

He insistido en la necesidad latinoamericana de aumentar nuestros niveles de ahorro para aumentar nuestros niveles de producción y disminuir nuestra dependencia del capital especulativo atrayendo, en cambio, el capital productivo.

Éste es un gran tema, pero que tiene modalidades tan pequeñas que a veces pasan desapercibidas. Sin embargo, son tan importantes que constituyen fundamento y sentido de lo que entendemos por tercer sector o sociedad civil.

Para abrir canales entre el ahorro y la inversión productiva se necesitan, es cierto, fondos de previsión social, cajas de ahorro y uniones de crédito y, en general, acceso al crédito a fin de extender el sistema financiero y darle cobertura territorial.

Se requiere, asimismo, animar y multiplicar los sistemas de microcréditos.

Doy un solo ejemplo que me parece suficiente e ilustrativo.

En varias regiones rurales de Asia se está creando una democracia de crédito. El Banco Rural de Bangladesh ha otorgado, desde su fundación hace más de veinte años, dos mil quinientos millones de dólares a dos millones de clientes, a tasas de interés corrientes. Sólo en un año, el Banco dio créditos a los pobres por quinientos millones de dólares. El préstamo promedio es de unos doscientos dólares. El nivel de devolución es del 98 por ciento. Los pobres, a diferencia de ciertos bancos en México, Rusia, los Estados Unidos o Indonesia, pagan puntualmente. No necesitan rescates financieros sufragados por el contribuyente. La mayoría de los sujetos de minicréditos son mujeres y emplean el 90 por ciento del dinero en salud y educación para sus hijos: es decir, en la formación de ciudadanos.

Manuel Arango propone administración privada para fines públicos y Jorge Castañeda, programas cooperativos con temas definidos y metas precisas, capaces de cortar transversalmente las diferencias de clase, uniendo esfuerzos a fin de resolver problemas que pueden ser pequeños, pero son siempre concretos.

El interés público no tiene un defensor único. Cada vez más, la solidaridad y la vocación de participar llevan a la formación, en distintos campos, de organizaciones no gubernamentales cuya labor puede ser tan importante como las del Estado y la Empresa.

Doy dos ejemplos alejados pero complementarios. En la ciudad brasileña de Curitiba, su alcalde, el arquitecto Jaime Lerner, reunió los esfuerzos de la administración pública, la empresa privada y la sociedad civil para combatir la polución, extender los espacios verdes, reciclar la basura, restaurar el centro urbano y descentralizar el crecimiento urbano, dándole nueva calidad de vida a una ciudad latinoamericana, gracias a la cooperación de los tres sectores.

El otro, más dramático ejemplo, es el de la extraordinaria función cumplida, bajo el sistema totalitario y a pesar de él, por la sociedad civil húngara en una de sus maneras extremas: como *underground* social en un régimen dictatorial. El gran novelista húngaro Giörgy Konrad nos cuenta que con todo y la burocracia estalinista y los tanques soviéticos, la sociedad civil húngara decidió vivir día a día, pese a la infelicidad, gracias a una cadena de actos mínimos de amor, sensualidad, creatividad y amistad.

Una escuela experimental, un proyecto de investigación, una nueva orquesta, la oportunidad para publicar clandestinamente, un pequeño restaurante, una asociación de matemáticos, una tienda atractiva, publicaciones independientes, diarios semiocultos... Todo ello, en la Hungría sujeta al Pacto de Varsovia, fueron manifestaciones mínimas pero trascendentales de la sociedad civil. ¿Cuándo, cómo, dónde? Humildemente, nos recuerda el gran novelista húngaro, «retirada, atrincherada», consciente de los peligros y de los obstáculos, dispuesta a esperar una o dos generaciones para lograr la socialización del sistema...

Si esto podía lograrlo, lleno de coraje y esperanza, un miembro activo de la sociedad civil clandestina en un estado totalitario, ¿es mucho menos ardua nuestra tarea en regímenes democráticos de mercado o, por lo contrario, nos adormece la libertad, nos engaña la ilusión, nos debilita la complacencia?

En Latinoamérica, la paradoja es que tenemos una cultura fuerte e instituciones débiles. Traducir la continuidad y el vigor de la cultura a las instituciones políticas y económicas, es el desafío latinoamericano y no puede ser contestado sin la acción creciente de la sociedad civil. La alternativa son explosiones sociales, el regreso a regímenes militares, la larga tradición autoritaria y centralista de la América Latina resurrecta, junto con el anciano vicio de la corrupción y el novedoso imperio de las drogas.

Si hemos de superar estos males, debemos fortalecer a la sociedad y a la cultura. Son inseparables. Sin ellas, tendremos una economía frágil y una política amenazada. Democracia con desarrollo y justicia. Éste es el clamor latinoamericano. Hemos tenido, a veces, democracia política sin desarrollo ni justicia (la Colombia de las alternancias liberal-conservadoras). Desarrollo sin democracia ni justicia (la Revolución Mexicana hasta 1960). Y justicia sin desarrollo ni democracia (la Revolución Cubana en sus inicios). Hay muchos más ejemplos, muchas más variables. Hoy, dependemos excesivamente de los factores externos y muy poco de los internos a fin de alcanzar el equilibrio deseado. Corresponde al tercer sector —a la sociedad civil— activar las iniciativas ciudadanas para crear empleos útiles al talento laboral expulsado de los sectores estatal y empresarial por una modernización excluyente.

Devolverle poder a la gente. Crear las condiciones de una prosperidad real, desde abajo, más cierta que las prosperidades endebles que a cambio de una indispensable disciplina fiscal, no vencen al empobrecimiento ni el desempleo, o la prioridad otorgada al capital financiero a costa de la fe en el capital humano. En su libro fundamental, *¿Qué hacemos con los pobres?*, Julieta Campos lo dice de manera sucinta: América Latina debe pasar de una modernización excluyente a una modernización incluyente. La lógica del mercado, por sí sola, «acentúa las asimetrías». ¿No podemos crear un nuevo modelo de modernidad a partir de proyectos locales, y participación de las comunidades, es decir, de la sociedad civil? «Sin renunciar a la eficiencia económica global... Sin romper la disciplina del gasto, la estabilidad cambiaria y de precios», debemos «atender las prioridades del desarrollo humano».

Es la acción de la sociedad civil la que va a dar respuestas a estas preguntas. Pero la sociedad civil no vive en el aire. Necesita el techo protector de la democracia y la savia nutricia de la raíz cultural.

TIEMPO

Hace ya mucho tiempo, viajaba por el estado mexicano de Morelos con el dramaturgo neoyorquino Jack Gelber y su esposa. Nos perdimos en el laberinto de montañas, arrozales y cañaverales. Nos detuvimos para pedirle a un anciano campesino el nombre de la aldea donde nos hallábamos.

—Depende —contestó el viejo—. El pueblo se llama Santa María en tiempos de paz. Se llama Zapata en tiempos de guerra.

Ese viejo campesino sabía algo que «nuestro tiempo» parece haber olvidado y es que hay más de un tiempo en el mundo. Existen otros tiempos, en plural, al lado, por encima o por debajo del tiempo lineal de los calendarios de Occidente.

Un viejo que podría vivir, «dependiendo», en el tiempo de Zapata o en el tiempo de Santa María, era heredero vivo de una cultura compleja, de múltiples estratos. Ese hombre, no sólo nos es indispensable. Nos es fraternal. Nos recuerda que tiene un hermano en la India para el cual el pasado nunca es pasado sino presente eterno, perpetuamente enriquecido por lo que en Occidente se llama «pasado» muerto. Sospecho que tiene un mellizo en China que concibe el tiempo como una proposición puramente dinástica y un sobrino, quizás, en Marruecos, para el cual el tiempo, lejos de desarrollarse horizontalmente del pasado al presente y al futuro, es concebido como un ascenso vertical y paralelo de Dios y del Hombre.

Me imagino, incluso, que tiene un joven nieto viviendo en Madagascar entre los imerima que rehúsan exiliar los tiempos antiguos en beneficio de los nuevos. Uno y otro, en vez de desterrarse mutuamente, se suman entre sí en una especie de acreción continua. Todo está vivo, todo es y está presente. Los imerima resumen toda posible historia en dos declives de la realidad: La herencia de los oídos y la memoria de los labios. Oídos y labios nos dicen, entrando al siglo XXI, que debemos darle al tiempo un cauce más amplio a fin de dar vida y cabida a las múltiples culturas de un mundo que corre el peligro de la uniformidad global pero también el de la dispersión local. Ello requiere una crítica del tiempo dentro del patrón occidental que es el nuestro, que a su vez implica una crítica de la historia como orientación hacia el futuro, una crítica del progreso como ascenso lineal inevitable hacia la perfección y, finalmente, una crítica cultural de la hegemonía y la servidumbre internacionales en el siglo XXI. Además, el mundo nos ofrece hoy la posibilidad de un tiempo sin tiempo, un tiempo que puede ser el fin del tiempo si, como es posible, logramos asesinar a la naturaleza al tiempo que nos suicidamos.

La defensa del tiempo es por todo ello defensa de la cultura y de la manera de vivirla en la historia. Esa defensa tiene un sitio. Se llama el presente, aquí y ahora.

Porque el pasado ocurre hoy, cuando recordamos. Y el futuro ocurre también hoy, cuando deseamos.

No puede haber presente vivo con pasado muerto. Cuando expulsamos al pasado por la ventana, no tarda en regresar por la puerta principal, disfrazado de las más extrañas maneras. Las guerras contra la memoria son perdidas, al cabo, por quienes las emprenden. Tenemos que hacer presente el pasado para comprender a las culturas re-emergentes, insatisfechas con la carrera de cabeza hacia un futuro sin cabeza, así como la tensión interna, dentro de las propias culturas, entre las exigencias técnicas y supranacionales de la aldea global y la afirmación de las diferencias locales, los regionalismos, las microculturas y los ritmos temporales que les son propios.

Todas estas tensiones suponen una re-elaboración de los conceptos de la temporalidad y del papel del lenguaje y de la imaginación en una redistribución del reparto de las civilizaciones de acuerdo con tradiciones más profundas y menos efímeras que las nuestras. México es un país mestizo e hispanoparlante, pero sigue siendo, también, un país indio. Un repertorio de posibilidades que hemos olvidado o aplazado o expulsado de nuestros conceptos del tiempo progresista nos aguarda calladamente en el mundo indígena, reserva de todo lo que hemos olvidado y despreciado, la intensidad ritual, la sabiduría atávica, la imaginación mítica, la relación con la muerte, la manera de contar el tiempo —narración y suma— no sólo como calendario solar sino como calendario del destino, el *tonopuhali* de ciclos de veinte días, cada uno con su secuela particular de trece días, hasta integrar un verdadero mandala del tiempo más pleno, más abarcante, más orientado que nuestras simples concepciones lineales.

El tiempo siempre ha sido un problema. Desde el principio del tiempo. Un problema redundante, puesto que el problema del tiempo es el tiempo mismo. En la raíz del problema, hay dos maneras de concebir al tiempo. Para unos, la realidad es cambio incesante. El mundo está en llamas. La ley de los opuestos es cruenta. Todo tiende a convertirse en su contrario y es esto lo que crea el cambio. La historia es la historia de la violencia. El tiempo es lucha. El devenir y el flujo son la única realidad temporal. La permanencia es ilusoria. Si el movimiento cesa, el universo se colapsa y el tiempo termina.

Para otros, sólo lo que permanece y dura es real. El flujo, el movimiento y el cambio son meras apariencias. Platón concilia ambas corrientes pero privilegia a la segunda. Si el cambio es real, la permanencia es irreal. Si el cambio es irreal, la permanencia es real. El dualismo de Platón nos dice que existe un mundo de formas, real y permanente, fuera del tiempo y liberado del cambio: un mundo eterno. Pero hay otro mundo de objetos sensoriales, basado en la apariencia y el cambio, que ejemplifica al mundo de las formas en otro mundo de tiempos cambiantes. En el *Timeo*, el Creador explica cómo transformó el Caos original en Orden universal. La inmensidad de Dios no depende del espacio. La eternidad de Dios no depende del tiempo. Pero en cuanto tiempo y espacio son ocupados por cosas y por eventos, cosas y eventos coexisten en el espacio y se suceden en el tiempo.

Lessing dividió las artes en formas que coexisten en el espacio (en pintura y escultura, artes de la impresión total e inmediata) y artes que suceden en el tiempo (música y literatura). La gran cuestión de la literatura moderna ha sido: ¿Por qué se ve obligada la escritura a la sucesión en vez de a la coexistencia? Porque el lenguaje consiste de unidades sucesivas y discretas. La revolución de la novela moderna ha consistido, en alto grado, en rebelarse contra la fatalidad discreta y sucesiva. Pero lo mismo ha sucedido en la música, en la física y en la poesía. Es la aspiración imposible a la simultaneidad que, rebelándose contra la sucesión, no la derrota, pero la transforma: Picasso, Pound y Eliot, Apollinaire, Joyce, Faulkner, Virginia Woolf... Su grandeza es su propósito, pero su genio es el fracaso del propósito, la medida del cambio logrado por la rebelión... La literatura es el gran laboratorio del tiempo.

Otorgarle directamente la eternidad al universo fue imposible, dice Platón. Pero el Creador «resolvió concedernos una imagen de la eternidad en movimiento... y esto es lo que llamamos tiempo». El tiempo es la imagen de la eternidad cuando se mueve. La eternidad en movimiento es el tiempo. No ceso de maravillarme ante esta idea que es imagen. Pero admirado, consolado o inspirado por ella, no me libero de la conflictiva relación con el tiempo que es la mía —la de todos— porque sigo persiguiendo al tiempo, arañándolo sin asirlo. Nacido, crecido, amado y siendo amado, deseando, envejeciendo y al cabo, muriendo en el tiempo, nunca sabré lo que yo era cuando aún no era —el pasado sin mí— o lo que seré cuando ya no sea —el futuro sin mí.

Pues por más que racionalicemos al tiempo, su reino —el original y el fatal— es el misterio. Me pregunto por la sabiduría común de Dios y el Diablo y digo que es una relación con el tiempo. Dice la Cábala: Nada desaparece por completo, todo se transforma, lo que creíamos muerto sólo ha cambiado de lugar. Permanecen los lugares. No les vemos cambiar de lugar. Mas, ¿qué es el tiempo sino medida, invención, imaginación nuestra? Cuanto es, es pensado. Cuanto es pensado, es. Los tiempos mudan de espacio, se juntan o superponen y luego se separan. Podemos viajar de un tiempo a otro sin mudar de espacio. Pero el que viaja de un tiempo a otro y no regresa a tiempo al presente, pierde la memoria del pasado (si de él llegó) o la memoria del futuro (si allí tuvo su origen). Lo captura el presente. El presente es su vida. Y todos, sin excepción, regresamos tarde a nuestro presente. El tiempo no se detiene a esperarnos mientras viajamos al pasado o al futuro. Siempre llegamos tarde. Un minuto o un siglo; da igual. Ya no podemos recordar que también estamos viviendo antes o después del presente. Quizás nuestro pacto con el tiempo es vivir en el presente sin memoria de nuestro pasado o de nuestro porvenir, los más lejanos, no los más próximos, si de ellos llegamos a nuestro hoy. A veces cruzamos miradas incomprensibles, en una calle, en un aeropuerto, en un barco, en un almacén, en una escalera, en un ascensor, en una iglesia, en un teatro, en un cementerio, que nos dicen: ¿Quién fuiste, dónde viviste antes, dónde moriste antes? ¿Nos conocemos?

Si yo quisiera descargarme de la memoria algo atrozmente triste, mi pacto con Dios o con el Diablo sería éste: —Quítame mi memoria y te regalo mi alma. Pero ni siquiera Dios puede deshacer lo hecho. El Diablo, en cambio, afirma que él sí puede convertir lo que fue en lo que no fue. Así desafía y tienta Dios al hombre. Pero al olvidar un hecho atroz, ¿no corremos el riesgo de olvidar también lo mejor de nuestras vidas, el tiempo del amor de nuestros padres, de la belleza de una mujer, de la pasión de un hombre, del orgullo de un hijo, de la alegría de una amistad, de todo? La cláusula diabólica es: Olvidarlo todo o no olvidar nada.

Veo a un niño y me digo que cada hombre que nace posiblemente reencarna a cada hombre que muere. Si quiero conocer la cara que dentro de cuarenta años tendrá ese niño, me basta ir directamente al lugar donde será bautizado: nombrado. Allí lo encontraré. Allí veré la cara que tendrá el niño. Allí me diré que nadie puede terminar su propia vida. A nadie le es dado vivir completamente su tiempo posible.

¿Quiénes son, entonces, los inmortales? Hay seres que no nos hablan, pero nos miran. No nos ven, pero nos recuerdan. No nos recuerdan, pero nos imaginan. ¿Quiénes son los inmortales? Los que vivieron mucho tiempo, los que reaparecen de tiempo en tiempo, los que tuvieron más vida que su propia muerte, pero menos tiempo que su propia vida.

URBES, UBRES

Creo en las ciudades. La naturaleza me inquieta demasiado. Su terror me resulta más próximo que prójimo. Me seduce la belleza natural. Puedo pasarme horas extasiado volando sobre los tronos blancos de los Andes y las Rocallosas. Quisiera perderme en la delicada e interminable belleza de un bosque de abedules en Rusia. Me corta el aliento la costa de Irlanda, agitada coraza de mar que defiende a todo un continente. Y me hundiría para siempre en la claridad verde limón del mar Caribe, tumba transparente de toda la plata y el oro de las ciudades-fantasma de la América India. ¿Hay algo más sereno, ondulante y dotado de eternidad en movimiento que los trigales que son olas, la verde seguida de la parda y ésta del siguiente glauco temblor, en la Palusa de Idaho?

Entonces oigo la voz sardónica de Schopenhauer, «Intenta por una vez ser enteramente naturaleza», y salgo de mi sueño de calendario, de mi embeleso culpable, de mi indeseada separación de quienes gozan sin reservas de las bellezas naturales. ¿Qué falla interna me impide hablarle con el amor deseado y deseable a la naturaleza? La admiro, pero la temo. La envidio. Todos los seres y cosas naturales parecen estar en su sitio. Los seres humanos nos desplazamos, queremos ser otra cosa, estar en otro lugar, inconformes siempre, como no lo son el cañón del Colorado o las cataratas del río Zambeze o los tigres de Bengala, si es que aún queda alguno. Aun las especies migratorias cumplen ciclos de eterno retorno comparables al bellísimo reflorecer del cornejo. Sí, admiramos un orden de la belleza natural. Pero sabemos que hay una catástrofe detrás de su creación. Y tememos que la siguiente catástrofe no la genere la naturaleza misma, con todos los peligros y salvajes tumultos que encierra, sino un apocalipsis peor que cualquier terremoto o marejada: la venganza final del ser humano contra la naturaleza. Hoy, por primera vez, tenemos la sospecha verificable de que podemos morir, la naturaleza y nosotros, al mismo tiempo. Antes, fuese cual fuese el desafío de la naturaleza —quédate, abandóname—, sabíamos que ella nos sobreviviría. La muerte del ser humano, inevitable, la asume hoy una naturaleza que, hasta ahora, nos ha consolado porque sobrevive. Hoy, nuestra locura puede obrar esta catástrofe simultánea. Muero yo y la naturaleza conmigo. *Après nous, le néant*...

Nunca he creído en una edad de oro bucólica a la cual debamos, un día, regresar para ser como, en el origen, completos. La Edad de Oro primigenia, sueño explícito de Ovidio que recoge, casi *verbatim*, Don Quijote reunido con los cabreros:

> ¡Dichosa edad y siglos dichosos aquellos a quien los antiguos pusieron nombre de dorados, y no porque en ellos el oro, que en esta nuestra edad de hierro tanto se estima, se alcanzase en aquella venturosa sin fati-

> ga alguna, sino porque entonces los que en ella vivían ignoraban estas dos palabras de *tuyo* y *mío*! Eran en aquella santa edad todas las cosas comunes... Todo era paz entonces, todo amistad, todo concordia... No había la fraude, el engaño ni la malicia...

Se trata de un sueño regresivo, que nos devuelve a la ilusión de lo que nunca fue. Le atribuimos a la naturaleza original las virtudes que hemos perdido pero que quisiéramos restaurar. Es un sueño revolucionario: dar la vuelta al origen para encontrar la promesa del futuro. Éste, al cabo, se convierte en encarnación deseada de la utopía, más que en pretexto rememorado del origen. El retorno a la naturaleza es, también, el sueño del Nuevo Mundo. América es inventada (deseada, descubierta) por Europa para que en otra parte, en una *là-bas* ideal, renazca la sociedad natural perfecta soñada por el Renacimiento (Moro, Campanella, Bacon, Shakespeare, Cervantes) pero negada por el propio Renacimiento. En Europa, por la *realpolitik*, Maquiavelo, los Borgia y el poder sin responsabilidad; los Fugger y el dinero con interés; Lutero y la guerra religiosa con nacionalismo; Isabel, Fernando y la intolerancia racial. La terrible Guerra de los Treinta Años y sus madres coraje arrastrando los harapos y comiendo los mendrugos de la ilusión: en esta imagen de Brecht termina el Renacimiento.

América se convierte en la contradicción de Europa, en su Utopía. Pero *u-topos* es el lugar que no existe. ¿Cómo puede América, lugar que sí existe, ser el lugar que no existe, salvo en la imaginación? De Vespucio, Colón y los Cronistas de Indias a Neruda, Carpentier y García Márquez, aparecemos como la Utopía de Europa, del retorno feliz a la tierra del origen. Neruda canta generalmente a una idílica América prehispánica (pero a la cual los burdos conquistadores, aunque se llevaran el oro de las minas, nos dejaron el oro del lenguaje). Carpentier se remonta en el tiempo viajando a la semilla de las civilizaciones en el surtidor del Orinoco. Pero es García Márquez quien, después de describir el paraíso recobrado, cierra con candado las puertas del regreso. Los pueblos que han vivido los simbólicos «cien años de soledad», no tendrán una segunda oportunidad sobre la tierra. La oportunidad, implica García Márquez, de regresar a *u-topos*, aunque la oportunidad, eso sí, de construir una mejor ciudad, una *civitas* latinoamericana, en el futuro. La utopía recupera así su rostro verdadero. Es proyecto de porvenir.

Pero el sueño de la edad de oro persiste. Tiene que haber un tiempo original de felicidad y concordia naturales. Aunque vivamos en la desgracia, debimos nacer en la alegría. Una madre amantísima, abrazando por igual a todos sus hijos sin distingos de ninguna clase, debió preceder al patriarcado maldito que impone la ley del más fuerte, designa primogénito, heredad, propiedad, límites y guerras para defenderlos... Aunque esta tesis fuera cierta, no dejo de pensar que, como obra humana, matriarcado y patriarcado le son perfectamente indiferentes a la naturaleza. Quizás nosotros suframos de los ultrajes que imponemos a la naturaleza. Podemos tener la seguridad de que la naturaleza se desinteresa soberanamente de nuestra fragilidad, de nuestra vulnerabilidad, nuestra desaparición fatal... La puesta de sol no sabe que es bella. El cañón del Colorado no se sabe majestuoso.

Soy bicho de pavimento. Prefiero las ciudades porque ni ellas ni yo nos hacemos ilusiones sobre nuestra permanencia. Una ciudad es una tribu accidental, dijo Dostoyevsky. Pero en esa accidental tribu, por su azarosa condición, por su accidentada circulación, identifico mucho más mi condición mortal, mi precaria suerte, que con una naturaleza idealizada hasta las cimas de la felicidad y la inmortalidad, sólo para caer una y otra vez en las simas de la barbarie más destructiva. La naturaleza posee una engañosa belleza. La urbe es hostil y no lo esconde. La belleza natural puede ser infiel: la hermosa máscara de un caos original o inminente. Por eso admiro, aunque temo, a la ciudad como respuesta a la naturaleza, sitio de tumulto y jungla. ¿No caen las ciudades, con facilidad, en lo mismo que tememos en la intemperie natural: *la selva selvaggia*? Sólo que la selva urbana es nuestra hechura.

Las ciudades peligran, las ciudades caen de rodillas, enferman, mueren. Nuestro siglo, como ninguno otro, ha demostrado cómo eliminar ciudades enteras. Ni Escipión frente a Numancia o Cartago ha destruido ciudades con tanta saña y eficacia técnica como nuestro tiempo, de Sarajevo a Sarajevo, y en medio Verdún y Guernica, Chunking y Dresden, Hiroshima y Bagdad... La historia es urbanicida. Algunas ciudades sobreviven. Otras desaparecen para siempre. Ya no hay Babilonia. El Cuzco de los Incas es un espectro. La Tenochtitlan de los aztecas es un subsuelo pétreo y tembloroso sobre el cual se alzan las sucesivas ciudades de México, la indígena, la barroca, la neoclásica, la decimonónica, la moderna. Roma va añadiendo capas casi geológicas a su edad antigua. Éstas son las ciudades parcialmente subterráneas. Invitan a penetrar sus laberintos. Es posible perderse en ellos y nunca volver a ver el sol.

Amo las ciudades que en vez de hundirse o esconderse, se extienden, se muestran, se explayan como joyas sobre terciopelo. París es la ciudad perfecta en este sentido. Cambia pero no se esconde. Se expande, pero no se esfuma. Los viejos amantes de la ciudad podemos reclamar, aquí y allá, la desaparición de tal librería, de tal café, de tal mercado... Pero en su esencia, París no cambia. Las referencias literarias y musicales siguen siempre allí. Una novela de Balzac es una novela de Proust es una novela de Le Clézio. Un poema de Villon es un poema de Apollinaire es un poema de Prévert. Una canción de Piaf, de Patachou, de Jean Sablon o Georges Brassens, de la maravillosa Barbara, nunca envejece. Los lugares citados son citados y sitiados para siempre por los nombres de Pigalle, Montparnasse, la Rue Le Pic, el Puente Mirabeau, la Place Dauphine donde caen para siempre las hojas muertas.

¿Qué es esto? ¿Por qué es esto? ¿Historia, prestigio, *esprit*, continuidad, evocaciones poderosas? No. Es luz. Decir «la Ciudad Luz» es un tópico que algunos ingenuos refieren al alumbrado público. No se dan cuenta de que se trata de un milagro. «Todas las tardes, en París, un minuto milagroso disipa los accidentes de la jornada —lluvia o bruma, canícula o nieve— para revelar, como en un paisaje de Corot, la esencia luminosa de la Isla de Francia» *(Una familia lejana)*.

Paul Morand, con quien compartí varias veces la piscina del Automobile Club de France en la Place de la Concorde, me decía que en su testamento había dejado dispuesto que su piel fuese utilizada como maleta a fin de seguir viajando eternamente. Venecia —o las Venecias, en plural— era una de las ciudades preferidas de este autonombrado «viudo de Europa». Venecia, más que una ciudad, era para Morand la confidente de su alma silenciosa, el retrato de un hombre en mil Venecias diferentes. Yo, que viví medio año frente a la Chiesa de San Bastian decorada por Veronese en esa mitad de las Venecias que es el Dorsoduro, siento a la Venecia como una ciudad que requiere ausencias para conservar su gloria, que es la del asombro. Tenemos los humanos una capacidad constante para convertir la maravilla en la rutina. Cuando me di cuenta de que atravesaba San Marco sin mirar nada más que la punta de mis zapatos, me fui de la costumbre para recuperar el asombro y recordar y escribir a Venecia como la ciudad donde ninguna huella de pisadas queda sobre la piedra o el agua. En ese lugar de espejismos, no hay cabida para otro fantasma que el tiempo, y sus huellas son insensibles. La laguna desaparecería sin piedra que reflejar y la piedra sin aguas donde reflejarse. Poco pueden, he pensado, los cuerpos pasajeros de los hombres contra este encantamiento. Poco importa que seamos sólidos o espectrales. Igual da. Venecia toda es un fantasma. No expide visas de entrada a favor de otros fantasmas. Nadie los reconocería por tales aquí. Y así, dejarían de serlo. Ningún fantasma se expone a tanto.

Praga y Cambridge, además de Venecia, son para mí las ciudades más bellas de Europa. Praga, la novia muerta del Ultava. Praga, la ciudad abandonada por sus escritores: Rilke, Werfel, Kundera, los exiliados que partieron a fin de romper «el maleficio de Praga». La ciudad de los guetos, de los aislamientos, de las murallas anímicas, de los territorios vedados, la ciudad de los documentos impersonales, donde el lenguaje verdadero es el del pasaporte, la tarjeta de identidad, el papel burocrático que decide quién es una persona y quién no lo es.

Hablo de la ciudad que visité, en el invierno de

1968, con Julio Cortázar y Gabriel García Márquez para apoyar a nuestro amigo Milan Kundera y la imposible batalla por la Primavera de Praga. Acaso no hay ciudad más hermosa, ni más triste, en el centro de Europa. El lugar más melancólico es el viejo cementerio judío, un terreno reducido, estrecho, asediado por edificios viejos y renegridos. En vez de expandirse, este cementerio se levanta: capa sobre capa de féretros, tierra sobre tierra. Un espectro geológico del mundo hebreo de Bohemia. Hojas muertas, tierra negra y tumbas negras, en desarreglo. Las tumbas de Praga son como un tótem. Es necesario cavar como un topo a fin de llegar al último hombre enterrado allí. Se llama Gregorio Samsa. No se mueve. Está suspendido sobre el vacío de su tumba que es precipicio urbano y agarrado con pies y manos sobre el vacío de Praga, la madrecita con uñas, como decía Kafka.

Pero, ¿hay otro espacio urbano que tan majestuosamente, con tan admirable unidad, conserve en pureza la fisonomía, cambiante y única, que va de la Alta Edad Media al Barroco?

Nada más distinto de Praga que la belleza de Cambridge, cuyas «espaldas» *(the backs of Cambridge)* son un collar de joyas preciosas, una parada sucesiva de arquitecturas serenas, inmortales, alabables sin tregua: de St. Johns a Trinity a King's College a Queen's y Peterhouse, no creo que exista conjunto universitario que aúne tanta hermosura con tanto servicio, tanta tradición con tanta creación. Ésta es la universidad de Erasmo y de Samuel Pepys, de Wordsworth y de Byron. Allí está el árbol de donde le cayó, gravemente, la manzana a Isaac Newton. Pero si un artista resume para mí las simetrías secretas de Cambridge, él es Christopher Wren y yo no he pasado año más perfecto de mi vida que leyendo y escribiendo y mirando de mi estudio en Trinity College sobre el cuadrilátero asimétrico de la Neville's Court de Wren. He dicho bien: una asimetría que, rompiendo la aparente simetría de Cambridge, abre la puerta de un misterio que se llama arquitectura como profecía del pasado... Cambridge asimila al habitante, más que al visitante, a una vida de trabajo, disciplina y goces compartidos tanto por la soledad como por la compañía. No he conocido cuerpo estudiantil más enterado y alerta que el de Cambridge. Y no hay sucesión arquitectónica ininterrumpida más bella que esas espaldas de Cambridge. Acompaña la serenidad entera de la arquitectura inmóvil el cielo más veloz que mis ojos hayan contemplado. Es un puro deleite recostarse en un prado de Cambridge, las manos unidas en la nuca, y ver el paso de esas veloces «nubes de gloria» que William Wordsworth evoca en el grande poema del romanticismo inglés, *El preludio*, comparándolas con «nuestro hogar» divino, antes de que las sombras carcelarias del mundo empiecen a cercarnos...

Granada, Ronda, Córdoba, Salamanca, Santiago de Compostela. Oviedo, Ávila, Cáceres. Mi rosario de ciudades españolas va más allá de la belleza arquitectónica a una convicción humana. Imagino la ciudad europea ideal. Arquitectura italiana. Cocina francesa. Teatro inglés. Música alemana. Y llena de españoles. Una ciudad se califica por el número de amigos que en ella tenemos. Y yo, fuera de la América Latina, no tengo ciudades con más amigos que las ciudades de España. Estoy en mi casa, en Madrid, Barcelona, Mallorca, Sevilla...

Regreso siempre a París —otra ciudad de amigos— porque allí la belleza y la vida se funden perfectamente.

No hay otra ciudad europea en la que haya vivido con más intensidad, política, intelectual, amatoria. Allí nació mi hijo, allí aprendí a amar a mi mujer. Hay ciudades que sólo visito —las del norte de Europa, las ciudades de los Estados Unidos—. Hay otras en las que vivo. México, como un acto de masoquismo amoroso, es mi ciudad más vivida. Es mi gente, es mi historia, es mi suplicio, es mi asfixia, es mi prueba, es mi desafío: recuérdame bella, dueña chica de la Nueva España, no me veas de rodillas, virgen de Guadalupe accesible, no me veas recostada, inaccesible puta de Orozco...

> Escucho ecos de atabales sobre el ruido de motores y sinfonolas, entre el sedimento de los reptiles alhajados. Las serpientes, los animales con historia, dormitan en tus urnas. En tus ojos, brilla la jauría de los soles del trópico alto. En tu cuerpo, un cerco de púas. ¡No te rajes, manito! Saca tus pencas, afila tus cuchillos, niégate, no hables, no compadezcas, no mires. Deja que toda tu nostalgia emigre, todos tus cabos sueltos; comienza, todos los días en el parto. Y recobra la llama en el momento del rasgueo contenido, imperceptible, en el momento del organillo callejero, cuando parecería que todas tus memorias se hicieran más claras, se ciñeran. Recóbrala solo. Tus héroes no regresarán a ayudarte. Has venido a dar conmigo, sin saberlo, a esta meseta de joyas fúnebres. Aquí vivimos, en las calles se cruzan nuestros olores, de sudor y páchuli, de ladrillo nuevo y gas subterráneo, nuestras carnes ociosas y tensas, jamás nuestras miradas. Jamás nos hemos hincado juntos, tú y yo, a recibir la misma hostia; desgarrados juntos, creados juntos, sólo morimos para nosotros, aislados. Aquí caímos. Qué le vamos a hacer. Aguantarnos, mano. A ver si algún día mis dedos tocan los tuyos. Ven, déjate caer conmigo en la cicatriz lunar de nuestra ciudad, ciudad puñado de alcantarillas, ciudad cristal de vahos

y escarcha mineral, ciudad presencia de todos nuestros olvidos, ciudad de acantilados carnívoros, ciudad dolor inmóvil, ciudad de la brevedad inmensa, ciudad del sol detenido, ciudad de calcinaciones largas, ciudad a fuego lento, ciudad con el agua al cuello, ciudad del letargo pícaro, ciudad de los nervios negros, ciudad de los tres ombligos, ciudad de la risa gualda, ciudad del hedor torcido, ciudad rígida entre el aire y los gusanos, ciudad vieja en las luces, vieja ciudad en su cuna de aves agoreras, ciudad nueva junto al polvo esculpido, ciudad a la vera del cielo gigante, ciudad de barnices oscuros y pedrería, ciudad bajo el lodo esplendente, ciudad de víscera y cuerdas, ciudad de la derrota violada (la que no pudimos amamantar a la luz, la derrota secreta), ciudad del tianguis sumiso, carne de tinaja, ciudad reflexión de la furia, ciudad del fracaso ansiado, ciudad en tempestad de cúpulas, ciudad abrevadero de las fauces rígidas del hermano empapado de sed y costras, ciudad tejida en la amnesia, resurrección de infancias, encarnación de pluma, ciudad perra, ciudad famélica, suntuosa villa, ciudad lepra y cólera hundida, ciudad. Tuna incandescente. Águila sin alas. Serpiente de estrellas. Aquí nos tocó. Qué le vamos a hacer. En la región más transparente del aire.

Me complace Londres, donde escribo en paz porque nadie me llama y nadie me conoce. Miro por la ventana. No saldré a la lluvia pertinaz. Mi viaje es mi escritorio. Mi trópico es de papel. Oigo un insólito teléfono. El contestador se encargará de atestiguar mi ausencia. Estoy. No estoy. Escribo y escribo. Todo lo que necesito oír y entender lo oigo y escucho por boca de mi media docena de amigos ingleses.

No puedo abandonar, de todas maneras, las ciudades que me vieron crecer, me marcaron y me educaron. Panamá que se dice a sí misma Corazón del Mundo y

Puente del Universo y es sólo una cicatriz de mar en la selva. Montevideo que yo conocí sin rascacielos pero con gracia antigua, perfecta capital ideada para sus escritores más que por sus escritores: Felisberto Hernández, Juan Carlos Onetti y el fantasma de Lautréamont... Y Quito el dorado doblón ecuatorial cuyos habitantes sólo piden: «En la tierra, Quito, y en el cielo, un hoyito para ver a Quito.» Y la *ciudad maravillosa*, Río de Janeiro, donde, digo, aprendí literatura sentado en las rodillas de Alfonso Reyes, pues ¿no es la literatura la mentira que nos revela la verdad en una ciudad jánica, ese «río de enero, río de enero, fuiste río y eres mar», que cantó el propio Reyes? Santiago de Chile donde hermané para siempre libertad y poesía, Santiago del Frente Popular y las mujeres hermosas con miradas de uvas y colegios de disciplina británica donde la indisciplina de querer escribir se volvía orden y lección de constancia frente a la abrumadora obligación de demostrar todos los días que Waterloo se ganó en los campos deportivos de Eton... Buenos Aires donde me hice hombre y amé y circulé libremente y leí a Borges y me negué a repetir las consignas fascistas del régimen y entendí por qué el tango es un pensamiento triste que se baila y por qué un hombre podía enamorarse hasta el deshonor por Mecha Ortiz o Tita Merello. Junto al río color de león, dijo Lugones, Buenos Aires es una ciudad fundada dos veces, la ciudad donde se encontraron el Atlántico y la Pampa igualmente vastos y sin facciones, dándoselas a Buenos Aires, ciudad privilegiada por la distancia, la ausencia, la melancolía de ser única, no parecerse a nada y cargar con la cruz de querer ser otra, París o Babel. Si no hay ciudad más sólida, construida y «hecha» en América Latina, tampoco hay ciudad más desvanecida en la bruma de su lenguaje, su literatura, su música pasajera, no la hay más herida por sus promesas rotas, sus crueldades inimaginables, sus desaparecidos, sus torturas, sus sevicias que no alcanzan a compensar el asombro carnavalesco de sus dictadores, sus santas embalsamadas, sus bailarinas presidenciales, sus brujos áulicos. Que Buenos Aires lo soporte todo y siga viviendo se debe, acaso, a que es una ciudad que existe de milagro, porque no se la comieron los caníbales y por eso Buenos Aires come bife. Fundada dos veces, puede refundarse cien veces.

Washington fue la ciudad de mi infancia, con vacaciones de verano en México a cargo de mis espléndidas, valientes abuelas. Washington se quedó en mí, sin embargo, como un largo verano ardiente, faulkneriano, con olor de sudores negros, de parques corruptos, de ríos lentos y pesados, de raspados con sabor de frambuesa, de cines ardientes donde Hollywood escondía la miseria de la Depresión detrás del encanto erótico de Fred y Ginger bailando, la desopilante comedia anarquista de Laurel y Hardy, la maravillosa reinvención de una Eva cómica, accesible e irónica en Irene Dunne y Carole Lombard, a cambio de la inaccesible distancia sexual de las divas europeas, Greta y Marlene. ¿Por qué recuerdo todo esto en un verano que apenas viví y no en un invierno en que iba en trineo a la escuela y recibía la recompensa de dos inolvidables idas al cine, de la mano de mi padre, por semana?

Hoy detesto Washington. Todo lo que era grande en mi niñez se volvió enano en mi vejez: los parques, las avenidas, las casas, la política, los políticos... Comparable a un gran cementerio de mausoleos griegos, Washington, como Buenos Aires, es ciudad inventada, sin preexistencia. Pero si Buenos Aires conjuga pampa y océano con letra de Cortázar y música de Discépolo y voz de Goyeneche, Washington es sólo cementerio hacia la vasta nada de la carretera número uno que va del Atlántico al Pacífico, de la entrada europea a la salida asiática, de un Nueva York cada vez más repetitivo, arrogante y grosero y paradójicamente, más amistoso, original y afable, pero siempre Gotham, la ciudad de la energía insoportable que se nos impone, nos chupa la existencia, nos hace creer que su vitalidad es la de nosotros, pasivos y engañados por el torbellino de la Gran Manzana y su pesadilla de cocteles donde nadie le dedica a nadie más de una mirada o dos segundos de conversación, pero donde una proyección de la película *Hamlet* provoca, en el intermedio, el más animado e inteligente debate de un público de gente joven...

Acaso mi actual distancia de Nueva York se deba a mi anterior cercanía. El Nueva York que yo viví en los sesenta era un espacio tribal de reconocimientos juveniles. Éramos banda de amigos, compartíamos mujeres, lecturas, bares. Nos unía el fervor entusiasta de la época. Nos unía el descubrimiento mutuo de la nueva literatura de Hispanoamérica por los norteamericanos y de Norteamérica por los latinoamericanos. Manhattan se extendía hasta la punta de Long Island y su tribu de jóvenes y vitales dramaturgos, hasta Martha's Vineyard y de vuelta a la Segunda Avenida para recalar cada noche en los feudos de Elaine y sus *habitués*, y las gloriosas muchachas que estrenaban minifaldas, luengas melenas y cuerpos ondulantes al ritmo del watusi entre las luces y sombras del Peppermint Lounge antes de amanecer melancólicamente oyendo al genial Cannonball Adderley y recompensar lo que nos pudo faltar de noche con mañanas de verano en lechos de penumbra dejando apenas pasar un calor de julio filtrado por las sombras frescas de una juventud que imaginábamos interminable... Como no he vuelto a encontrar lo que sólo puedo evocar, culpo injustamente a una ciudad que sentí tan mía y que hoy se me ha vuelto tan ajena. ¿Quién toca hoy la flauta africana del melancólico Hermano Yusef Lateef en una ciudad entregada a la celebridad, el dinero y el desdén darwiniano? Oh paradoja: la primera y la única potencia mundial, tan pagada de sí misma, se da el lujo de desdeñar la información internacional. Salvo en las dos costas —Nueva York y Los Ángeles— se buscarán en vano las noticias del mundo en prensa o televisión.

Y un día terrible —el 11 de septiembre de 2001— el horror despierta a Manhattan, desvanece todas sus liturgias egoístas y resucita todas sus solidaridades, todos sus heroísmos, toda su fraternidad humana en la hora del terror. ¿Por cuánto tiempo? No lo sé. Sólo sé que nada puede vencer la *energía* de Nueva York.

Toma más tiempo volar de Nueva York a Los Ángeles que a Londres o París. Un Los Ángeles cada vez más perdido en su enjambre de carreteras y en su azoro continental: ¡cómo es posible!, aquí se acabó América, aquí todo se derrumba hacia el mar y ya no hay más frontera que conquistar. California, *the slide area*. Y en medio del continente, brilla una gran ciudad enamorada y amorosa, ciudad que se quiere a sí misma y se hace querer por el visitante, Chicago, *that toddlin' town*, la ciudad de los hombros grandes, donde los hombres sacan a bailar a sus esposas...

El espacio norteamericano impone las generalizaciones de la uniformidad, el vacío, el inmenso y tedioso llano, la ignorancia, la falta de información, el provincialismo... Pero ello mismo impulsa a buscar cuanto desmienta el lugar común, celebrando el hallazgo de una casa desconocida de Frank Lloyd Wright en las llanuras del Medio Oeste, el maravilloso retrato de Pedro Romero, el fundador del toreo moderno, pintado por Goya, en Fort Worth, la librería más vasta y completa del mundo entre las rías bellísimas de Portland, Oregón, Richard Ford en una calle de sencillez, evocación y elegancias calladas de Nueva Orleans, William Styron y su perro caminando por las playas de las viejas islas balleneras de Massachusetts, el perfecto Martini del Hotel Plaza, Dorothea Straus conquistando cada tarde las calles de Manhattan con paso de amazona y atuendo de Belle Époque, un burdel de maricas chinos en San Francisco, los manuscritos originales de la colonia española en la Biblioteca Ann Arbor, las risas cantarinas y los senos cálidos de las chicas de Boulder, Colorado, el perfil orgulloso de un estudiante chicano en San Antonio, Texas, el olor embriagante de la tinta, la madera, el cuero y el barniz en la Biblioteca Widener de Harvard, la irónica sabiduría de los grandes demócratas, Arthur Schlessinger, John Kenneth Galbraith.

Llego entonces a una conclusión. Las ciudades no soportan ser comparadas. Y «América» es una ilusión uniforme que esconde mil misterios accidentados. Hay la «América» que se sueña en Hollywood como Gene Kelly y Cyd Charisse: «Bailo, luego existo.» Hay la «América» que se afirma en la hegemonía sólo para descubrir que el poder fue en vano *(Ciudadano Kane)*. Hay la «América» que lamenta sin cesar la pérdida de su inocencia en Boston o en Long Island (Henry James, Scott Fitzgerald). Hay la «América» que nunca fue inocente (la Natchez, Mississippi, de Richard Wright, el Harlem, Nueva York, de James Baldwin) y la «América» que siempre fue violenta, corrupta y supremamente indiferente al idilio nacional (el Los Ángeles de Chandler, el Poisonville de Hammett).

Tengo una ciudad a la que le debo pasar de adolescente a adulto, disciplinar mi vida, ordenar mi mente, organizar mi trabajo de escritor. Esa ciudad es para mí Ginebra, mi altillo incomparable en la Place du Bourg du Four, el Forum Boarium fundado por Julio César, el Café de la Clémence enfrente para discutir con los amigos, el Café Canónica con vista al lago para recoger putas de pelo oxigenado y perritos falderos, la universidad para conocer y enamorar muchachas fragantes de juventud y asombro amoroso, el ambiente de disciplina y *Ancien Régime* intelectual del Instituto de Altos Estudios Internacionales y su pléyade de internacionalistas-estrella, Brierly, Bourquin, Ropke, Scelle, que me privilegiaron con sus enseñanzas, las librerías de la Vieille Ville para comprar ediciones antiguas de los clásicos franceses y leerlas en la tranquilidad de la Isla Jean-Jacques Rousseau entre el Ródano y el Leman...

Ciudades de paz y contemplación supremas. Sevilla de equilibrio árabe, judío y cristiano. Oaxaca color de jade, única ciudad de perfil conyugal indígena y español. Berlín resurrecta en medio de sueños mecidos por la cercanía de cien lagos. Cartagena de Indias, la ciudad perfecta del Caribe colonial, amurallada ayer contra los piratas ingleses, hoy contra las guerrillas del narco: el oasis milagroso de un país desangrado y fantasmal. Savannah, Georgia, ciudad que Borges debió inventar, plazas de donde nacen calles que van a dar a más plazas de donde irradian más calles en una red geométrica infinita, perfecta, al cabo desolada como un cuadro metafísico de Chirico.

Pero no hay ciudad sin clima. La temperatura es la venganza de una naturaleza que, al cabo, no puede ser dominada por techo o calle, por puerta, llama del hogar o hielo del congelador. La naturaleza circundante proponiendo una y otra vez: Escoge. Nadie escapa al dilema de abandonarme para salvarse de mi abrazo sofocante, aun al precio de la orfandad errabunda, o permanecer para siempre en mi selva salvaje y protectora, aun al precio de abdicar los riesgos de la libertad...

México: el verano llegará con un llanto de polvo vencido. Londres: la primavera brotará en dos tetas juveniles detrás de una gasa transparente. Nueva York: el otoño tendrá una corona de oro. París: el invierno será un río de brumas.

Y afuera de las ciudades, lagos y vías fluviales, bosques y tierras, se mueren a una velocidad sin precedente. Corremos el riesgo de perder el equilibrio de la biosfera y condenar a nuestra descendencia a vivir y morir sin naturaleza. «El universo requiere una eternidad», escribió Jorge Luis Borges. Y en el cielo, añadió, los verbos *conservar* y *crear* son sinónimos. En la tierra, se han vuelto antagónicos. *Conservar* y *crear* son verbos enemigos en este inicio de siglo.

VELÁZQUEZ

El artista pregunta. La representación puede adoptar mil figuraciones diferentes. ¿Cuál desea usted? ¿La figura del que fue, del que es o del que será? Y en cuál lugar: ¿El de su origen, el de su destino o el de su presencia? ¿Cuáles lugares y cuáles tiempos?

En el arte icónico de Bizancio, símbolo culminante y extremo de la pintura medieval, la respuesta a estas preguntas eternas de la pintura es una sola: el tiempo de la pintura es un solo tiempo, la eternidad propia de una sola figura, Dios, el *Pankreator*. La mirada del *Pankreator* bizantino está, como la circunferencia de Pascal, en todas partes y en ninguna. Nos mira y lo miramos, pero una barrera —la divinidad— nos separa. Nosotros estamos aquí y ahora. Él está aquí y en todas partes. Mañana, nosotros ya no estaremos aquí. Él continuará estando, por los siglos de los siglos.

Tiene razón Fernando Botero cuando hace arrancar de Giotto la gran revolución moderna del arte. En vez de la distante veneración bizantina, Giotto trae a la pintura la inmediata pasión italiana y, cabe añadir, franciscana. Pues el compromiso personal, pasional, de San

Francisco es materia de religión y vida, es hermano del *engagement* pasional que Giotto trae a la pintura. Quien consolida esta revolución es Piero della Francesca. Los frescos de Arezzo y Sansepolcro arrancan definitivamente a la pintura de la parálisis divina y la mirada frontal. Las figuras de Piero, a veces, sueñan —se atreven a soñar, como los durmientes de Sansepolcro—. Pero sobre todo, se atreven a mirar. En Arezzo, las figuras miran fuera del cuadro, más allá de los límites formales de la obra, hacia un horizonte o una persona que nosotros no vemos. Muerto en 1492, el año mismo del encuentro americano, quizás Piero mira tan lejos como el *Mundus Novus* que bautizó otro italiano, Amerigo Vespucci. Es como si Piero nos dijese: Voy a pintar una plaza de profunda perspectiva, fluyente como el tiempo en el que nacen, se desenvuelven y perecen los seres humanos y huidiza como el espacio irrestricto en el que se van cumpliendo, por la acción humana, los designios de Dios. He aquí las casas, las puertas, las piedras, los árboles, los hombres verdaderos, ya no el espacio sin relieve o el tiempo sin horarios del original Dios Creador, sino el espacio como lugar y el tiempo como cicatriz de la creación. A partir de Giotto y Piero, el pintor puede decir: Ciegos, miren, pinto para mirar, miro para pintar, miro lo que pinto, y lo que pinto, al ser pintado, me mira a mí y termina por mirarlos a ustedes que me miran al mirar mi pintura. «Sí —dice Julián, el pintor de *Terra Nostra*—, sólo lo circular es eterno y sólo lo eterno es circular, pero dentro de ese eterno círculo caben todos los accidentes y variedades de la libertad que no es eterna sino instantánea y fugitiva.»

La libertad renacentista culmina, paradójicamente, en un pintor de corte español que ejecuta cuadros de encargo y que aprovecha la protección real para llevar a su punto más alto la libertad del artista y revolucionar el arte mismo. Como Cervantes en el *Quijote*, Velázquez en *Las Meninas* aprovecha las restricciones de su tiempo y espacio no sólo para burlarlas —asunto fácil— sino para crear al lado de la verdad ortodoxa o revelada otra realidad, ésta fundada en la libertad de la imaginación —ardua materia—. Si la ortodoxia contrarreformista exige un punto de vista único, Cervantes en la literatura y Velázquez en la pintura multiplican los puntos de la narrativa verbal y visual. Al enterarse de que sus aventuras han sido hechas públicas —publicadas—, Quijote y Sancho se saben leídos y vistos por otros. Nos rodean los otros. Leemos. Somos leídos. Vemos. Somos vistos.

En *Las Meninas*, sorprendemos a Velázquez trabajando. Está haciendo lo que quiere y puede hacer: pintar. Pero éste no es un autorretrato del pintor pintando. Es un retrato del pintor no sólo pintando, sino viendo lo que pinta y, lo que es más, sabiendo que lo ven pintar tanto los personajes a los que pinta, como los espectadores que lo ven, desde fuera del cuadro, pintando. Nosotros. Ésta es la distancia necesaria pero incómoda o imperfecta que Velázquez se propone suprimir, introduciendo al espectador en el cuadro y proyectando el cuadro fuera de su marco al espacio inmediato y presente del espectador.

Primero, ¿a quién pinta Velázquez? ¿A la Infanta, sus dueñas, la enana, el perro dormilón? ¿O al caballero vestido de negro que aparece entrando al taller —a la pintura— por un umbral iluminado? ¿O pinta Velázquez a las dos figuras reflejadas de manera opaca en un turbio espejo perdido en los rincones más oscuros del *atelier*: el padre y la madre de la Infanta, los reyes de España, dotándonos, según la célebre interpretación de Michel Foucault, del «lugar del rey»?

Podemos creer que, en todo caso, Velázquez está allí, pincel en una mano, paleta en la otra, pintando el cuadro que nosotros estamos viendo, *Las Meninas*. Podemos creerlo —hasta darnos cuenta de que la mayoría de las figuras, con excepción del perro dormilón, nos miran a nosotros, a ti y a mí. ¿Es posible que seamos *nosotros* los verdaderos protagonistas de *Las Meninas*, el cuadro que Velázquez, en este momento, está pintando? Pues si Velázquez y la corte entera nos invitan a entrar a la pintura, lo cierto es que al mismo tiempo la pintura da un paso adelante para unirse a nosotros. Tal es la verdadera dinámica de esta obra maestra. Tenemos la libertad de ver la pintura y, por extensión, de ver el mundo, de maneras múltiples, no sólo una, dogmática, ortodoxa. Y somos conscientes de que la pintura y el pintor nos están mirando. Como los comensales del *Déjeneur sur l'herbe* de Manet, cuyo escándalo es que *nos miren* dos hombres vestidos y una mujer desnuda. ¿Habría escándalo de la mirada si *no* nos viesen, si mirasen hacia el bosque, al fondo o a los costados del sitio de su *picnic*? El giro se completa. El icono miraba a la eternidad, frontalmente. Piero della Francesca mira a los lados, más allá de los límites formales de la pintura. Y Manet nos vuelve a mirar directamente, ya no desde la eternidad, sino desde la actualidad. Braque y Picasso, en fin, multiplicarán la mirada en todas las direcciones simultáneamente, tanto la mirada del sujeto del cuadro, como nuestra mirada dirigida a un sujeto que vemos simultáneamente en todas sus perspectivas.

Por eso, Velázquez se encuentra en el centro y en la cima, en la base y en el horizonte, de la pintura moderna. Recordemos que el cuadro que Velázquez está pintando, la pintura dentro de la pintura, nos da la espalda y no está terminado, en tanto que nosotros vemos una obra que consideramos acabada. Pero entre estas dos evidencias centrales, se abren dos espacios anchos y sorprendentes. El primer espacio le pertenece a la escena original del cuadro. Velázquez pinta, la Infanta y sus dueñas son sorprendidas mirando, el caballero entra por un umbral iluminado, el rey y la reina se reflejan en el espejo. ¿Ocurrió realmente esta escena? ¿Fue posada? ¿O Velázquez, simplemente, imaginó algunos de o todos sus elementos? Y el segundo espacio lo ocupa otra pregunta: ¿Terminó el pintor la pintura? No sólo la pintura que está ejecutando y que no vemos, sino la pintura misma que estamos viendo. ¿Está terminada la obra? Ortega y Gasset nos recuerda que, en su día, Velázquez no fue un pintor popular. Se le acusaba de presentar pinturas inacabadas. Quevedo llegó a acusarle de pintar «manchas distantes». Hoy podemos apreciar, desde muy cerca, que el «realismo» velazqueño nace de una plétora de brochazos abstractos. Miradas de cerca, sus pinturas se descomponen en una espléndida abstracción pictórica, minuciosa, libre y, diría yo, autosuficiente. No propongo cortar en pedacitos un cuadro de Velázquez, pero sí acercarse a él con la mirada más curiosa, próxima y microscópica. Allí reconocemos la precisión, la libertad y la disciplina de este «pintor de la pintura», como lo llamó Ortega, recordando, de pasada, que Velázquez, más que un realista, es un des-realista cuyos modos de des-realización son innumerables y aun opuestos. Pero en cada caso, hay una presentación que es una visitación en el sentido que le daba Henry James a esta palabra: el poder ejercido por una presencia intangible. Velázquez, para seguir con Ortega, que fue el precursor de las célebres teorías de Foucault (el espectador ocupa el lugar del rey) nos recuerda que antes de Velázquez la pintura fingía en el lienzo un mundo ajeno e inmune al tiempo, «fauna de eternidad». Aunque creo que Ortega se equivoca porque esa «fauna de eternidad» corresponde al arte anterior al Renacimiento, es cierto que Velázquez «pinta el tiempo mismo del instante que es el ser en cuanto que está condenado a dejar de ser, a transcurrir, a corromperse».

En *Las Meninas*, Velázquez establece un principio del arte moderno. El reproche que se le hizo en vida —pintar obras inacabadas— es hoy el signo mismo de su contemporaneidad y, diría yo, de su libertad. Velázquez deposita la obra en la mirada del espectador. Corresponde a éste, no concluir, sino continuar la obra... «Un poema ni comienza ni termina nunca —escribió Mallarmé—. Sólo finge.» Este fingir o ficción de la obra abierta a cuanto la precede y a cuanto la sucede mediante la mirada del instante, es la grande y eterna lección del más grande y eterno de los pintores.

Velázquez no concluye sus obras. Las abre a nuestra libertad. Pero también nos dice, con una fuerza visual incomparable, que en el mundo todo está inacabado, nada concluye por entero. ¿Por qué? Porque nosotros mismos, hombres y mujeres, no hemos terminado, no hemos cerrado el capítulo de nuestra historia, por más que nos cerquen las fronteras de la finitud y la certeza. Inacabados hasta en la muerte porque, olvidados o recordados, contribuimos hoy a un pasado que nuestros descendientes deben mantener vivo si quieren tener un futuro.

La eterna apertura y novedad de Velázquez responde a la inquietud contemporánea acerca de la muerte de las vanguardias artísticas. Éstas perecieron porque llegaron a pensar que el arte progresaba, que era parte del movimiento general de la modernidad hacia la libertad política, la satisfacción económica y el bienestar social. Cuando, en el siglo XX, el progreso dejó de progresar, asesinado por el horror político o la violencia física, las vanguardias dejaron de ser. Pero la singularidad y coexistencia de las obras de arte se impuso.

Un marxismo simplista, contrario a la complejidad del propio Marx en materia estética, propaló la idea de que el arte progresaba. Marx, para empezar, hizo notar «la relación desigual entre el desarrollo de la producción material y el de la producción artística». El arte proporciona un placer que trasciende las formas de desarrollo social imperantes en el momento de su creación. «¿Por qué sigue proporcionando placer estético una obra que como mero reflejo de una forma social hace tiempo superada, sólo debería interesar al historiador?», se pregunta Marx en los *Grundisse (Fundamentos de la Crítica de la Economía Política)*. En la misma obra, nos recuerda que el arte griego está inserto en ciertas formas de desarrollo social. Pero continúa proporcionándonos placer estético y sigue constituyendo, en ciertos respectos, «norma y modelo inalcanzable». La aparición de la pólvora, añade Marx con ironía que escapa a muchos marxistas cuadrados, no hace obsoleto a Aquiles, ni la invención de la imprenta condena a muerte a la *Ilíada*. El progreso industrial no silencia el canto de la musa épica, concluye Marx.

Karel Kosik el crítico marxista más eminente de Checoslovaquia, aclaró aún más el asunto. Cada obra de arte tiene un doble carácter dentro de su unidad indivisible. Es expresión de la realidad. Pero al mismo tiempo, forma la realidad que existe, ni antes de ni al lado de la obra, sino precisamente en la obra y sólo en la obra. Kosik recoge la pregunta de Marx: ¿Por qué puede una obra de arte proporcionar placer estético cuando ya no existen las condiciones sociales entre las que apareció? Dante es algo más que un poeta que participó en las luchas entre güelfos y gibelinos en la Florencia del siglo XIII. Kafka es algo más que un judío checoslovaco tiranizado por su padre. El marxismo y el psicologismo elementales creen que la base social o psíquica predeterminada a su vez por la base económica o familiar determina la obra de arte. Kosik resuelve el dilema: ¿cómo y por qué sobrevive una obra de arte a las condiciones bajo las cuales se originó? Porque la obra vive en tanto obra gracias a que exige interpretación y la interpretación produce, a su vez, significados múltiples.

Velázquez, como ningún otro artista, nos indica la manera en que una obra pasa del hecho (Velázquez pintó *Las Meninas* en 1656, durante el reinado de Felipe IV, en una España absolutista y decadente) al acontecimiento (la continuidad que hoy nos permite apreciar la obra como contemporánea a nosotros —como contemporánea lo será de quien la admire dentro de un siglo).

(Kosik el marxista fue acosado y encerrado por la tiranía soviética que se apoderó de su patria en 1968. Sus papeles le fueron arrebatados. El filósofo debió recrearlos de memoria.)

Si la sociedad, la economía, la política, agotasen el significado de una obra, ésta, nos dice Yves Bertherat, se volvería ilegible (invisible) al perecer dicha sociedad, «salvo para los eruditos del pasado». Porque la otra cara de la moneda es creer que el arte «progresa» y que las vanguardias son el motor de dicho progreso. Hoy que las vanguardias han muerto y la noción de progreso como condición inevitable de un ascenso humano hacia la perfectibilidad (Condorcet: «El progreso no puede ser detenido... y no tendrá más límites que los de la duración del universo») ha muerto también, la conciencia de los límites —del progreso en general, de las vanguardias en particular— nos devuelven a la pregunta: ¿Puede haber aventura de lo nuevo cuando todo parece indicarnos que ya no hay novedad posible porque el progreso ha dejado de progresar —no técnica o científicamente, sino como certidumbre de felicidad en la historia?

Las catástrofes del siglo XX devuelven a muchos al refugio de una naturaleza idealizada. Los grandes artistas no son, precisamente, nostálgicos de la naturaleza, por más bien que la evoquen algunos cuantos. La pintura es forma de paradójico encierro. Como la luz de las ventanas de Vermeer, viene de afuera, pero ilumina un interior. Géricault lleva a su extremo, en *Le radeau de la Méduse*, este doble despojo. La balsa de los náufragos es azotada y amenazada por una naturaleza desatada, un mar cuyas olas son otros tantos ogros líquidos, dispuestos a devorar el alucinante *encierro* de un pequeño grupo de náufragos cuyo interior a la intemperie es la frágil balsa que los mantiene a flote, capturados en una vasta prisión natural. Con razón Buñuel se inspiró en esta obra de Géricault para una de sus grandes películas, ese íncubo del encierro que es *El ángel exterminador*. Vivimos en el filo de la navaja de una naturaleza y una cultura contiguas pero separadas, invitándonos incesantemente a unirnos a la intemperie de uno o a la protección de la otra.

Schopenhauer no se andaba por las ramas. «Intenta

una sola vez» —nos desafía— «ser enteramente naturaleza». El horror que el filósofo siente hacia la naturaleza se funda en que ésta nunca ha puesto su mirada en nosotros. Es sitio de agitación, tumulto, jungla. Pero es también, comenta otro filósofo alemán, Schelling, «base incomprensible de la realidad».

Una de esas realidades es el arte y la más alejada, voluntariamente, de la naturaleza, es la pintura de Velázquez, el extremo artificio que se atreve a decir su nombre.

> Miren mis figuras fuera del cuadro que provisionalmente las fija. Miren más allá de los muros de este palacio, del llano de Castilla... más allá del exhausto continente que hemos injuriado con crímenes, invasiones, codicias y lujurias sin número y salvado, acaso, con unas cuantas hermosas construcciones e inasibles palabras. Y miren más allá de Europa, al mundo que desconocemos, que nos desconoce, y que no es por ello menos real... Y cuando ustedes, mis figuras, también se cansen de mirar, cedan su lugar a nuevas figuras que a su vez violen a la norma que ustedes acabarán por consagrar. Desaparezcan de mi lienzo y dejen que otras semblanzas ocupen su sitio.

Estas palabras que pongo en boca del fraile pintor de la corte en *Terra Nostra*, podrían ser las de Velázquez en su diálogo eterno con el pasado y el porvenir de la pintura. Nadie, como él, supo que siempre seremos ciegos sin saberlo, menesterosos de visión. Por eso, aunque nos amenace, nos reconforta la naturaleza. Está allí, la vemos. Por eso, porque no está allí, nos inquieta y provoca el arte. No está allí, debemos imaginarlo. Entender esto es entender por qué Diego de Silva y Velázquez ocupa, para mi credo, el lugar central del arte.

WITTGENSTEIN

Creo en Wittgenstein porque pone en crisis todas nuestras ideas fijas, todas nuestra verdades adquiridas, nos obliga a repensarlo todo, incluso lo que no queremos repensar porque ya es parte de nuestra arquitectura mental y de nuestra armadura moral. Es el filósofo del siglo XX, nos guste o no nos guste. Va al corazón del lenguaje y en consecuencia de la literatura porque es capaz de admitir lo indecible. El énfasis tradicional del filósofo ha sido puesto en el pensamiento y la percepción de los sentidos, trasladados al trono de la razón.

Wittgenstein lo traslada al lenguaje y en el lenguaje distingue dos vertientes. Lenguaje como representación de hechos y medida de proposiciones. O lenguaje como conductor de emociones. Distingamos, nos pide el austero, monacal, despojado millonario judío vienés desde una choza desnuda y sin un centavo en la bolsa. Distingamos, nos dice desde su ofensiva pobreza, su inquietante desprendimiento, su vanidosa humildad. Evitemos las confusiones. La esfera del valor y el sentido no depende ni de hechos ni de proposiciones que son parte del discurso racional. El valor es dominio de la paradoja y de la poesía. Separemos el discurso racional del mundo de la ética y de la estética y obtendremos una clara distinción, puesto que al hacerlo le devolveremos la racionalidad objetiva a la ciencia, sin ilusiones humanistas o disquisiciones metafísicas y entenderemos la subjetividad de ética/estética, que sólo se comunican de manera indirecta mediante la poesía, la fábula, el mito. De allí que sólo lo indecible tenga valor, entendiendo por «indecible» lo que jamás puede decir el discurso propositivo. Para el pensamiento positivista, tan dominante, paradójicamente, en un continente de mitos y fábulas como el llamado Nuevo Mundo, el silencio es inconcebible. Sólo existen lo que puede decirse y lo que no puede decirse. (O, más políticamente, lo que debe decirse y lo que no debe decirse.) Pero esto se traduce en destierro de lo que realmente importa, que es todo aquello que no podemos decir racionalmente. El silencio de la razón no engendra monstruos. Sólo nos indica que lo que es indecible en términos filosóficos es, precisamente, lo *dicho* en términos estéticos.

El escritor sabe que Wittgenstein tiene razón. El historiador, el economista, el jurista, el hombre de ciencia, están sujetos a un solo significado. Napoleón invadió Rusia en 1812. El dinero malo expulsa al dinero bueno. La cosa ha sido juzgada. Dos más dos son cuatro. Para el escritor, Napoleón invade Rusia cada vez que un lector abre las páginas de *La guerra y la paz*. El oro, en el *Timón de Atenas* de Shakespeare, es un «amarillo esclavo... que encumbra a los ladrones, dándoles título, genuflexión y aprobación». La justicia puede ser, advierte Francis Bacon, sólo una salvaje venganza. Y para Lewis Carroll, dos y dos *nunca* son cuatro. En la literatura, todo es plurívoco. La poesía vive del signo múltiple.

Una rosa es una rosa es una rosa, dijo con cara de jugadora de póquer Gertrude Stein. Pero cuando Carlos Pellicer dice: «Aquí no suceden cosas / de mayor importancia que las rosas», la flor se transfigura como esa que Coleridge sueña y que, al despertar, tiene en una mano.

Mi lectura de Wittgenstein no anula la de otros filósofos, sino que la transfigura. El estilo mismo de Nietzsche, famosamente aforístico, supone la negativa de crear un «sistema» filosófico que requiere, para presentarse vestido ante el mundo, de premisas incuestionables para el pensador. Nietzsche considera a los «sistemas» de pensamiento «delectables, aunque equivocados». Las grandes construcciones sistemáticas no son capaces de criticar sus propios presupuestos; el edificio se derrumbaría. Nietzsche se propone escribir aforismos que, cada uno, contenga al todo o por lo menos lo ilumine. La brevedad misma del aforismo ayuda a ver las cosas de otra manera y a salir de las múltiples prisiones en que los sistemas filosóficos van encarcelando el pensamiento. En *La gaya ciencia*, dice que no cuestionar es «despreciable». En un mundo de virtudes agotadas, es necesario aplicar el bisturí a todo lo que en nuestro tiempo pasa por virtuoso. Hay más ídolos que realidades en el mundo, y las convicciones suelen ser prisiones. Es como si el universo entero fuera una de esas espléndidas, espaciosas pero grises y enterradas cárceles del Piranesi. Salir de las prisiones: quizás ésta sea la acción que propone Nietzsche contra las verdades recibidas, contra la complacencia, contra la existencia como mero *accidente* o *descuido*.

En cambio, la propuesta nietzscheana es tan ardua como la pregunta que se hace, otra vez, en *La gaya ciencia*: «¿Qué te dice la conciencia? Que serás el hombre que eres.» *El hombre que eres*, revelado o desnudado por un paso de la negación a la diferencia, de la reacción a la acción, del resentimiento al sentimiento. Por supuesto que ser el hombre que eres requiere don, sacrificio, educación, valores. Pero también requiere, en Nietzsche, escepticismo, desencanto. «No hay armonía preestablecida entre el desarrollo de la verdad y el bien de la humanidad.» Cuando se cree que todo tiene un sentido, al cabo nada tiene sentido. No hay relación causal entre la felicidad y la historia. La historia objetiva suele convertirse en «furiosa subjetividad», porque el héroe le muestra al hombre su grandeza, pero ni el hombre es capaz de soportarla, ni el héroe de mantenerla. De allí la violencia histórica del héroe que se siente incomprendido contra los ciudadanos que no lo comprenden. El héroe tiraniza al hombre porque el hombre no entiende y aprecia al héroe.

Con Nietzsche, la dialéctica hegeliano-marxista deja de ser optimista antes de que la historia lo compruebe. A pocos pensadores —quizás a ningún otro— se le han atribuido tantas cosas que no dijo o se le han arrebatado tantas cosas que sí dijo. ¿Nietzsche racista? «Donde las razas se mezclan, allí está la fuente de las grandes culturas.» ¿Nietzsche chovinista? «Grecia es original porque no se cerró al Oriente.» ¿Nietzsche germanófilo? «Las victorias militares del Reich no implican superioridad alguna de la cultura alemana. Al contrario, la deificación del éxito germano puede significar la muerte del espíritu germano.» *(Meditaciones inoportunas.)* ¿Nietzsche antisemita? «Para mí es cuestión de honor que quede absolutamente claro e inequívoco que me opongo al antisemitismo.» (Carta # 479 a Franz Overbeck.) Y si Wagner escribe sin tapujos que los mestizajes son «innobles», que Alemania sería pura si se «liberara de los judíos» y que «la raza judía es la enemiga natural de una humanidad pura y noble», Nietzsche rompe con Wagner, entre otras cosas, porque el compositor «fue condescendiente con los alemanes y se convirtió en un imperialista alemán» *(Ecce Homo)*.

Podría continuar con las deformaciones impuestas al pensamiento de Nietzsche, sobre todo por su hermana Elizabeth, a quien Nietzsche le deseó que se perdiera en Paraguay para siempre —pero que regresó a censurar, prohibir, deformar e inventar lo que le convenía a sus prejuicios y fobias, aprovechándose de la reclusión y muerte de su hermano. «Quizás sea un mal alemán —le había escrito Nietzsche a Overbeck—, pero en todo caso soy un buen europeo.»

Un pensador tan radical, en ocasiones tan contradictorio e intolerante, tenía que suscitar escándalo, oposición y manipulación. Yo veo en él no sólo al escéptico que rehúsa las fáciles tentaciones de la historia, sino al ser vital que celebra «la alegría de las afirmaciones» y que, prefigurando oblicuamente a Wittgenstein, nos dice que cuando la lógica agota la esperanza, aparece una nueva forma de conocimiento que reclama «la virtud preventiva del arte».

Nietzsche pertenece más, siguiendo la clasificación de Nicolai Hartmann, al filósofo de problemas que al filósofo de sistemas. En esto se hermana con Platón, otro filósofo aclarado para mí por Wittgenstein. Y el problema que Platón me aclara es (como el del lenguaje poético como concha marina donde se escucha lo que la lógica no dice en Wittgenstein, como el conocimiento del arte que aparece cuando la lógica se agota en Nietzsche) el problema literario de la nominación. El *Cratilo* es, acaso, la primera obra de crítica literaria y su eje es una discusión sobre el significado de los nombres. Cratilo dice que todas las cosas tienen un nombre correcto, otorgado por la naturaleza, es decir, algo inherente a la cosa e independiente de la convención. Hermógenes, en cambio, sostiene que un nombre es producto tan sólo de la convención: el nombre que se le da a una cosa es el nombre correcto y si se cambia ese nombre por otro nuevo, éste será, a su vez, el correcto. Es más: la misma cosa puede ser nombrada de una manera por una persona y de manera distinta por otra. Nada es intrínseco al nombre. Todo es convencional.

Sócrates supone que existe un legislador de nombres que los otorga y distribuye de acuerdo con la naturaleza de las cosas. Pero la ley admite demasiadas excepciones. Las cualidades de una persona pueden ser adversas al significado de su nombre. Y si son los dioses quienes nos nombran, resulta que nosotros no sabemos cómo se llaman los dioses, cómo se nombran entre sí. Sólo sabemos cómo los nombramos nosotros, Zeus, Cronos, Hera. Pero con demasiada frecuencia, el nombre es una máscara, sobre todo cuando quien lo lleva es el mensajero de un secreto. Hermes trae un mensaje, porta el poder del lenguaje, hace circular el lenguaje pero ese lenguaje puede ser verdadero o falso: Lo importante es que el lenguaje fluye, se mueve, y que la sabiduría (sofía) es sabia porque toca lo que se mueve, bautiza con rapidez misma las cosas. El nombre tiene la intención de demostrar la naturaleza de la cosa designada. Pero el nombre pertenece, con mayor amplitud, al proceso mismo del lenguaje —la formación de letras, de sílabas, de nombres, verbos y oraciones. ¿Puede escapar la nominación acompañando el flujo de las cosas, al flujo del lenguaje? ¿Podemos estar seguros de que el nombre correcto denota la naturaleza de lo nombrado? Sócrates advierte que «es posible asignar nombres incorrectamente» y, siguiendo esta lógica, terminar creando oraciones falsas, falsos lenguajes, un verbo enmascarado.

Si esto es cierto, Sócrates propone buscar otro principio más seguro de nombrar las cosas, y éste, al fin y al cabo, no consiste ni en conocer el nombre natural o intrínseco de un mundo en movimiento, ni en entregarse al capricho de la convención nominal, sino, lúcida, humana, verdaderamente, en nombrar las cosas de acuerdo con la relación que se establece entre ellas. Si Sócrates rehúsa el «catarro» de Heráclito, inmerso en el flujo interminable de todas las cosas, también rechaza la pura convención nominal derivada de una esencia que ignoramos. Sócrates propone, con cuánta libertad, con cuánta veracidad, con cuánta actualidad, que atendamos, al nombrar, el carácter de *la relación entre las cosas*, la manera como las cosas se reconocen y actúan entre sí. Tal es, en verdad, el nombre de las cosas: su relación.

El más grande filósofo español vivo, Emilio Lledó, ve con exactitud que los diálogos platónicos son una continua crítica del lenguaje. En otra parte, he evocado la paradoja del lenguaje como expresión del silencio roto por un sonido animal, el *muuuu* o mugido del ganado que se encuentra, nos dice Erich Kahler, en la etimología misma de la palabra «mito»: mugido, musitar, murmurar, murmullo y mutismo. De la misma raíz proviene el verbo griego *muein*, cerrar, cerrar los ojos, de donde provienen misterio y mística. El proceso del lenguaje nos lleva así de *mu* a *mythos*, de acuerdo con el proceso lingüístico descrito por Kahler y que consiste en dar a una palabra el significado opuesto. El *mutus* latín, mudo, se transforma en el *mot* francés, palabra, y la onomatopeya *mu*, el sonido inarticulado, se convierte en *mythos*, es decir, palabra. Gianbattista Vico, el filósofo de la España napolitana, propone en su *Ciencia nueva* de 1725 que sólo conocemos lo que creamos y lo primero que creamos es lenguaje, base del conocimiento humano. La dinámica lingüística es un proceso de cursos y recursos *(corsi e ricorsi)* que permite comprender el devenir de la historia, descendiendo a la oscuridad de sus propios inicios para luego ascender a la luz de su propia idea, que es su propia necesidad.

Lledó, igualmente, ve en el lenguaje el vínculo activo y creador de la sociedad a partir de cuatro estadios de evolución. El vínculo primario de la necesidad: cacería, pesca, necesidad de la comunicación para el sustento. La necesidad crea lenguaje, el lenguaje crea imágenes y las imágenes pueden ser reactivadas «por toda clase de estímulos externos e internos». *(Lenguaje e historia.)* En segundo término, la ciudad es la creadora de símbolos y el lenguaje se compromete con la *paideia*, el ideal formativo del ser humano, a la vez historia personal y colectiva. Ya en una tercera etapa, el lenguaje no sólo identifica: relaciona, dialoga, revisa... Y finalmente, en nuestro tiempo, la homogeneización del lenguaje retorna a la identificación entre individuo y masa social, al precio de generar un bosque de símbolos inútiles.

De allí, nuevamente, la «virtud preventiva» de Wittgenstein, su tarea profunda de limpia verbal, de higiene lingüística. Wittgenstein es consciente constantemente del «riesgo» que implica vivir y, por ende, pensar. Sobre todo en materia de religión, «el pensador honesto... es como un equilibrista. Parece como si caminase sobre el aire. Su apoyo es el más frágil imaginable. Y sin embargo es posible caminar sobre él».

Esta frase se hace eco de otra de Pascal: hagan lo que hagan, los seres humanos son como equilibristas obligados a asumir riesgos. Irse a la mar o quedarse en casa: nadie escapa al riesgo. Como Wittgenstein y como Nietzsche, Pascal es filósofo de aforismos y fragmentos. Como Wittgenstein y como Platón, cuestiona la naturaleza del lenguaje. Como Kafka, condena al silencio parte de su obra, pero al contrario de Kafka, apuesta a que será encontrada en el simple inventario de sus pobres posesiones. Los *Pensamientos* de Pascal fueron hallados cosidos en el interior de una vieja camisa.

Los mil fragmentos de Pascal acaso sean, en su brevedad aforística, una respuesta irónica a su crítica de la tradición filosófica. Nada ha preocupado tanto a los filósofos, había escrito Montaigne, como la cuestión de lo que constituye el sumo bien para los hombres. Pascal, quien constantemente re-elabora y secuestra frases de Montaigne, contesta que «para los filósofos existen doscientos ochenta tipos de bien supremo». El pesimismo pascaliano respecto a los sistemas filosóficos se extiende, *prima facie*, al ser humano mismo. El hombre es un enigma triste. La justicia que imparte es inicua. Su vida, mientras más afluente, es más hueca. La vanidad —«el juego, la caza, las visitas, los espectáculos, la falsa perpetuación del propio nombre»— son objeto del mayor desdén pascaliano. «¡Qué manera de monstruo es el hombre! ¡Qué novedoso, qué torcido, qué caótico, qué paradójico, qué prodigioso! ¡Juez de todo, débil gusano, depositario de la verdad, sumidero de la duda y el error, gloria y basura del universo!»

Blaise Pascal era, como todos saben, un hombre

práctico. Su fama inicial se debe a su inventiva científica y a su pragmatismo. Pascal inventa el primer servicio de transportes públicos de Francia. Inventa la sumadora, la «pascalina». Y descubre las leyes del equilibrio hidrostático. Pero acaso sea, también, quien hace de un órgano corporal, físico —el corazón—, sede del conocimiento y de las emociones. Símbolo de amor, nombre de la ubicación central, es Pascal quien nos dice que el corazón tiene sus razones, que la razón ignora. Escéptico de la razón y la organización humanas, Pascal se dirige al corazón, a fin de ubicar una dimensión del ser del cual la razón no sabría dar cuenta completa. Pascal completa a la razón con tres razones que bien podrían ser, vistas con perspectiva, las de Wittgenstein. El corazón dice lo que no puede decirse racionalmente. Ese conocimiento-otro angustia a Pascal porque el joven filósofo francés cree que allí hay un vacío, un abismo que nos embarga en dos sentidos. Como descubridor de las leyes del equilibrio hidrostático, Pascal el físico conoce la existencia del vacío: «El eterno silencio de esos espacios infinitos me llena de terror.»

Transfiere el vacío físico al vacío del alma para preguntarse: ¿qué la llena, qué la equilibra? Pascal es el filósofo que transita precariamente —otra vez, el equilibrista— entre el vacío y la plenitud. Su pensamiento surge del vacío y se instala en la sociedad, la religión y la historia. Su mirada no puede ser más pesimista. Dios se ha escondido. La naturaleza está corrompida. «El robo, el incesto, el infanticidio, todo en un momento dado ha sido considerado acción virtuosa... La justicia es cuestión de moda... La opinión es la reina del mundo, pero la fuerza es su tirano.» En último análisis, «el poder gobierna al mundo, no la opinión». Y aun cuando la opinión venza al poder, la opinión misma se instalará en la fuerza. Su frase más pesimista es ésta: El mundo «no es el hogar de la verdad. La verdad vaga, sin ser reconocida, entre los hombres».

Lo cierto, advierte Pascal, es que el orden político se sostiene sobre realidades físicas, no espirituales. Y ello es una virtud, en la medida en que las realidades corpóreas son identificables y justifican la obediencia. Hay un engaño implícito en la vida política. La mayoría obedece porque cree que el orden legal es justo y se rebelaría si lo concibiese como un orden arbitrario. Por eso, a los gobiernos les interesa mantener la ilusión y hasta las fantasías —el opio del pueblo, en alusión premarxista. Como observador en política, Pascal teme «el arte de la subversión, de la revolución» y rechaza la idea, prerousseauniana también, de que es posible regresar a «las leyes primitivas y básicas del estado abolidas por la costumbre injusta». El pueblo se levanta. El poder se aprovecha para arruinar aún más al pueblo. «A veces, hay que engañar a los hombres por su propio bien.»

Parece —y es cierto— que estoy haciendo la crítica del Pascal reaccionario y realista en política: Maquiavelo *after the fact*. Sin embargo, creo también estar sumando los escepticismos pascalianos, que son los de un pensamiento surgido del vacío, instalado en la sociedad y la historia y, una vez allí, dicho todo lo negativo que se pueda decir sobre la multitud, el gobierno, el poder, la revolución e incluso sobre un Dios escondido —*Le Dieu caché*— y una naturaleza corrompida, Pascal encarna su pensamiento en el ser humano y un tránsito vital de ganancias y pérdidas. La calidad del tránsito dependerá de la calidad de la conciencia que aprenda —o ignore— que «nada de cuanto se ofrece al alma es simple» (mundo, sujeto, sociedad, política, historia) pero que, al mismo tiempo, «el alma jamás se ofrece con simplicidad a ningún objeto».

Dios escondido. Naturaleza corrupta. Dios nos abandona a la ceguera —hasta el arribo de Cristo. Todo el pensamiento de Pascal, todo su escepticismo, su ironía, su negación, se dirigen claramente a una afirmación de Cristo. El doble camino del hombre, su doble pasión —paso y sufrimiento— por la tierra es lo que, a los ojos de Pascal, nos asimila a todos al propio paso de Cristo por la tierra, a su pasión. No puedo evitar la certeza de que todo el andamiaje levantado por Pascal para nuestra profesión de equilibristas es como un puente tendido entre el *Dieu caché* que no sólo abandonó a Jesús, sino a la humanidad, y Jesús mismo...

«Si no me hubieras encontrado, no me buscarías», dice Cristo en los paquetes descosidos, que tanto cito, de Pascal. Es decir: Pascal no puede ni quiere evadir la cuestión de la fe, la cuestión del ser humano que cree. No por su filiación a esta o aquella religión, sino porque busca lo más precioso que ya trae en sí (el corazón que sabe las razones que la razón ignora) y lo busca consciente de que proviene de un límite, nacer, y se encamina a otro límite, morir. No es la probable filiación religiosa lo que determina el valor de la vida en Pascal, sino la fe en su acepción más amplia, la certeza de que podemos ser portadores de valores que queremos radicar en el mundo precisamente porque nos preguntamos, ¿qué hay más allá?

Las ideas recibidas, las inercias de la práctica, esto es lo que rechaza Pascal y por eso, como tantos otros, exalta la figura de Cristo como hombre activo, inconforme, exigente con su tiempo, el modelo que ya hemos encontrado sin saberlo, pero que debemos perseguir para tener conciencia de lo que cada uno de nosotros puede ser, puede agotar o debe renunciar.

«Creo porque es absurdo», dijo Tertuliano, insuperablemente, de la fe. No la explica la razón, sino ese «corazón» que tiene razones que la razón ignora. Wittgenstein, judío atraído irresistiblemente al catolicismo, admite que el pensador religioso es un «equilibrista». Y él mismo lo es. Si por una parte nos dice que la fe es absurda y no es lo que distingue al cristianismo, sino la práctica, es decir, vivir como vivió Jesús, por otra parte declara que la fe es fe en lo que el corazón y el alma necesitan, no lo que requiere «mi inteligencia especulativa». Pues «es mi alma con sus pasiones... lo que requiere ser salvado, no mi pensamiento abstracto». De allí que sea menos cierta o aparente la contradicción fe-práctica en el pensamiento de Wittgenstein, toda vez que esa «alma» y esas «pasiones» que son las suyas someten la fe al desafío práctico de vivir como Jesús. «... sólo la práctica cristiana, una vida como la del que murió en la cruz, es cristiana... y aun hoy es posible» —añade Wittgenstein— «y para ciertos hombres, aún necesaria: el cristianismo genuino, primitivo, será posible en todo momento». El cristianismo se le aparece a Wittgenstein, al cabo, como una fe que es un hacer o no sólo «un creer sino un hacer». El cristianismo no puede reducirse a sostener que esto o aquello es cierto. El cristianismo es práctica, no dogma.

La inteligencia inmensa de Ludwig Wittgenstein le lleva a entender que no hay razón por la cual la fe religiosa no pueda ser parte de la herencia cultural «que me permite distinguir entre lo verdadero y lo falso». Sólo un hombre de esta integridad filosófica y moral podía decir al morir: «Dios me dijo: Te juzgo por lo que ha salido de tu boca. Tus propias acciones te han hecho temblar de disgusto cuando has visto a otros repetirlas.» Pues «Es mi alma y sus pasiones, no mi inteligencia abstracta, lo que necesita salvarse».

No sé si hay declaración filosófica más valiosa y definitiva que ésta.

XENOFOBIA

Estamos sujetos a la prueba del otro. Vemos pero también somos vistos. Vivimos el constante encuentro con lo que no somos, es decir, con lo diferente. Descubrimos que sólo una identidad muerta es una identidad fija. Todos estamos siendo. Nada nos hace comprender —o rechazar— esta realidad mejor que el movimiento que definirá cada vez más la vida del siglo XXI: las migraciones masivas de Sur a Norte y de Este a Oeste. Nada pondrá tan seriamente a prueba nuestra capacidad de dar y recibir, nuestros prejuicios y nuestra generosidad también.

Asistimos al renacimiento de fascismos, exclusiones y pogromos, antisemitismo, antiislamismo, antilatinoamericanismo, todas ellas formas violentas de la xenofobia, el odio o la hostilidad no sólo hacia los extranjeros, sino, con mayor amplitud, hacia lo diferente. Homofobia, misoginia, racismo. ¿En nombre de qué? De la supuesta pureza de una raza superior, una identidad nacional intocable, una cultura partenogénica que se concibió a sí misma sin contaminaciones externas. ¿Pureza nacional la de una Francia gala, latina, germánica y tan hebrea como Chagall, española como Picasso, italiana como Modigliani, checa como Kundera, árabe como Ben-Jelum, rumana como Ionesco, argentina como Cortázar, alemana como Max Ernst o rusa como Diaghilev? ¿Pureza nacional de una España celtíbera, fenicia, griega, romana, musulmana, judía, cristiana y goda? ¿Purezas excluyentes de una Latinoamérica indígena, europea, africana, mestiza, mulata?

Una cultura aislada pronto perece. Puede convertirse en folklore, manía o teatro especular. Puede debilitarnos irreparablemente por falta de competencia y puntos de comparación. Y sobre todo, puede degradarnos cuando negamos la identidad ajena hasta llegar a los extremos del horror, el universo concentracionario y el holocausto.

Nada combina, sin embargo, los peligros de la xenofobia como las oportunidades del trabajo migratorio.

Celebramos la llamada globalización porque facilita extraordinariamente el movimiento mundial de bienes, servicios y valores. Las cosas son libres para circular. Pero los trabajadores, los seres humanos, no.

John Kenneth Galbraith, profesor emérito de Harvard, nos recuerda que la migración es un hecho que beneficia al país del cual se emigra y al país al cual se emigra.

Entre 1846 y 1906, cincuenta y dos millones de emigrantes abandonaron el continente europeo. Suecia, una de las naciones más pobres de Europa durante el siglo XIX, se volvió una de las más prósperas gracias a la emigración masiva de sus más necesitados ciudadanos a la América del Norte.

La emigración irlandesa después del hambre de la patata, la *potato famine* que mató de hambre a la mitad de la población irlandesa en 1845, benefició tanto a los Estados Unidos como a Irlanda, que hoy es una próspera república que saltó de la economía agraria a la tecnología y los servicios, requiriendo, la propia Irlanda, trabajadores extranjeros para aumentar su desarrollo.

Hoy, el movimiento es casi siempre de Sur a Norte. Pero las razones del movimiento son las mismas del pasado: escapar a la pobreza local, rompiendo el círculo de la resignación.

Hoy como ayer, el emigrante obedece al *pull factor*, la demanda de la economía desarrollada que necesita trabajadores para tareas que la fuerza de trabajo doméstica, porque se hace vieja, o rehúsa realizar ciertos trabajos, o ha entrado a una esfera de ocupación más cómoda y técnicamente avanzada, ya no puede ofrecer.

Otra razón es el imán de la prosperidad proyectada por las pantallas de televisión, las revistas, los anuncios y las películas de las sociedades del Norte. Cuando los balseros albaneses llegaron a las costas de Italia hace una decena de años, inmediatamente le pidieron a las autoridades: «Muéstrenos el camino a Dallas.»

Pero el trabajador migratorio nunca llega ni a Dallas ni a Disneylandia. Más y más, él o ellas son víctimas de la violencia racial. El trabajador turco en Alemania, el trabajador argelino en Francia, el trabajador mexicano en Arizona, el trabajador negro en Italia, el trabajador magrebí en España: Ninguna política de desarrollo con justicia, ningún proyecto de globalización con orden, puede excluir la protección debida al trabajador migratorio, que es precisamente eso: un trabajador, no un criminal.

Durante quinientos años, el Occidente viajó al Sur y al Oriente, imponiendo su voluntad económica y política sobre las culturas de la periferia, sin pedirle permiso a nadie.

Ahora, esas culturas explotadas regresan al Occidente poniendo a prueba los valores mismos que el Occidente propuso universalmente: libertad de movimiento, libertad de mercado basada no sólo en la oferta y demanda de bienes sino de trabajadores, y el respeto debido a los derechos humanos que acompañan a todos y cada uno de los trabajadores migratorios.

No se puede, lo repito, tener interacción y comunicación global instantáneas sin tener, al mismo tiempo, migración global instantánea.

Una de las grandes novelas de la lengua española del siglo XX predijo y elevó dramáticamente este tema. Me refiero a *Paisajes después de la batalla*, el admirable libro de Juan Goytisolo, publicado en 1982. En él, Goytisolo traduce una de las más grandes y antiguas tradiciones de la novela —el tema del desplazamiento— a la ciudad moderna, sus inmigrantes indeseados y su desafío a cualquier noción de pureza lingüística, sexual, culinaria u onírica. Goytisolo efectivamente imagina el espacio de la nueva ciudad mestiza, occidental y oriental, meridional y septentrional, dándole voz a todos y cada uno de sus habitantes.

Nos plazca o no, la ciudad policultural ya está aquí, con nosotros. La energía de las ciudades hispánicas de los Estados Unidos —Los Ángeles, Miami, Chicago— es inseparable de su carácter mestizo. Los Ángeles, que es no sólo ciudad hispánica, sino coreana, vietnamita, japonesa y china, será la Bizancio del siglo XXI, proyectada desde la frontera con México (que es la frontera con toda la América Latina) a la gran comunidad del Pacífico, hasta Vladivostok, Tokio, Shanghai, Hanoi...

Creo en las preguntas de un acto fraternal rodeado de abismos: ¿Acaso no existe otra voz y acaso no es también la mía? ¿Acaso no hay otro tiempo que puedo tocar y que puede tocarme? ¿No existen otras fes, otras historias, otros sueños y no son, también, míos?

Estamos en el mundo, vivimos con otros, vivimos en la historia y tendremos que dar cuenta de nuestra memoria, de nuestro deseo y de nuestra presencia en esta tierra en nombre de la continuidad de la vida. La xenofobia interrumpe y asesina la vida.

Las culturas se influencian unas a otras. Las culturas perecen en el aislamiento y prosperan en la comunicación. Como ciudadanos, como hombres y mujeres de ambas aldeas —la global y la local— nos corresponde desafiar prejuicios, extender nuestros propios límites, aumentar nuestra capacidad de dar y recibir así como nuestra inteligencia de lo que nos es extraño. No hay globalidad que valga sin localidad que sirva. Para implementar esta idea, debemos abrazar las culturas de los otros a fin de que los otros abracen nuestra propia cultura. Recordemos, en el inicio de un nuevo siglo, que la historia no ha terminado. Vivimos una historia inacabada. La lección de nuestra humanidad inacabada es que cuando excluimos, nos empobrecemos y cuando incluimos, nos enriquecemos. ¿Tendremos tiempo de descubrir, tocar, nombrar, el número de nuestros semejantes que nuestros brazos sean capaces de hacer nuestros? Porque ninguno de nosotros reconocerá su propia humanidad si no la reconoce, primero, en los otros.

YO

«El Yo es detestable.» Arthur Rimbaud, que se sabía hacer querer o detestar en iguales medidas, se amó y se odió a sí mismo en medidas, acaso, superiores. Su clamor de un ego detestable va a contrapelo del amor que todos sentimos hacia nuestro propio yo, acariciado, admirado, vestido y revestido en ese espejo interno que casi todos quisiéramos externar, como lo hacen superiormente los italianos, en el culto y la certidumbre de «la bella figura». Que muchísimas personas no pueden, ni quieren, ni se atreven a traspasar esa vanidad de vanidades, es cierto porque en el mundo hay fealdad y hay imperfección, que no se ignoran, y hay humildad y hasta humillación, que así se quieren.

Pero el «yo» común —el *ego*, ese pequeño argentino que todos llevamos dentro, según un viejo e injusto chiste latinoamericano— sí puede manifestarse, bello y admirativo, como un serio defecto moral. Puede ser un estado psíquico que se convierte en un fin en sí mismo, excluyente no sólo de los otros, sino, al cabo, del yo mismo, de la virtud personal. El yo vanidoso es el pigmeo del ser. Puede representar esa parte de nosotros mismos en la que depositamos, sin darnos cuenta, lo que más odiamos en los demás. El yo se vuelve fácilmente contra sí mismo. El enano egoísta se agiganta hasta convertirse en monstruo vengador de nuestro yo detestable.

El yo puede extraviarse creyendo que existe en perfecto aislamiento ególatra. Esto significa que se engaña creyendo que puede ser sin necesidad de lo que ya es. El «conócete a ti mismo» socrático no es sólo un mandamiento dirigido a la interioridad. Pero también es eso: un llamado a la inteligencia del ser interior que a veces perdemos en la egolatría, la autosatisfacción, el espejo de la vanidad. El llamado socrático, más bien, lo es a la crítica del yo que no tiene el valor de admitir sus defectos pero también a cultivar los que sólo pueden florecer en el marco del yo. Pues aunque el mundo nos preceda y nos continúe, lo que existe fuera de nosotros pasa por nosotros. El yo filtra, resume, reflexiona y añade algo al mundo, pero sólo porque, por más detestable que pueda ser, existe. Está allí.

El yo es el marco, no de toda la realidad, pero sí de una parte indispensable sin la cual la realidad no tiene escenario donde actuar. Quizás «yo» no sea el pronombre más honorable. Pero no hay «tú» que no provenga de o se dirija a «yo», ni «tú» y «yo», al cabo, que puedan sustraerse del «nosotros». Pero a su vez, ¿puede haber «nosotros» que exilie de su peligrosa comunidad al yo y al tú, sin convertirse, a su vez, en peligrosa abstracción política?

El yo fue propuesto por los estoicos y por Rousseau como ciudadela del alma. «No te dejes conquistar por nada salvo tu alma», dijo Séneca, natural de la Córdoba latina. Y exclamó el Ciudadano de Ginebra: «¡Oh virtud! ¿No basta para aprender tus leyes volver a nuestro yo?» Llevada a su extremo, la protección del valor intrínseco del yo nos abandonaría en el sillón de Pascal, para quien todas las desgracias del mundo provenían de la incapacidad de quedarse quieto en casa, sentado en un sillón. Y, acaso, desde la ciudadela estoica y desde la silla pascaliana, el yo puede exhibir muchos de sus méritos. Puede, por ejemplo, atesorar lo que queda de la infancia. Puede, también, alimentar la imaginación y desplegarse creativamente.

Escribir, pintar, componer, pensar, son ocupaciones solitarias del yo. Sólo una opresiva dictadura puede tachar de egoísmo y traición a la solidaridad la necesaria soledad para escribir un poema, como lo hiciese Stalin contra Ajmátova. En el yo se manifiestan los deseos, se cultivan las virtudes y se enmiendan los errores. Una parte de la fuerza vital tiene, pues, su raíz en el yo, que la emplea para la propia conservación. Es la parte indispensable del egoísmo. Renunciar a la propia conservación es renunciar al yo en aras de otro valor que puede ser la patria, la convicción política, el amor, la justicia. Nuestra esperanza es que el sacrificio, en vez de aniquilarlo, fortalezca a nuestro yo. Mas cuando el yo es fortalecido, ¿no pasa a otra categoría despojada de los vicios de la egolatría? ¿No pasa el yo a ser *persona*?

Ya sé que persona significa, etimológicamente, máscara. La máscara del teatro clásico, sin embargo, no fue inventada para ocultar sino para «sonar», *per sonare*, es decir, para dejarse escuchar. El yo que es persona es consciente de sí porque es consciente del mundo. El yo narcisista se ahoga en su espejo. La persona rescata de la agonía al yo protegiendo y manifestando las reservas que el yo ególatra, acaso, desconoce. Conócete a ti mismo. El yo solitario se convierte en persona describiendo cómo se formaron su corazón y su mente, cómo se alimentan su imaginación y su pasión. La soledad del individuo creativo es, de esta manera, una ilusión. Lo que escribe, pinta, compone, crea, imagina, dispone, es ya el yo personal, el yo con atributos. El *yo soy* se vuelve inseparable del *porqué* y el *para qué soy*.

Conocerse a sí mismo no significa, entonces, amarse a sí mismo.

Escenario de la creación, el yo personal puede ser heroico en su capacidad de dar cauce a la imaginación más poderosa. Pero la agita la tradición, poderosa también, del desorden romántico (Byron) o posromántico (Burroughs) como condición de la creación: el desarreglo de los sentidos, para regresar a Rimbaud. Son pocos y aislados los casos en que este espejismo de la creación combustible, alimentada de alcohol, sexo, droga, exceso, deje frutos perdurables. Flaubert, como lo quiso Pascal, ya no se movió de su casa, como no se movió Velázquez de su corte, ni Beethoven de su aldea, ni cambió Kant los horarios y la ruta de su prevista caminata diaria. La vitalidad de Balzac no necesitó más vicios que la gula, las mujeres y las cincuenta mil tazas de café que lo mataron. Cervantes, el modelo de ironía domeñada, pasó tiempo en cárceles y burocracias nada heroicas, y Sade, el modelo de desorden extremo, también se vio obligado, encerrado en cárceles y manicomios, a imaginar más de lo que podía hacer. Shakespeare estaba demasiado ocupado actuando y administrando teatros como para darle a su yo más respiro que la escritura misma y a Dante ni la agitación política florentina pudo apartarlo de una *Commedia* que no ocurre ni en el Cielo ni en el Infierno, sino a la mitad del camino de la vida, en la selva oscura del propio yo... No hay, pues, reglas estrictas respecto al yo creativo. Wordsworth es la normalidad misma. Su amigo Coleridge, el desorden. Baudelaire une disciplina y desorden. Hugo llega a escribir cómo ser un buen abuelo. Dickens, a su pesar, es un ser doméstico y Wilde transgrede la domesticidad, acaso, también, a pesar suyo. La lista de los contrastes es interminable, pero la regla de la creatividad es estricta. Se llama disciplina. Se llama saber estar solo. Se llama enmarcar el yo en una proyección que lo trasciende en la persona.

La personalidad creativa nos dice que el peor pecado del yo es dispersarse en ocupaciones banales. Y yendo un poco más lejos: trabajando en lo que no nos gusta. El yo verdaderamente desgraciado es el que disipa sus días en una ocupación que detesta y que, pesadumbre peor, no puede abandonar y convierte, inconscientemente, en costumbre y al cabo en fatalidad. Esta gama va desde el joven camarero del restorán que no oculta el desagrado de su ocupación hasta el viejo camarero resignado a que esto, servir mesas, es su destino. En medio, está el camarero alegre, orgulloso de su servicio, capaz de otorgarle valor y sentido a la gracia —no la desgracia— de contribuir al bienestar del mundo. El gruñón y el resignado se encuentran sobre todo en el mundo anglosajón, mundo de desplazamientos agrios y de insatisfacciones visibles. El individuo orgulloso de su trabajo porque sabe que todo trabajo es digno y creativo, se da sobre todo en el mundo latino y mediterráneo. Pero la ubicación social es lo de menos. El aristócrata, rencoroso si es pobre, *fainéant* si es rico, y, rico o pobre, desdeñoso, ha sido desplazado y superado, en casi todo el mundo, por el empresario que puede ser enérgico, generoso y simple, o sofisticado, miserable, pero, siempre, enérgico.

Hablo desde nuestra tradición fáustica y no me

concierne (porque la desconozco) la espiritualidad oriental que muchos amigos míos comprenden y practican. Acaso compartamos la convicción de que conocerse a sí mismo no significa ni adorarse a sí mismo ni poseer la verdad absoluta, sino la capacidad de vivir de acuerdo con normas mínimas de disciplina, proyectos de trabajo y saber estar en el mundo, solo o valorando la amistad y el amor. Lo demás, se lo lleva el remolino. Los héroes románticos envejecen. Las mujeres más bellas se arrugan. Las heroínas mueren temprano de la heroína. Y el yo puede perderse creyendo que *es* sin necesidad de lo que *debe ser*.

El yo establece sus jerarquías y el mundo las suyas. El desafío consiste en saber hasta dónde se aceptan y justifican el orden exterior al yo y hasta dónde el yo que es capaz de aceptar, cambiar, re-ordenar al mundo. El místico puede hacerlo, de nuevo, desde el sillón de Pascal. Los demás, obligados a salir al mundo, nos vemos obligados también a reflexionar sobre nuestra relación con lo que *es* fuera de nosotros. Yo creo conocerme porque habito mi piel («lleno de mí, sitiado en mi epidermis»: Gorostiza) pero cuando salgo de mí, creo des-conocerme porque experimento la sensación de que el mundo me desconoce. ¿Cómo hacerme conocido del mundo sin perder el conocimiento de mí? ¿Cómo enriquecer al mundo enriqueciendo mi yo? Salir de uno mismo es ya transformarse descubriendo algo otro que, desde siempre, nos habitaba. Amor, amistad, experiencia. Las categorías que presiden este libro explican, desde luego, cómo se transita del yo a la persona y de la persona al mundo, a los otros, a la sociedad.

El camino no es fácil. Tenemos, en ocasiones, la fuerte sensación de que, sin caer en la egolatría, mientras más solos y más aislados, más unidos nos encontramos a lo que, siendo de todos, creíamos que era sólo nuestro. La palabra, el sueño, la memoria, el deseo, el sol, la playa que recorremos descalzos, ¿son sólo nuestros? ¿O por ser tan nuestros, son de todos? El yo primario puede sentir que reina sobre un mundo invisible para todos menos él mismo.

Hay satisfacciones del yo que consisten en saberse distinto de los demás e, incluso, ajenos al momento. Pero esa misma calidad del yo sólo lo es porque es visitada por algo fuera del yo. Podemos celebrar nuestra plasticidad original, la ilusión de una soledad que se identifica con la primera creación. El mundo aún no nos sojuzga. Somos diferentes a las verdades recibidas y a las virtudes consagradas. El alma joven no se acobarda ante su singularidad idéntica a su libertad. El yo siente que aquí está su momento estelar. Pero si permanece en ese instante glorioso de la juventud, corre el peligro de empezar por definirse para acabar por defenderse, de negarse a enriquecer el yo para acabar admitiendo la invasión del yo por lo indeseable y lo imprevisto, de trocar el valor juvenil en temor inmaduro, de acabar arruinados, de viejos, por lo que amamos de jóvenes...

El yo debe aprender cuanto antes que no hay peor enemigo que uno mismo. Que no hay peor fantasma que el espejo propio. Y que, al cabo, como advierte Salvador Elizondo, nadie se disfraza de nada peor que de sí mismo. La juventud puede ser un terrible pleonasmo si no tiene la valentía de salir de sí misma, exponerse a la caída, no saber si la puerta da al precipicio. Sin embargo, aun quienes, como yo, vivimos ya en la edad testamentaria, guardamos como un tesoro los momentos de la juventud que siguen alimentando a nuestro yo a lo largo de los años. Basta detenerse un momento para pensar, ¿qué nutre mi yo?, ¿qué permanece para siempre en mí? Paradójicamente, la respuesta vendrá casi siempre de lo que llegó de fuera, el momento consagrado del amor, de la amistad, de la creatividad compartida.

El yo cree en el placer, la risa, la buena mesa, el sexo. Cree en sí mismo, a veces siente orgullo de sí mismo pero a veces se avergüenza de sí mismo. ¿Quién no carga la mancha de una vergüenza, un *faux pas*, una oportunidad perdida que, de sólo recordarlos, nos cura de la amenazante *hubris* de creernos, en términos mexicanos, el mero mero, la madre de los pollitos y el papá de Tarzán?

Kierkegaard decía que no podía olvidarse de sí mismo ni siquiera al dormir. «Puedo abstraerme de todo menos de mí mismo.» ¿Defecto? ¿Virtud? ¿O, a partir de su mera manifestación filosófica, invitación a trascender el yo, a potenciarlo, a cultivarlo para engrandecerlo y valorarlo en el contacto con los demás? Los demás no son lo de menos. El yo sólo alcanza plenitud cuando sale de sí mismo y crea su vida, a la vez que la habita. El yo en el mundo es como una casa en la que sólo se vive mientras se construye. Y la tarea es interminable. Alcanzamos, con suerte, a darle un valor compartido. Mi subjetividad, mi yo, sólo adquiere valor si se une a la objetividad del mundo exterior a mi yo y al cual me ligo mediante una subjetividad colectiva que llamamos civilización, sociedad, cultura, trabajo.

Pero una vez allí, en el centro de esa estrella que nos da la sensación de plenitud —yo, el mundo y mi subjetividad enriquecida por la sociedad y la cultura a las que mi trabajo enriquece—, todos nos miramos de nuevo en el espejo del yo, miramos allí la vanidad herida, el egoísmo detestable, el reflejo en nosotros mismos de lo que más odiamos en los demás, nos sentimos culpables si cerramos los ojos, quisiéramos suplir el mandato socrático por un absoluto «ignórate a ti mismo», abrimos de nuevo los ojos, nos vemos desnudos en el espejo y reconocemos al cabo lo que más angustiosamente nos identifica, a cada uno en la soledad y a cada uno en la comunión con nuestros semejantes.

Es una hostia amarga. No tiene respuesta. No sabemos qué es el cuerpo. No sabemos qué es el alma. Y nada nos identifica más que la ignorancia de lo que somos. «La manera como el cuerpo se une al alma no puede ser entendida por el hombre y, sin embargo, es el hombre» (San Agustín).

ZEBRA

Dice Ortega y Gasset en alguna parte (cito de memoria) que para Aristóteles el centauro es una posibilidad. Para nosotros no, porque la biología lo niega.

La zebra, a pesar de su presencia visible entre nosotros, nos produce siempre extrañeza. La identifica su piel a rayas blanquinegras. Sin esta marca, sería caballo. Pero gracias a la singularidad de su diseño, le da nombre a una mariposa (la *papillon marcellus*) y a una planta (la *zebrina*, común en México y Guatemala). El hecho, ya, de que al menos el nombre se refleje en cosas tan disímiles de un *equus* rayado como lo son una mariposa que se reproduce varias veces al año y una planta que se arrastra como serpiente y tiene nombre genérico de araña, nos hace pensar que la zebra, como el centauro de Ortega, será un día, no inadmisible por la lógica, pero sí admisible por la fantasía. Hubo una vez, nos dicen los zoólogos, zebras con las rayas limitadas a la cabeza, el cuello y el antepecho. Habrá un día zebras que sólo existan en la imaginación y justifiquen, como en este libro, encabezar (en vez de Zanzíbar, Zeus, Zacatecas, Zapata, zagal, zafarrancho, zapato, zanahoria, zorro, zumo o zoología) la más difícil letra de mi abecedario personal.

Zoología fantástica. La novedad del continente americano no es ajena a la imaginación del continente americano. Las crónicas de Indias abundan en visiones fantásticas de fauna inédita, indispensable para acompañar la idea misma del Descubrimiento.

Si lo fantástico es un duelo con el miedo (como lo ha definido Roger Caillois), la imaginación es la primera exorcista del terror de lo desconocido. La fantasía europea de América opera mediante fabulosos bestiarios de Indias, en los que el Mar Caribe y el Golfo de México aparecen como los hábitats de sirenas vistas por el mismísimo Colón el 9 de enero de 1493 «... que salieron bien alto de la mar», aunque, admite el Almirante, «no eran tan hermosas como las pintan, que en alguna manera tenían forma de hombre en la cara».

En cambio, Gil González, explorador del istmo panameño, se topa allí, en una anchura de mar oscuro, con «peces que cantaban con armonía, como cuentan de las sirenas, y que adormecen del mismo modo». Y Diego de Rosales ve «una bestia que, descollándose sobre el agua, mostraba por la parte anterior cabeza, rostro y pechos de mujer, bien agestada, con cabellos y crines largas, rubias y sueltas. Traía en los brazos a un niño. Y al tiempo de zambullir notaron que tenía cola y espaldas de pescado...».

Acaso la febril imaginación de los navegantes del Caribe y el Golfo no vieron sirenas sino ballenas, pues a éstas les atribuyeron, como escribe Fernández de Oviedo, «dos tetas en los pechos» (menos mal) «e así pare los hijos y los cría».

Más problemática es la configuración del llamado

peje tiburón de estas costas, descrito por Fernández de Oviedo con precisión anatómica: «Muchos destos tiburones he visto —escribe en su *Sumario de la Natural Historia de las Indias*— que tienen el miembro viril o generativo doblado.» «Quiero decir —añade Oviedo— que cada tiburón tiene dos vergas... cada una tan larga como desde el codo de un hombre grande a la punta mayor del dedo de la mano.»

«Yo no sé —admite con discreción el cronista— si en el uso dellas las ejercita ambas juntas... o cada una por sí, o en diversos tiempos...»

Por mi parte, yo no sé si envidiar o compadecer a estos tiburones del Golfo y el Caribe, pero sí recuerdo con el cronista Pedro Gutiérrez de Santa Clara que por fortuna estas bestias sólo paren una vez en toda su vida, lo cual parecería contraponer la existencia del órgano y su función —abundante una, parca la otra...

Las cartas de Pedro Mártir de Anglería sobre los asombrosos bestiarios del mar americano fueron objeto de burlas en la Roma pontificia, hasta que el Arzobispo de Consenza y Legado Pontificio en España, de nombre —otra vez, asómbrense ustedes—, Juan Rulfo, confirmó las historias de Pedro Mártir y ensanchó el campo de lo real maravilloso del Golfo y el Caribe para incluir el peje vihuela capaz de hundir, con su fortísimo cuerno, a un navío; el cocuyo, a cuya luz los naturales «hilan, tejen, cosen, pintan, bailan y hacen otras cosas las noches... Son linternas de las costas...».

Los alcatraces que cubren el aire en busca de sardinas. Las auras o zopilotes que vio Colón en la costa de Veragua, «aves hediondas y abominables» que caen sobre los soldados muertos y que son «tormento intolerable a los de la tierra». Es la noche de la iguana, que Cieza de León no sabe «si es carne o pescado», pero que de pequeña cruza las aguas ligera y por encimita, pero de vieja, se desplaza lentamente por el fondo de las lagunas.

Las maravillas se acumulan. Tortugas de concha tan grandes que podían cubrir una casa. Hicoteas fecundas depositando en las arenas de nuestros mares nidadas de mil huevos. Playas de perlas «tan negras como azabache, e otras leonadas, e otras muy amarillas e resplandecientes como oro...», escribe Fernández de Oviedo. Y la mítica salamandra, ardiendo en sí misma pero tan fría, dice Sebastián de Covarrubias en su *Tesoro de la lengua castellana*, «que pasando por las ascuas las mata como si fuere puro yelo».

No tardarían estos portentos del mar y las costas del Descubrimiento en cobrar cuerpo como maravillas de la civilización humana, maravillosamente descritas por Bernal Díaz del Castillo al entrar, con la hueste de Hernán Cortés, a la capital azteca, México-Tenochtitlan.

La visión de Bernal parecería remitirnos a otra rama de la fantasía, que es la ciencia ficción. Su más brillante escritora viva, la norteamericana Ursula K. Le Guin, advierte que la ciencia ficción es casi siempre una historia del futuro aunque en los *sicomitos* fantásticos todo suele suceder fuera del tiempo, «en la región viva de la mente en la que, descartada toda tentación de inmortalidad, parece no haber límite alguno temporal o espacial». Ello permite lo que H. P. Lovecraft se propuso con tan grande éxito: la invención de mundos no desprovistos de tiempo y espacio, sino dueños de tiempos y espacios probables o, acaso, memorables. Es esto lo que logra el escritor polaco Stanislaw Lem en su maravilloso cuento «Un minuto humano»: dar cuenta de todos y cada uno de los habitantes del mundo en un solo minuto.

Como la lista «moderna» de estos escritores intemporales va desde Voltaire *(Cándido)* y Beckford *(Vathek)* en el siglo XVIII hasta Ray Bradbury, Arthur Clarke o Isaac Asimov en el XX y como sus temas abarcan desde la evocación del pasado más remoto (Frazer y Frobenius) hasta el futuro más próximo (Verne y Wells), mi propia selección me lleva de la imaginación fantástica de los descubridores de América y sus bestiarios de Indias, a la más atroz forma de réplica a la naturaleza: la creación artificial del ser humano en el laboratorio de la ciencia, el progreso mecánico y la sustitución divina: Mary Shelley y *Frankenstein*.

Mary Shelley imaginó el horror de un antiparto: el nacimiento de una criatura fabricada con retazos de la muerte. Victor Frankenstein es el nombre del padre que quisiera ser madre y da a luz la monstruosidad anónima que cada vez se parece más a su creador, huraño, cruel, nacido sin pasado, pero distinto del Dios que podría también tener estas características porque Dios no es curioso, Dios no es la madre Eva que come la manzana de la curiosidad, Dios no es la Pandora que desparrama los secretos de una caja llena de desgracias, Dios no ambiciona una identidad, un nombre o una percepción: es, lo sabe todo, *nombrarle es reducirlo*.

El monstruo de Frankenstein es doblemente monstruoso: no es un hombre, como su creador lo quisiera; tampoco es un Dios, como su creador quisiera serlo. El Prometeo moderno de Mary Shelley no roba el fuego divino: sale en busca de él, pero ese fuego es una ilusión, es el fuego fatuo de la luz polar, es la pira funeraria que espera al creador y a la criatura: la helada hoguera de la ciencia cuando no es el hombre quien crea a la ciencia, sino la ciencia la que crea o destruye al hombre. El Prometeo moderno de Mary Shelley no crea a un ser humano: crea a un ser *anónimo*. Acaso por ello la viuda del poeta Shelley tampoco firmó su libro. ¿Dónde iba a estar el nombre del monstruo nacido de la cópula de un hombre inquisitivo con una muerte enmudecida?

Una noche tormentosa del verano de 1816, se reunieron en una villa alquilada a orillas del Lago de Ginebra el locatario Lord Byron, sus amigos Percy Shelley y su mujer Mary, el insoportable doctor Polidori y mujeres surtidas por las paternidades, incestos y amores de Byron. Se propusieron contar cuentos de terror para pasar las horas de tormenta. Byron inventó al vampiro; Mary Shelley, al monstruo. Drácula y Frankenstein nacieron en esta Villa Diodati que es posible visitar hoy. La vista ha cambiado poco, pero ahora hay sinfonolas, televisores y mesas de ping-pong. Yo prefiero la visión de la película de James Whale, *La novia de Frankenstein*, porque allí la actriz Elsa Lanchester encarna a Mary Shelley en 1816 y nos cuenta una historia que sucede en 1935, donde la propia actriz interpreta el papel de la mujer monstruosa creada por el doctor Frankenstein para darle una pareja a su monstruo primero, interpretado por el actor Boris Karloff. El juego del tiempo es fascinante; lo es todavía más el hecho de que estos monstruos a los que la literatura no quiso o no pudo darles nombres —genial sabiduría de Mary Shelley— tienen ahora el nombre que les da su imagen fotográfica.

El monstruo tiene un nombre gracias a la fotografía. Y ese nombre es el de su creador. El público le da el nombre de Frankenstein al monstruo de Frankenstein. Esto es como nombrar Dios a cada una de sus criaturas. ¿Pero no es el género fantástico, en palabras de Borges, tronco, una de cuyas ramas es la teología?

Dios no tiene, en la literatura fantástica, peor enemigo que Drácula, el hombre-vampiro que vence todas las leyes divinas y humanas. Fornica sin amor, bebe por necesidad, no desea nada ni nadie salvo su propia inmortalidad, vence a la muerte y no se refleja en espejo alguno. Duerme de día. Mata de noche. Y viaja para huir de su propia leyenda y vivificar sus fuentes de vida y placer: la sangre.

Roland Barthes ha indicado que en el universo de Sade se viaja con un solo objeto: encerrarse. Aislarse y proteger la lujuria. Pero también experimentar el encierro como una cualidad de la existencia, como una voluptuosidad del ser. ¿Hace otra cosa Drácula cuando abandona su claustro transilvánico y se hace transportar en un barco de la muerte y dentro de un féretro lleno de la tierra original, al corazón de la metrópoli imperial y burguesa, Londres? Todos los seres de identidad extrema, de la novela gótica al cine surrealista, efectúan ese viaje de un encierro a otro: agotan el origen, viajan hacia lo subvertible, hacia el futuro.

Drácula busca la sangre que lo alimenta. Pero esta metáfora del horror esconde una realidad del amor. Drácula busca ser reconocido, aun al precio de convertir en muerte la vida que necesita y ama. Y sus víctimas, esas mujeres atraídas hacia él, esas mujeres que constantemente olvidan cerrar las ventanas de noche, dormir bajo un crucifijo o colgarse un collar de ajos al cuello, ¿no están invocando la presencia de ese otro que al identificarse en ellas, les permite a ellas identificarse en él? ¿Buscan las novias de Drácula el deseo inédito que sólo el monstruo, sin más deseo que la inmortalidad propia, les ofrece en la frontera entre el sueño y la pesadilla?

Drácula y Frankenstein son zebras literarias que cuentan con hábitats que les preexisten: castillos en ruinas, Transilvania y los Alpes, laboratorios de la fe en el progreso, aldeas que son santuario de la tradición milenaria... De la leyenda popular a la memoria del linaje, Europa cuenta con el escenario para la literatura fantástica. América, no. Quiero decir la América inglesa, protestante, puritana, la América del Norte. Hawthorne se queja de la ausencia de misterio en un país sin otra cosa que «una prosperidad común y corriente», en un país «sin sombra, sin antigüedad». ¡Cómo se las ingenia un gran escritor para descubrir el misterio en ese mundo próspero y corriente! Solteronas que viven en perpetua oscuridad, casas pintadas de sangre, muros murmurantes, la propia madre de Hawthorne, viuda encerrada con la comida enfriándose en la puerta de su recámara, hermana espectral que sólo se deja ver al caer la tarde...

Pero quien realmente descubre el terror de lo fantástico norteamericano es Edgar Allan Poe y su descubrimiento es que lo fantástico ocurre, no en los castillos del Rin o en las mazmorras de Roma, sino en la cabeza y el corazón de los seres humanos. «El corazón delator», podría llamarse la obra entera de Poe, el autor que niega el proyecto de la felicidad y el progreso norteamericanos («No tengo fe en la perfectibilidad humana») y revela, en cambio, el revés del optimismo norteamericano. Sus narraciones no ocurren en el meridiano solar de los Estados Unidos, sino en el turbio amanecer del mundo. En una aurora que aún no abandona la noche, surgen formas difíciles de soportar. Los muertos escuchan. Las tumbas se abren. Los fantasmas tocan con los nudillos a la entrada de los sepulcros. Con razón se ha dicho que Poe nació y se crió dentro de un féretro. Henry

James lleva esta manera de terror imaginario a su punto más alto: el duelo con el mundo ocurre sólo en la cabeza de los personajes. No hay escenario exterior como en *Frankenstein* o *Drácula*. Londres, Boston, fines de semana ingleses, vida social aristocrática, casas de campo bien atendidas. No: el terror está en la imaginación, en la vuelta de la tuerca...

Paradójicamente, Poe, autor favorito de Stalin —el poder fascinado por la tortura y el terror—, pudo serlo también del más lógico de los cartesianos. La lógica deductiva de «El escarabajo de oro» y de «La carta robada» eleva la razón al misterio y antecede al gran fabulista latinoamericano, Jorge Luis Borges, perverso neoplatonista que primero postula una totalidad y en seguida comprueba su imposibilidad. Borges abre muchos de sus cuentos con la premisa irónica de una totalidad hermética. Evoca la nostalgia antigua de la unidad original. Pero, acto seguido, traiciona el afán idílico (eco de la utopía fundadora del Nuevo Mundo) mediante el incidente cómico y el accidente particular. Funes el memorioso lo recuerda todo (premisa fantástica). Pero para vivir necesita reducir, seleccionar, limitarse a un número manejable de recuerdos (conclusión cómica).

En el universo de Tlon, el tiempo es negado. El presente es infinito. El futuro no tiene más realidad que la esperanza actual. El pasado no tiene más realidad que la memoria presente. Y no falta quien declare en Tlon que todo tiempo ya ha sucedido y que nuestras vidas son solamente la memoria falsificada, mutilada y crepuscular de un proceso irrecuperable. Borges anota, a pie de página, la teoría de Bertrand Russell: el universo fue creado hace apenas unos minutos y provisto inmediatamente de una humanidad que recuerda un pasado que jamás ocurrió.

La literatura fantástica postula que la realidad está en el otro rostro de las cosas, el más allá de los sentidos, la ubicación invisible sólo porque no supimos alargar a tiempo la mano para tocar la presencia fugitiva. Por eso eran tan largos los ojos de Julio Cortázar. Miraban la realidad paralela, a la vuelta de la esquina, un vasto universo latente con sus pacientes tesoros, la contigüidad de los seres, la inminencia de las formas que esperan ser convocadas por una palabra, un trazo de pincel o un gesto de la mano, una melodía tarareada, un sueño...

Imaginación: mediación entre sensación y razón, pero sólo con el propósito ulterior de disipar cualquier relación lógica entre las causas y los efectos. Ello nos obliga a recrearlo todo, liberados de la convención imperante, de esa cotidiana normalidad que tanto molestaba a Hawthorne.

Gregorio Samsa amanece convertido en insecto. Y por las tumbas de Praga corretea Obradek, el más misterioso de todos los mensajeros de Kafka en una obra poblada de Hermes inválidos. Obradek es una película plana con la forma de una estrella fabricada de cabos de hilos multicolores. Obradek, que recibe trato de niño, que se ve absurdo en su apariencia inmediata, pero que es una totalidad en sí, un espécimen completo de su género. Obradek, del cual podría pensarse que alguna vez fue útil pero ya no lo es —pero esto, añade Kafka, «sería un grave error». Obradek, que se esconde en las escaleras y los corredores, en los pasillos: en la comunicación. Obradek, que desaparece durante largos meses y luego regresa, invisible aunque fielmente. Obradek, el genio tutelar, el fantasma de la Casa de Kafka. Obradek, que es un mito, medio vivo y medio muerto, mitad objeto y mitad ser, olvidado pero presente, sin origen, sin devenir y sin meta.

¿Es la literatura fantástica el fantasma que repara todos los olvidos de los vivos?

ZURICH

A principios de 1950, acababa de cumplir veintiún años cuando llegué a Suiza para continuar mis estudios tanto en la Universidad de Ginebra como en el Instituto de Altos Estudios Internacionales. Trabajaba en la misión de México ante la Organización Internacional del Trabajo (OIT) y le servía de secretario al miembro mexicano de la Comisión de Derecho Internacional de la ONU, el embajador Roberto Córdova. Todo esto le daba a mi arribo a Suiza un tono sumamente formal. Ginebra, como siempre, era una ciudad muy internacional. Me hice amigo de estudiantes extranjeros, diplomáticos y periodistas. Conocí a una bellísima estudiante suiza y me enamoré de ella, pero nuestros encuentros clandestinos fueron interrumpidos por dos casualidades.

Primero, fui expulsado de la estricta pensión donde vivía en la rue Emile Jung por razón de la clandestinidad ya dicha. Segundo, los padres de mi novia le ordenaron que dejase de frecuentar a un joven proveniente de un país oscuro e incivilizado, cuyos habitantes, según se contaba, comían carne humana.

El día en que mi novia me cortó, me consolé yendo a un cine de la rue Mollard a ver la famosa película de Carol Reed, *El tercer hombre*, que en ese momento era la más grande atracción fílmica en todo el mundo. La protagonizaba una de las más bellas mujeres que jamás se dejaron ver en la pantalla, Alida Valli (años más tarde mi vecina en San Angel Inn). En *El tercer hombre*, la Valli era una perfecta máscara de helada sensualidad y ojos claros, llameantes, vengativos, resignados.

Lo más importante, sin embargo, era que en la película actuaba Orson Welles, cuyo *Ciudadano Kane* yo había visto de niño en Nueva York y que me impresionó —desde entonces y hasta el día de hoy— como la máxima película sonora jamás realizada en Hollywood. Su belleza formal, la audacia de su iluminación, los ángulos de la cámara, la atención al detalle, eran valores todos que convergían para narrar La Gran Historia Norteamericana. El dinero, cómo ganarlo y cómo gastarlo. La felicidad, cómo buscarla sin jamás encontrarla. El poder, cómo alcanzarlo y cómo perderlo. Kane era al mismo tiempo el sueño americano y su reverso, la pesadilla americana.

Ahora, en el cinema Mollard, Welles emergía de las sombras de los alcantarillados de Viena como el cínico negociante del crimen, Harry Lime, quien justificaba sus actividades ilegales con una frase que se hizo universalmente famosa y que afectaba, directamente, a Suiza.

Italia, dijo Harry Lime-Orson Welles, la tierra de los Médicis, la corrupción y el asesinato político, había producido a Miguel Ángel. Suiza, el país de la paz, el orden y las vacas, había producido el reloj de cucú.

No recuerdo cómo fue recibida esta línea por el público ginebrino. Sé que yo me había mudado de la puritana pensión a una boardilla bohemia en la Place du Bourg du Four y desde allí, junto con un condiscípulo holandés, empecé a explorar el lado oscuro de la tierra de los cucúes, la vida nocturna de Ginebra. En ella abundaban los sub-Harry Lime en cabarets de mala reputación, prostitutas oxigenadas eternamente sentadas con sus perritos *poodle* en el café Canónica y un par de lindas bailarinas que el holandés y yo rápidamente convertimos en amigas íntimas. Mi felicidad se vio un tanto empañada, sin embargo, cuando pedí una cita sabatina con la bailarina, quien me dio la respuesta siguiente: «No, el sábado es el día de mi marido.»

Ah, el espectro de Calvino. ¿Ni siquiera las bailarinas de cabaret eran más que relojes de cucú animados? Después de todo, ¿tendría razón Harry Lime?

Había leído la novela de Joseph Conrad, *Bajo la mirada de Occidente*, antes de venir a Ginebra. El libro evocaba para mí una ciudad de intriga política, hormigueante de exiliados rusos y temibles anarquistas. Pero aun en la atmósfera de invernadero trágico descrita por Conrad, había una similitud con la tierra del cucú: la protagonista Sofía Antonovna le dice al traidor Razumov: —Recuerda, Razumov, que las mujeres, los niños y los revolucionarios detestan la ironía.

¿Pudo haber añadido, «y los suizos también»? Como mexicano, no me gustaban las generalizaciones sobre mi país o cualquier otro (salvo los Estados Unidos: soy puro mexicano). Leyendo a Conrad en Ginebra, sólo pude repetir con él que «hay fantasmas vivos así como los hay muertos».

Entonces, en el verano de 1950, fui invitado por unos viejos y queridos amigos germano-mexicanos, los Wagenecht, a visitarlos en Zurich. Nunca había estado en esa ciudad y tenía la idea preconcebida de que era la corona misma de la prosperidad suiza que tan brutalmente contrastaba con la otra Europa, la convaleciente de la guerra, Londres sujeta aún a racionamientos de los artículos básicos, Viena ocupada por las cuatro potencias vencedoras, Colonia bombardeada, Italia sin calefacción, sus trenes de tercera colmados de hombres con pantalones raídos cargando maletas atadas con mecates, los niños recogiendo colillas de cigarros en las calles de Génova, Nápoles, Milán...

Era una bella ciudad, Zurich. Los dulces días de junio dejaban escapar el aliento moribundo de mayo y anunciaban el inminente calor de julio. Era difícil separar al lago del cielo, como si las aguas se hubieran transformado en aire puro, y el firmamento en un espejo más del lago. Era imposible resistir el sentimiento de tranquilidad, dignidad y reserva que hacía resaltar aún más la belleza física del entorno. Me pregunté, ¿dónde están los gnomos, dónde tienen escondido el oro?, ¿en esta ciudad donde se suponía que los nibelungos se hacían visibles, vestidos de chaqué y con sombreros de copa, como en las caricaturas de George Grosz?

He de admitir que mi ironía potencial, bien fundada en las riberas del lago Leman, se vino abajo una noche en que mis amigos me invitaron a cenar en el Hotel Baur-au-Lac junto al lago. El restorán era una balsa, una terraza flotante sobre el lago. Se llegaba a él por una pasarela. Lo iluminaban linternas chinas y velas trémulas. Desdoblé mi tiesa servilleta blanca entre el tintineo apacible de plata y vidrio, levanté la mirada y vi al grupo sentado en la mesa de al lado.

Tres damas cenaban con un caballero maduro, un hombre de más de setenta años, tieso y elegante como las servilletas almidonadas, vestido con saco blanco cruzado e inmaculadas camisa y corbata. Sus dedos largos y delicados rebanaban un faisán frío con minuciosa cortesía. Aun mientras comía, parecía envergado como una vela, con una rigidez militar. Su rostro mostraba «una fatiga creciente». Pero el orgullo fijo en sus labios y mandíbulas desesperadamente trataba de ocultar el cansancio. Sus ojos brillaban con «el fogoso juego del capricho».

Mientras las luces de carnaval de esa noche de verano en Zurich jugaban con luces propias sobre las facciones que al fin reconocí, el rostro de Thomas Mann era un teatro de emociones calladas, implícitas. Comía y dejaba que las señoras hablasen; él era, ante mi fascinada mirada, el creador de tiempos y espacios en los que la soledad es la madre de una «belleza poco familiar y peligrosa», pero también el alma de lo perverso e ilícito.

No supe medir la verdad de mi intuición, esa noche de mi juvenil y distante encuentro con un autor que, literalmente, había dado forma a los escritores de mi generación. De *Los Buddenbrooks* a las grandes novelas cortas a *La montaña mágica*, Thomas Mann había sido el amarre más seguro de nuestra atracción literaria latinoamericana hacia Europa. Porque si Joyce era Irlanda y la lengua inglesa, y Proust, Francia y la lengua francesa, Mann era más que Alemania y la lengua alemana. Como jóvenes lectores de Broch, Musil, Schnitzler, Joseph Roth, Kafka y Lernet-Hollenia, sabíamos que «la lengua alemana» era algo más que «Alemania»; era la lengua de Viena y Praga y Zurich, y a veces hasta de Trieste y Venecia. Pero era Mann quien las reunía todas como lenguaje europeo fundado en la imaginación de Europa, algo más que sus partes. A nuestros jóvenes ojos latinoamericanos, Mann era ya lo que un día Jacques Derrida habría de llamar «La Europa que es lo que ha sido prometido en nombre de Europa». Mirando esa noche a Mann cenando en Zurich, se fundieron para siempre en mi cabeza los dos espacios del espíritu, Europa y Zurich. Gracias a este encuentro-desencuentro, esa misma noche coroné a Zurich como la verdadera capital de Europa.

Era curioso. Era impertinente. ¿Me atrevería a acercarme a Thomas Mann, yo, un estudiante mexicano de veintiún años con muchas lecturas entre pecho y espalda pero con todas las inhabilidades de una sofisticación social e intelectual muy lejos de mis manos? En un ensayo memorable Susan Sontag ha recordado cómo ella, aún más joven que yo, penetró el santo de los santos de la casa de Thomas Mann en Los Ángeles en los años cuarenta y descubrió que tenía bien poco que decir, pero mucho que observar. Yo no tenía nada que decir pero, como Sontag, mucho que observar.

Allí estaba él, la mañana siguiente, en el Hotel Dolder, donde se hospedaba, vestido todo de blanco, digno hasta un punto menos que la rigidez, pero con ojos más alertas y horizontales que la noche anterior. Varios hombres jóvenes jugaban al tenis en las canchas pero él sólo tenía ojos para uno de ellos, como si éste fuese el Elegido, el Apolo del deporte blanco. Ciertamente, era un joven muy bello, de no más de veinte años, veintiuno acaso, mi propia edad. Mann no podía quitarle de encima los ojos al muchacho y yo no podía quitarle la mirada a Mann. Estaba presenciando una escena de *La muerte en Venecia*, sólo que treinta y ocho años más tarde, cuando Mann ya no tenía treinta y siete (su edad al escribir la novela maestra sobre el deseo sexual) sino setenta y cinco, más viejo aún que el afligido Aschenbach enamorando de lejos al joven Tadzio en la playa del Lido —donde veinte años después de ver a Mann en Zurich, vi a Luchino Visconti, en compañía de Carlos Monsiváis, filmar *La muerte en Venecia* con una mujer que asumía todas las bellezas y todos los deseos, incluso los de la androginia, Silvana Mangano.

En Zurich aquella mañana, la situación se repetía, asombrosa, famosa, dolorosa. El circunspecto hombre de letras, el Premio Nobel de Literatura, Mann el septuagenario, no podía esconder, ni de mí ni de nadie más, su deseo apasionado por un muchacho de veinte años que jugaba al tenis en una cancha del Hotel Dolder una radiante mañana de junio del lejano 1950 en Zurich. Entonces, una mujer joven llegó hasta donde se encontraba su padre, pareció regañarlo cariñosamente, lo obligó a abandonar su apasionada avanzada y regresar con ella a la vida de todos los días, no sólo la del hotel, sino la de este autor inmensamente disciplinado cuyos impulsos dionisíacos eran siempre controlados por el dictado apolíneo de gozar la vida sólo a condición de darle forma.

Para Mann, lo vi esa mañana, la forma artística precedía a la carne prohibida. La belleza se encontraba en el arte, no en el prematuro cadáver de nuestros deseos informes, pasajeros, al cabo corruptos. Fue para mí un momento dramático, inolvidable: un comentario verdadero sobre la vida y la obra de Thomas Mann, el arribo de su hija Erika, visiblemente burlona ante las debilidades eróticas de su padre, suavemente empujándolo de regreso, no al orden de cuculandia, sino al orden del espíritu, de la literatura, de la forma artística, donde Thomas Mann podía «tener la chancha y los veintes», ser el dueño, y no el juguete, de sus emociones.

Me senté a almorzar con mis amigos germano-mexicanos en el comedor del Dolder. El joven que nos sirvió la mesa era el mismo al cual Mann había estado admirando esa mañana. No había tenido tiempo de bañarse y olía ligeramente a sudor saludable y deportivo. El capitán de meseros se dirigió, imperiosamente, a él, «Franz», y el muchacho corrió hacia otra mesa.

De manera que había un misterio en Zurich, algo más que relojes de cucú. Había ironía. Y rebelión. Había el Café Voltaire y el nacimiento de Dadá, en medio de la más sangrienta guerra jamás librada en suelo europeo. Había Tristan Tzara pintándole un violín al racionalismo: «El pensamiento proviene de la boca.» Y Francis Picabia convirtiendo las tuercas en arte. Zurich diciéndole a un mundo hipócrita, decadente y manchado de sangre en las trincheras en aras de una racionalidad superior: «Todo lo que vemos es falso.» De tan sencilla premisa, murmurada desde el Café Voltaire por el impertinente Tzara y su monóculo, surgió la revolución de la vista y el sonido y el humor y el sueño y el escepticismo que al cabo enterraron la autosatisfacción de la Europa decimonónica pero no pudieron enterrar la barbarie por venir. ¿No era aún Europa, no lo sería jamás, lo que había sido prometido en nombre de Europa? ¿Sería Europa tan sólo la «noche y niebla» de Treblinka y Dachau? Sólo si aceptamos que todo lo que vino de Zurich —Duchamp y los surrealistas, Hans Richter y Luis Buñuel, Picasso y Max Ernst, Arp, Magritte, Man Ray— no era lo que había sido prometido en el nombre de Europa. Pero lo era. Lo que siempre fue prometido en el nombre de Europa fue la crítica de Europa, la advertencia de Europa contra su propia arrogancia, su complacencia y su confusa sorpresa cuando al cabo caían los golpes de la adversidad. Fue la advertencia que hicieron los artistas de Zurich en 1916. Debería, de nuevo, ser la advertencia, hoy que los fantasmas del racismo, la xenofobia, el antisemitismo y el antiislamismo levantan la cabeza y nos recuerdan nuevamente las palabras de Conrad en *Bajo la mirada de Occidente*: Hay fantasmas de los vivos así como fantasmas de los muertos.

¿Quién había visto a estos espectros, quién los había pintado, quién les había dado horror corpóreo? Otro ciudadano de Zurich, Füssli, el más grande de los pintores prerrománticos, Füssli, que había encarnado, desde el siglo XVIII, todos los temas de la noche oscura del alma romántica tal y como los describió Mario Praz en su celebrado libro, *La carne, la muerte y el diablo en la literatura romántica*. Füssli y La Belle Dame Sans Merci, Füssli y La Belleza de la Medusa, Füssli y las Metamorfosis de Satanás, Füssli y la advertencia de André Gide: no creer en el Diablo es darle todas las ventajas de sorprendernos. El agua bautismal del romanticismo —la belleza de lo horrible— proviene de Füssli, ciudadano de Zurich. Las tinieblas desbaratadas por una luz inalcanzable. La alegría del crimen practicada por el anticucú Harry Lime. El Hombre Fatal y la Mujer Fatal que han fascinado nuestras imposibles imaginaciones, de Lord Byron a Sean Connery y de Salomé a Greta Garbo...

Zurich, ¿urna de los arquetipos del mundo moderno? ¿Por qué no, desde un amplísimo punto de mira? James Joyce cantó canciones coloradas en el Café Terrasse, jugando con las palabras con la anticipatoria alegría de *Ulises*, su *work in progress*. Lenin asistió asiduamente al Café Odéon antes de partir a Rusia en un vagón de ferrocarril famosamente sellado. ¿Se conoció la pareja, sólo en la obra de Tom Stoppard, sólo en la memoria de Samuel Beckett? ¿No caminaron todos estos fantasmas sobre las aguas del lago de Zurich?

Y sin embargo, para mí, tan deslumbrante como la pintura de Füssli y tan asombrosas como las bromas de Dadá, tan tensamente opuestas como la vida de Zurich y las de Joyce y Lenin puedan serlo, es siempre Mann, Thomas Mann, el buen europeo, el europeo contradictorio, el europeo crítico, quien regresa a mi emoción y a mi cabeza como la figura que más asocio con la ciudad de Zurich.

¿Cuántas veces estuvo allí? ¿Cómo separar a Mann de Zurich? Qué larga fue su vida allí, yendo y viniendo de su villa en Kusnacht a sus casas en Erlenbach y Kilchberg; los lugares del reposo, los sitios del trabajo. Pero también hay que recordar a Zurich en las cumbres de la vida de Mann. La visita de 1921, cuando el autor se atrevió a aumentar a mil marcos sus honorarios por dar una conferencia. La lectura a los estudiantes, en 1926, de pasajes de *Desorden y dolor precoz*. La festiva celebración en 1936 de sus sesenta años, cuando Mann escogió a Zurich no como sitio extranjero, sino como «patria para un alemán de mi condición». Zurich como «antigua sede de la cultura germánica», allí «donde lo germánico se funde con lo europeo». La inquietante visita en 1937, al filo de la noche y niebla nazis, preparando la *Carlota en Weimar* como el desesperado intento de un nuevo *aufklärung*, una nueva ilustración, pasando por alto la negativa de Gerhart Hauptmann de saludarlo con una filosófica espera de «otros tiempos», acaso tiempos mejores. Tratando de salvar a su hijo Klaus Mann del mundo de las drogas, un mundo, escribió, «donde el esfuerzo moral... no recibe gratitud alguna».

Y luego el Thomas Mann que regresa a Zurich después de la guerra y emprende una actividad incesante, como si la edad y la fatiga no contasen. El cuarto de hotel en el Baur-au-Lac constantemente invadido por el correo, las solicitudes de entrevistas, los pedruscos de la gloria en las botas del escritor, acumulándose hasta constituir un estorbo insoportable. Y el reposo en la belleza de un muchacho anhelado, la espera de «una sola palabra del joven» y la convicción de que nada, nada en este mundo, puede devolverle el poder del amor a un viejo...

Y cuando, el 15 de agosto de 1955, «el trono quedó vacío», yo miré de vuelta hacia aquel encuentro fortuito en Zurich durante la primavera de 1950 y escribí:

«Thomas Mann había logrado, a partir de su soledad, el encuentro de la afinidad anhelada entre el destino personal del autor y el de sus contemporáneos.» A través de él, yo había imaginado que los productos de su soledad y de su afinidad se llamarían arte (creado por uno solo) y civilización (creada por todos). Habló con tanta seguridad, en *La muerte en Venecia*, acerca de las tareas que le imponían su propio ego y el alma europea, que yo, paralizado por la admiración, lo vi de lejos aquella noche en Zurich sin poder imaginar una afinidad comparable en nuestra propia cultura latinoamericana, donde las exigencias extremas de un continente saqueado, a menudo silenciado, a menudo también matan las voces del ser y convierten en un monstruo político hueco la de la sociedad, a veces matándola, o pariendo a un enano sentimental y, a veces, lastimoso.

No obstante, cuando recordaba mi apasionada lectura de todo lo que Thomas Mann escribió, de *La sangre de los Walsung* al *Doktor Faustus*, no podía sino sentir que, a pesar de las vastas diferencias entre su cultura y la nuestra, en ambas —Europa, la América Latina, Zurich, la ciudad de México— la literatura al cabo se afirmaba a sí misma a través de una relación entre los mundos visibles e invisibles de la narrativa, entre la nación y la narración. Una novela, dijo Mann, debería recoger los hilos de muchos destinos humanos en la urdimbre de una sola idea. El Yo, el Tú y el Nosotros estaban secos y separados por nuestra falta de imaginación. Entendí estas palabras de Mann y pude unir las tres personas para escribir, años más tarde, una novela, *La muerte de Artemio Cruz.*

Entonces los años cincuenta se extraviaron en los sesenta y nos hicimos cargo de otro ciudadano de Zurich, Max Frisch y *No soy Stiller.* Nos enteramos de Friedrich Dürrenmatt y su *Visita.* Incluso nos dimos cuenta de que hasta Jean-Luc Godard era suizo y de que el proverbial cucú estaba tan muerto como el también proverbial pato anglosajón por el igualmente proverbial clavo hispánico. Harry Lime salió de las alcantarillas y se volvió gordo y complaciente, anunciando *wine before its time.* Pues incluso él, Welles, había sufrido la suerte de Kane, indulgente pero trágico. Acaso dejó trazos de su inmenso talento en manos de los duros, trágicos, implacables escritores suizos como Frisch y Dürrenmatt, aquellos que para Harry Lime habían sido ni más ni menos que relojes de cucú.

Tengo dos finales distintos para mi historia de Zurich, uno es más cercano a mi edad y a mi cultura. Es la imagen del escritor español Jorge Semprún, republicano y comunista, enviado a la edad de quince años al campo de concentración nazi de Buchenwald y que, al ser liberado por las tropas aliadas en 1945, no fue capaz de reconocerse a sí mismo en el joven demacrado, salvado de la muerte, que no hablaría de su dolorosa experiencia hasta que su rostro le dijese: —Puedes volver a hablar.

Lo que hace Semprún en su notable libro, *La escritura o la vida*, es esperar pacientemente hasta que una vida plena le sea restaurada, aunque le tome décadas (y se las toma) hablar sobre el horror de los campos. Entonces, un día, en Zurich, se atreve a entrar a una librería por primera vez desde su liberación años atrás y se sorprende mirándose a sí mismo en la vitrina del comercio. Zurich le ha devuelto su rostro. No necesita recobrar el horror. Recuperar el rostro ha bastado para contarnos toda la historia. La vida de Zurich le rodea.

El otro final está más cerca de mi propia memoria. Sucedió esa noche de 1950 cuando, sin que él lo supiera, dejé a Thomas Mann saboreando su *demi-tasse* mientras la medianoche se aproximaba y el restorán flotante del Baur-au-Lac se bamboleaba ligeramente y las linternas chinas se iban apagando con lentitud.

Siempre le quedaré agradecido a esa noche en Zurich por haberme enseñado, en silencio, que en literatura sólo se sabe lo que se imagina.

ÍNDICE

Impreso en el mes de junio de 2002
en Talleres HUROPE, S. L.
Lima, 3 bis
08030 Barcelona